Claudel
les campagnes épistolaires
L'époque de PARTAGE DE MIDI 1904-1909

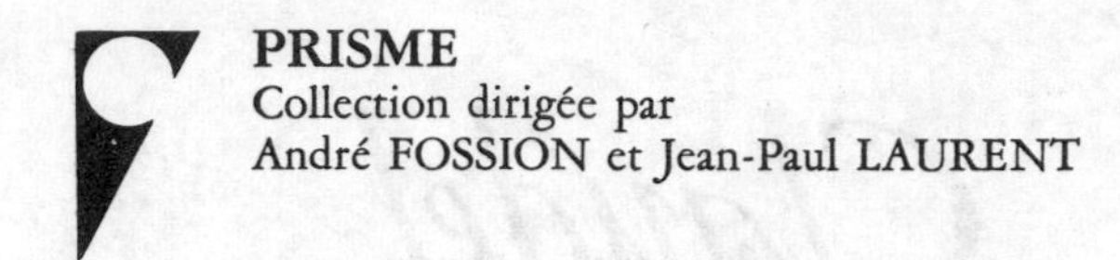

PRISME
Collection dirigée par
André FOSSION et Jean-Paul LAURENT

Série Textes/Société

Pierre de GAULMYN, *Claudel, les campagnes épistolaires, l'époque de* Partage de Midi 1904-1909.

Michel DABÈNE, *L'adulte et l'écriture*.

Arnaud de la CROIX, *Barthes, pour une éthique des signes*.

Série Méthodes

Michèle MONBALLIN, *Gracq, création et recréation de l'espace*.

Série Didactiques

Jean-Louis CHISS, Jean-Paul LAURENT, Jean-Claude MEYER, Hélène ROMIAN, Bernard SCHNEUWLY, *Apprendre/enseigner à produire des textes écrits*.

Série Problématiques

Jean-Louis CHISS et Christian PUECH, *Fondations de la linguistique, études d'histoire et d'épistémologie*.

À paraître

Philippe DUBOIS et Yves WINKIN, *Rhétoriques du corps*.

Nicole EVERAERT-DESMEDT, *Sémiotique du Récit*, 2e édition.

Pierre de Gaulmyn

Claudel

les campagnes épistolaires

L'époque de PARTAGE DE MIDI *1904-1909*

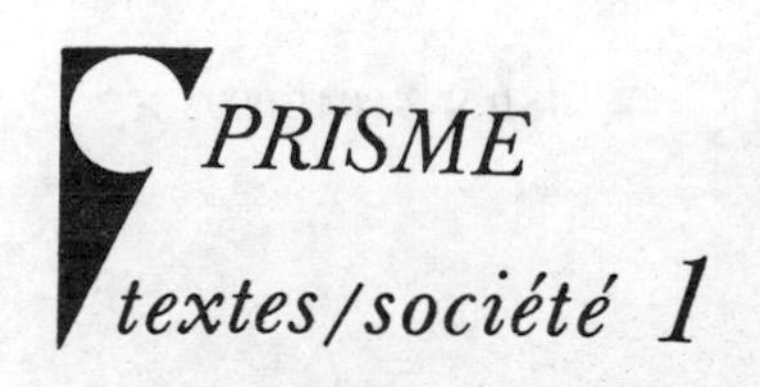

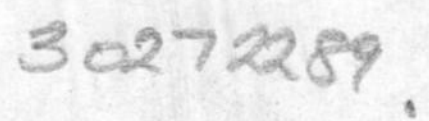

Diffusion en Suisse : GM Diffusion, 1052 Le Mont-sur-Lausanne
Diffusion au Zaïre : Afrique-Éditions, B.P. 9986, Kinshasa 1

Printed in Belgium

D 1987/0074/154 ISBN 2-8041-0995-X

Je ne puis plus mettre la main à du papier à lettre sans être victime d'un espèce d'intoxication lyrique qui me fait honte dès que j'ai collé le timbre-poste.

Lettre à André Gide
du 4 août 1908.

L'univers épistolaire des grands écrivains nous fascine, et l'ensemble de leurs lettres finit par constituer comme une oeuvre à part, qui engendre un mode spécialisé de publication et une activité critique presque autonome. Non seulement Paul Claudel n'a pas échappé au phénomène, mais il n'avait encore que cinquante-huit ans et de longues années à vivre lorsqu'il a laissé mettre en livre les six premières années de sa correspondance avec Jacques Rivière. La décision a été prise en 1926, après la mort brutale et inattendue du jeune directeur de la *Nouvelle Revue Française*. Publication incomplète, coupée et préparée en vue d'une intention précise, et pour cela justement oeuvre et non collection. Car il s'agissait, sur l'insistance d'Isabelle Rivière, d'opposer des preuves à ceux qui allaient répétant que son mari n'avait jamais eu de convictions religieuses bien solides. La série des lettres constituait ainsi une démarche, l'histoire d'un dialogue sur l'art et la foi, avec un enchaînement cohérent, un style, et les multiples échos qu'elle donnait de l'oeuvre théâtrale et poétique.

C'est encore une intention bien précise, mais plus riche d'ambiguïtés, plus risquée, qui a présidé à la publication en 1949 de la correspondance de Claudel avec André Gide. A l'autre extrémité de sa retraite, comblé d'honneurs et de succès, il s'est laissé gagner par l'exigence de sincérité de son ancien correspondant, et a accepté de livrer au public tout le dossier de leurs relations et de leur séparation de 1914. Ainsi commençait un autre style de publication de ses correspondances : texte intégral, notes, intention de donner un document sincère tout en complétant le monument presque achevé des oeuvres. Non seulement la *Nouvelle Revue Française* n'était plus comme en 1926 une sorte d'ennemi potentiel, mais c'est la maison d'édition née de la «revue de Gide» qui prenait l'initiative. C'est Gallimard aussi qui a publié la correspondance avec André Suarès en 1951, et la correspondance triangulaire entre Claudel, Francis Jammes et leur commun ami bordelais, Gabriel Frizeau, en 1952.

Bien que présentées déjà comme des documents d'histoire littéraire, ces correspondances constituaient encore des livres par l'unité de leurs parcours, la personnalité littéraire des protagonistes, la réponse qu'ils pouvaient offrir à une attente du public. Une troisième série a commencé quelques années après la mort de Claudel en 1955, avec les activités de la Société Paul Claudel, à partir des années soixante. Dans ce nouvel ensemble seule la correspondance entre Claudel et Louis Massignon, parue en 1973, est un livre tel qu'il vient d'être défini. Dans les autres cas il s'agit désormais de recenser systématiquement les lettres et de les publier au fur et à mesure des occasions. Le *Bulletin de la Société Paul Claudel* et les *Cahiers Paul Claudel* sont depuis 1959 le support principal de cette entreprise.

Les publications de lettres n'ont pas cessé depuis, mais le plus important est maintenant connu pour la période principale de création du poète, jusqu'au *Soulier de Satin* dont l'achèvement a coïncidé avec le retour du Japon et la mort de Jacques Rivière. On peut désormais faire le point sur l'activité épistolaire de Claudel, définir des ensembles cohérents et les interroger : à qui écrivait Claudel, pourquoi écrivait-il, de quoi parlait-il dans ses lettres ? Peut-on, au-delà des quelques intentions générales des premiers éditeurs, découvrir des suites concertées, des propos importants développés dans le dialogue avec autrui, des entreprises qui avaient besoin de cette forme de la lettre pour réussir ?

On comprendra à la lecture du premier chapitre de cet ouvrage pourquoi on peut commencer en 1904-1905 une étude des grandes correspondances de Claudel. Disons tout de suite que depuis la publication de *Tête d'Or* et les premières lettres connues (1890) jusqu'à la fin du second séjour de Claudel en Chine (1900-1905) les correspondances sont peu abondantes, peu suivies, que Claudel vivait alors de façon très solitaire, et que de fait c'est autour de 1905 qu'ont commencé les relations importantes avec Francis Jammes, Gabriel Frizeau, André Gide, André Suarès, puis deux ou trois ans plus tard avec Jacques Rivière et Louis Massignon. Encore quelques années plus tard s'est constitué le cercle des hommes de théâtre, Lugné-Poe, Jacques Copeau, du musicien Darius Milhaud, des critiques littéraires étrangers Milos Marten et Piero Jahier. En tout, on recense une soixantaine de correspondants pour lesquels il existe au moins une lettre de Claudel, et vingt-cinq si on se limite à ceux pour lesquels il reste au moins dix lettres. D'avant 1904 nous n'avons que 68 lettres, dont 42 pour les trois seuls qui méritent vraiment le nom de correspondants, Marcel Schwob, Maurice Pottecher et Stéphane Mallarmé (six lettres à ce dernier). De 1904 au début de 1917 l'*Etat des lettres publiées de Paul Claudel*[1] recense 866 lettres de lui. En y ajoutant les inédits actuellement connus et parfois publiés depuis cette recension, on arrive à plus de mille lettres.

Le 10 janvier 1917, en pleine guerre, Claudel s'est embarqué pour le Brésil; il ne reviendra en France qu'en mars 1919. La Grande Guerre a

1. *Annales littéraires de l'Université de Besançon* et *Les Belles Lettres*, Paris, 1975.

marqué, pour lui comme pour ses contemporains, une coupure décisive entre l'avant et l'après. Et pour lui plus précisément la coupure s'est matérialisée par ce long exil loin des siens. Dans sa carrière diplomatique elle marque presque un changement de nature : il quitte l'administration consulaire et commence une «carrière» noble : ministre plénipotentiaire, et bientôt ambassadeur. Pour le poète et auteur dramatique, commence avec la guerre une très certaine occultation de la notoriété soudaine acquise de 1912 à 1914; et c'est d'Amérique du Sud qu'il ramènera l'inspiration du *Soulier de Satin* et la figure de Christophe Colomb qui domineront l'après-guerre, qu'on peut bien appeler la troisième étape de sa création poétique.

Enfin les correspondances qui nous intéressent le plus arrivent, grosso modo, à un achèvement entre 1914 et 1916. La correspondance avec Jacques Rivière ne s'est pas conclue par l'annonce d'un retour à la pratique religieuse à la fin de 1913 comme le laisse entendre l'édition de 1926. Il existe encore une trentaine de lettres jusqu'à la mort de Rivière en 1925. Mais elles sont espacées et centrées sur les relations de Claudel avec la *N.R.F.* plutôt que sur la personne de Rivière. Il n'existe que cinq lettres adressées à Suarès après 1915. Ells suffisent à montrer que les relations sont presque abandonnées. Pour André Gide, deux mots très courts et trois lettres jalonnent, de 1916 à 1926, la rupture commencée en mars 1914. Michel Malicet arrête la publication de la correspondance avec Louis Massignon en 1914, parce qu'ensuite *jamais, semble-t-il, la correspondance ne reprendra le rythme ancien*, écrit-il dans sa préface. Les correspondances reprendront avec Frizeau et Jammes, mais du moins la période sud-américaine marque-t-elle un arrêt : deux lettres seulement et un mot très court. Ce n'est pas sans raison que les grandes correspondances publiées de Claudel sont d'avant 1914. C'est pendant cette période qu'il a voulu les situer à la jonction du poétique et du religieux, et il l'a voulu pendant que sa création poétique sortait de l'ombre et donnait ses principaux chefs-d'oeuvre.

Les nécessités de l'édition font que le présent ouvrage arrête l'étude de cette période d'avant-guerre à l'automne de 1909, quand Claudel est définitivement revenu de Chine pour prendre après son congé un poste consulaire au coeur de l'Europe, à Prague. Si le retour ne marque aucune rupture dans les correspondances, il inaugure pourtant un changement profond dans les relations de Claudel avec le monde littéraire français, avec les milieux catholiques, avec sa famille, avec un public potentiel. La Chine était à deux mois de courrier de la France. De Paris, Prague n'est qu'à une ou deux journées, de courrier ou de train. Par exemple, Claudel pourra participer de près à la fondation de la *Nouvelle Revue Française* à la fin de 1909. En 1912 de courts voyages lui permettront de suivre les répétitions de l'*Annonce faite à Marie.* Enfin c'est à ce moment-là que sa création dramatique prend un nouveau départ : *l'Otage* en 1910, *l'Annonce* en 1912. Dans un tel changement de contexte le rythme, le contenu, le ton des correspondances vont se modifier, et l'on ne retrouvera plus l'énergie en quelque sorte native des correspondances de Chine, cet effort opiniâtre pour vaincre la solitude spirituelle et l'éloignement géographique. Les 260 lettres de cette première période se distinguent nettement des 830 lettres d'Europe, écrites de 1910 à 1916. Moins nombreuses, elles présentent une bien plus grande cohérence.

Ses correspondants de l'époque appartiennent tous, de près ou de loin, au monde des lettres et des arts. Ils ont eu affaire à Claudel pour deux raisons étroitement liées, articulées l'une sur l'autre et appelées l'une par l'autre : parce qu'il était un poète dramatique, et parce qu'il était un catholique convaincu. C'est la relation entre ces deux réalités pas toujours faciles à accommoder, celle du poète et celle du catholique, qui a donné le fil directeur de cet ouvrage. Il n'est pas une recension de tous les sujets abordés dans les lettres, mais la recherche attentive des intentions premières et des premiers développements de rencontre décisives.

Un tel projet, enfin, ne se justifie que s'il aide à comprendre les relations complexes et mystérieuses qui se tissent entre la personne du poète et son oeuvre. Il veut montrer le rôle qu'y ont tenu les autres, cet «autrui» du précepte évangélique, le «proximus» dont parle Paul Claudel à plusieurs reprises, ceux qui se sont approchés de lui à cause de son pouvoir poétique, et qu'il a voulu introduire dans une relation de charité. Mais la charité de Claudel n'est pas une douce effusion, et il ne faut pas oublier que, poétiquement, c'est dans des drames qu'elle s'est manifestée.

Abréviations utilisées dans les notes :

BSPC : *Bulletin de la Société Paul Claudel.*

CPC : *Cahiers Paul Claudel.*

Th. ou *Théâtre I* et *II*, *Pro.* ou *Oeuvres en prose*, *Po.* ou *Oeuvre poétique*, renvoient aux volumes de la Bibliothèque de la Pléiade.

Première partie

L'époque de Partage de Midi

Chapitre 1

Je me vis très seul tout à coup

La première lettre connue de Claudel est l'explication de *Tête d'Or* qu'il a envoyée à Albert Mockel en 1899. Elle est reliée à l'effervescence que produisit dans un petit cercle de jeunes symbolistes l'étrange drame de cet étudiant en sciences politiques qui affirmait avec brusquerie, et comme mal à l'aise : *Je me tiens assuré que la religion traditionnelle est vraie de tous points*[1]. Une fois reçu au concours des Affaires Etrangères, il est parti pour de lointains postes consulaires : New York et Boston, puis Fou-Tchéou en Chine. C'est alors que s'éloignent les amitiés de jeunesse ou d'études, que se distendent les liens familiaux. Epoque de «digestion» de la conversion catholique, de découverte de paysages nouveaux et exaltants, et d'écriture poétique à peu près ininterrompue : après *Tête d'Or* et *La Ville* écrits à Paris, voici *l'Echange*, les deux versions de *la Jeune Fille Violaine, le Repos du septième jour, Connaissance de l'Est*.

Pendant toute cette période qui va de 1891 à 1900 Claudel a beaucoup plus de choses à se dire à lui-même qu'à dire aux autres. Les relations qu'il conserve avec la France, celles qu'il retrouve pendant ses séjours de congé, sont d'anciennes amitiés de jeunesse, essentiellement Maurice Pottecher et Marcel Schwob, camarades d'études et de débuts littéraires[2]. Puisque ses lettres à ses parents et à ses soeurs sont perdues (lettres peu nombreuses d'après un reproche de son père), on ne peut parler de correspondance qu'avec ces amis-là : vingt-six lettres au premier, dix au second. Ces lettres ne constituent aucunement des «campagnes», au sens où on pourra le dire plus tard, mais des manifestations épisodiques d'amitié, accompagnées parfois de croquis de la vie américaine ou chinoise et de jugements sur les livres des uns et des autres. Parmi les correspondants plus épisodiques encore il faut surtout noter Stéphane Mallarmé, le maître en symbolisme avec lequel Claudel a repris quelques relations à l'occasion de son séjour à Paris de 1895[3].

---

1. à Mockel, janvier 1891.
2. Voir *C.P.C. 1*, et pour Pottecher G. Jean-Claude, *Maurice Pottecher et le Théâtre du Peuple;* pour Schwob, Pierre Champion, *Marcel Schwob et son temps*, et *La quinzaine littéraire*, n° 299, 1-15 avril 1979
3. *C.P.C. 1* et P. de Gaulmyn, «Une lecture des lettres de Claudel à Mallarmé», B.S.P.C. 40.

Mais les relations épistolaires ont à peu près cessé à partir de 1898, et les rencontres faites au moment du séjour en France de 1900 n'ont fait que sonner le glas de la jeunesse. Mallarmé est mort, Schwob malade et très éloigné maintenant par la pensée. Avec Pottecher, Claudel a rompu volontairement et assez brutalement, ne supportant plus qu'il soit anticlérical, socialisant et dreyfusiste. Il a écrit quelques lettres à deux nouveaux venus, André Gide et Francis Jammes, et les a reçus chez lui à Paris, mais sans que naisse entre eux autre chose qu'une estime littéraire un peu perplexe. Enfin, il a envisagé de renoncer à son métier et à la poésie pour devenir moine bénédictin. Mais le projet a échoué, il s'est aperçu qu'il n'était pas fait pour la vie monastique.

C'est donc un homme seul et désorienté qui s'est embarqué pour un second séjour en Chine, en octobre 1900. On connaît les versets qui le rappellent à la fin de la première *Ode* :

> «Et en effet je regardai et je me vis très seul tout à coup, Détaché, refusé, abandonné,
> Sans devoir, sans tâche, dehors dans le milieu du monde, Sans droit, sans cause, sans force, sans admission.»[4]

et dans *Partage de Midi* :

> «Or je voulais tout donner, Il me faut tout reprendre. Je suis parti, il me faut revenir à la même place.
> Tout a été vain. Il n'y a rien de fait. J'avais en moi la force d'un grand espoir ! Il n'est plus.
> J'ai été trouvé manquant. J'ai perdu mon sens et mon propos»[5].

Il part pour la Chine sans autre compagnie de pensée que son oeuvre poétique, sa méditation sur le dogme catholique, et sans doute l'intention de repenser encore à ce désir si obsédant de vocation religieuse[6]. C'est une sorte de retraite qu'il envisage, c'est encore une clôture où il se trouve enfermé bon gré mal gré, un ermitage de moine-poète qu'il emporte avec lui.

Sur l'ermite va fondre la passion amoureuse[7]. Or de 1900 à 1904 cette passion prend l'allure d'une seconde clôture qui double la première. Ce n'est donc pas par hasard que la période du second séjour en Chine, de 1900 à 1905,

4. *Oeuvre poétique*, p. 232.
5. Ier acte, *Théâtre I*, p. 1006.
6. François Varillon (*Claudel*, Desclée de Brouwer, 1967, pp. 60-63), pense que le refus de s'engager comme moine bénédictin à Ligugé était loin d'être définitif.
7. Les biographes de Claudel ont convenu d'appeler «Ysé», du nom de son double de *Partage de Midi*, «cette femme très belle, qu'aux premiers jours de 1901, il avait installée sous son toit avec ses quatre jeunes garçons pendant que son mari professionnellement courait la Chine» (introduction de F. Varillon au *Journal* de Claudel, tome I, p. VII). La liaison était née sur le bateau à la fin de 1900. «Ysé» y mit fin brutalement en quittant Foutchéou le 1er août 1904, et opposa un refus obstiné à quelques tentatives que fit Claudel pour la revoir jusqu'au milieu de 1905. Voir encore le début du *Journal*.

est celle du plus grand silence épistolaire. Une douzaine de lettres disparates jusqu'en 1903, et une dizaine pour l'année 1904, voilà ce qu'il reste de cette période.

Cependant à l'intérieur de la clôture se déroule un conflit très dur, et volontairement entretenu. Car tandis que dans sa vie quotidienne il s'enferre dans un comportement sans issue, se débattant dans le scandale et la contradiction, il prépare avec fermeté les fondations de cette position de poète catholique qu'il commence à envisager d'occuper publiquement. C'est dans cet esprit qu'il écrit deux lettres à Elémir Bourges en juillet 1903 et août 1904, une à Georg Brandès[8], et instaure des relations suivies avec Adrien Mithouard et Albert Chapon, c'est-à-dire avec la revue *l'Occident* où il espère avoir trouvé un accueil favorable à l'inspiration chrétienne. Mais surtout on peut orienter tout ce mouvement de confession de sa foi sur un acte particulièrement significatif qui est comme l'acte de naissance de son apostolat, un avis envoyé et publié en France au pire moment de cette scandaleuse liaison avec une femme mariée de la colonie française. Voici de quoi il s'agit: après avoir achevé *Connaissance du Temps*, ce traité de philosophie voilé par une prose poétique un peu hermétique, il fait annoncer par le *Mercure de France* de novembre 1903 qu'il enverra un exemplaire à ceux qui lui en feront la demande. Et c'est parce qu'un lecteur du *Mercure*, Gabriel Frizeau, ajoute une lettre personnelle à sa demande, que Claudel écrira en janvier 1904 sa première grande lettre de prédication.

C'est ainsi que l'année 1904 est celle de la naissance dramatique du nouveau Claudel, celui des correspondances que connaît le grand public, dans le creuset enflammé de la fin de la liaison avec «Ysé». Le départ de celle-ci, en août 1904, ouvre une période de désarroi, de remords et de vide angoissé, au milieu de laquelle va se mettre en place la correspondance avec Gabriel Frizeau. C'est avant la rupture que Claudel a reçu la première lettre de Frizeau, et lui a répondu longuement en janvier 1904; mais il ne reçoit ensuite rien d'autre... qu'une caisse de vin en octobre, et écrit de nouveau le 19 de ce mois. Cependant Francis Jammes à son tour, sous l'effet de la lettre reçue par son ami Frizeau, décide d'avouer à Claudel son «besoin de Dieu». Claudel répond le 24 octobre, et continuera directement la conversation avec lui l'année suivante, en France. André Suarès à son tour s'adresse à Claudel, de manière plus attendue, par l'envoi d'un livre. Claudel lui répond le 14 décembre. Suarès ému de cette réponse écrit le 29 janvier 1905, mais la lettre n'atteindra Claudel qu'à son retour à Paris.

Aucune correspondance n'est vraiment en train avant le retour en France de 1905. Mais quelque chose a brusquement commencé, dont la fécondité va très vite se révéler, et se développer pendant des années. Au

8. Important critique littéraire danois, 1842-1927. La lettre de Claudel est publiée en note dans ses *Oeuvres en Prose*, p. 1407.

milieu des crises personnelles et à cause d'elles — crise de Claudel et crise de Frizeau, Jammes et Suarès — des préoccupations essentielles, intimes sont dévoilées, écrites d'un bout de la terre à l'autre; des demandes vitales sont formulées, attendant non une réponse unique mais une écoute patiente et de longues explications. Il y a un «miracle» en 1904, c'est la rencontre de ces quatre personnages en difficulté spirituelle : Claudel, Jammes, Frizeau, Suarès.

Pendant le congé d'un an exactement, que Claudel passe en France de mars 1905 à mars 1906, les relations épistolaires qui viennent de se nouer vont se nourrir de plusieurs rencontres, se consolider dans des amitiés de formes très différentes, toutes marquées à la fois par la sincérité et l'exigence. C'est Suarès qui donne l'occasion des échanges les plus nombreux : vingt-cinq lettres de Claudel entrecoupées de deux rencontres en mai et juin, d'une au début de novembre, d'une autre le 22 décembre. A cette correspondance fait pendant la double relation avec Jammes, qui reçoit dix-sept lettres, et Frizeau qui en reçoit treize. Puis à Paris, le 30 novembre 1905, chez Arthur Fontaine qui est devenu leur ami commun, on lit *l'Eglise habillée de feuilles* de Jammes. Il y a là Adrien Mithouard, représentant *L'Occident* dont il est le directeur, c'est à dire un milieu intellectuel ouvert au catholicisme. Poésie nouvelle, catholicisme, amitié, semblent s'accorder dans un équilibre retrouvé. Or le lecteur des poèmes de Jammes est André Gide. C'est là que commence l'amitié épistolaire la plus célèbre et, rétrospectivement, la plus inattendue de ce début de siècle. Dans l'intervalle de trois rencontres, le 30 novembre, le 5 décembre, le 31 janvier, sont envoyées à Gide douze lettres, dont six au moins sont décisives.

Frizeau, Jammes, Suarès, Gide. A la fin de 1905 ces quatre correspondances primordiales, originelles, sont en place pour durer pendant au moins dix ans. Autour d'elles s'ébauchent quelques autres tentatives épistolaires qui connaissent des fortunes diverses : Christian Beck, Elémir Bourges, Charles-Louis Philippe, Sylvain Pitt. Avant d'en étudier le cours, il faut s'attarder sur cette période de *genèse*, examiner de près, l'un après l'autre, les grands textes de naissance où s'ébauchent l'amitié toute simple, la parenté littéraire et le débat religieux. En puisant une force mystérieuse dans les blessures d'une aventure qui ne pouvait que mal finir, Claudel fait marche vers les autres.

Gabriel Frizeau, une prédication modèle

De Gabriel Frizeau à Paul Claudel, 10 décembre 1903

Gabriel Frizeau est un inconnu pour Claudel lorsque celui-ci reçoit de lui une courte lettre, même pas une page dans l'édition imprimée, datée du 10 décembre et arrivée en Chine vraisemblablement un ou deux jours avant le 20 janvier (il est clair que Claudel y a répondu immédiatement). Il faut rappeler que le poète avait fait imprimer 150 exemplaires de *Connaissance du Temps*[1] à Fou-Tchéou en 1904, et venait de proposer dans le *Mercure de France* de novembre 1903 d'en envoyer un exemplaire à ceux qui en feraient la demande. Frizeau lui en demande trois exemplaires[2]. On sait par une lettre de lui à Francis Jammes d'avril 1902[3] qu'il considérait déjà Claudel comme le plus grand poète vivant et qu'il collectionnait soigneusement ses oeuvres au fur et à mesure de leur publication. Frizeau, grand bourgeois bordelais, était un amateur à la fois modeste et très éclairé d'art et de littérature modernes[4]. *Plus encore qu'à la qualité de son esprit*, écrit André Blanchet, *c'est à celle de son âme que, peu soucieux de flatteuses relations, il dut d'attirer dans sa maison quelques-uns des plus grands peintres et des plus grands écrivains de son temps*. Ces peintres et écrivains étaient présents par leurs oeuvres que Frizeau collectionnait assidûment, plusieurs étaient reçus chez lui et certains devinrent ses amis. Ils étaient à peu près inconnus du grand public, surtout à Bordeaux. Ce furent, de 1900 à 1914, Odilon Redon, André Lhote, André Gide, Francis Jammes, Alexis Léger, Jacques Rivière. Ces deux derniers ont fait partie des jeunes gens dont il avait les confidences, écrit encore André Blanchet, *par son désintéressement et sa disponibilité*. Odilon Redon le décrivait comme *un être grand, doux et fort avec des yeux perdus, par instants, dans le monde intérieur*. Blanchet cite aussi le portrait plus incisif de Francis Jammes dans *Les Caprices du Poète* :

---

1. 1ère partie de *l'Art Poétique. Oeuvre poétique*, p. 123.
2. Il reçut en tout 22 demandes. Sur toute cette question, voir l'introduction d'André Blanchet, et les notes concernant cette première lettre (p. 383) dans la *Correspondance* de Paul Claudel, Francis Jammes et Gabriel Frizeau.
3. *Correspondance*, p. 30.
4. Voir Jean-François Moueix, *Un amateur d'art éclairé à Bordeaux : Gabriel Frizeau*, thèse, Bordeaux, 1969.

«... forte souche de viticulteurs girondins (...) devenus bourgeois, solidement nourris, carrés, posés, conservateurs par essence, ils possèdent comme leurs vins, une solide étoffe. Ils sont de la race de Montesquieu et de Montaigne. Jurisconsultes, avocats au verbe sonore, ils défendent au nom de l'esprit des lois, âprement, leurs patrimoines avantageux; philosophes épris de belles discussions, et d'*essais*, si je peux dire, ils bâtissent à la fin leur cathédrale intérieure...
Si l'intelligence tient à l'équilibre, je ne sais pas d'homme plus intelligent; si l'art veut l'émotion, je n'en sais pas de plus sensible»[5].

Frizeau savait par Jammes que Claudel était un fervent catholique, ce qui l'a certainement aidé à interpréter les drames de *l'Arbre* dans le sens voulu par leur auteur. Il ne fréquentait pas les artistes par snobisme ou dilettantisme, mais pensait que l'art, et le plus moderne, exprime une vie intérieure que rien d'autre ne peut dire. La courte lettre qu'il adresse à Claudel le montre bien : il profite de sa demande pour s'ouvrir à lui de ses doutes philosophiques et religieux, avec simplicité et un peu de timidité : *Cher Monsieur Claudel, (...) si vous me permettiez de vous écrire, je voudrais me confier à vous.*

Claudel ne voit-il pas venir à lui exactement ce qu'il attendait depuis toujours ? Dès la première lettre que nous connaissons de lui, celle qui commente *Tête d'Or* pour Mockel, il annonçait :

«Je me tiens assuré que la religion traditionnelle est vraie de tous points. Mon seul effort sera de réveiller l'humanité de sa morne indifférence. La joie absolue existe...»[6]

Voici enfin, en écho à cet effort tenté depuis plus de dix ans, une demande sans dérobade ni esthétisme :

«J'aurais de terribles anxiétés, tous les doutes à vous dire et le trouble d'une âme qui a senti qu'elle ne retrouvera la paix que dans la Foi».

Et plus précisément encore :

«Je ne puis le demander qu'à vous, parce que vos livres ont ébranlé jusqu'au fond mon esprit et mon coeur, qu'ils sont les seuls à remettre sur la Voie.»

C'est en pensant à Claudel, ajoute-t-il, que malgré ses propres hésitations à se déclarer catholique, il a fait baptiser son fils. Et il lui pose une question qui permet d'imaginer qu'il ne lui manque plus qu'un complément de conviction : *Où aller ? Comment vivre strictement ? Comment pratiquer sans retour ?*

Dans le reste de la lettre, comment ne pas voir que le bref résumé qu'il fait de sa vie présente un parallélisme frappant avec l'histoire religieuse du

5. *Correspondance*, p. 16.
6. *Cahiers Paul Claudel, I*, p. 141.

jeune Claudel ? Enfance chrétienne, sentiment religieux tari par «l'horrible lycée» (c'est-à-dire, comprendra Claudel, le positivisme qu'on y enseignait), et les désirs violents et confus de l'adolescence, l'expérience du néant et l'intuition qu'il y a une solution du côté du catholicisme. Sur ce dernier point on pourrait comparer sa fréquentation des premiers drames de Claudel à la fréquentation que recherchait Claudel des liturgies de Notre-Dame de Paris avant sa conversion : cérémonies antiques, paroles étrangement dramatiques, émotions obscures, étaient la voix saisissante par laquelle «l'autre» déjà annonçait sa venue[7]. Dans sa réponse Claudel relèvera aussitôt le parallélisme : *moi aussi j'ai eu une jeunesse toute semblable à la vôtre.*

On ne pouvait mieux convaincre Claudel de l'urgence et de l'importance d'une réponse. La netteté et la sincérité de la demande, la révélation que fait Frizeau de «mille élans» déjà ressentis pour Claudel, sont des incitations suffisantes. Mais pourtant : la lettre est courte, Frizeau est un inconnu, Claudel n'est pas un directeur de conscience, et comment guider quelqu'un sur des questions aussi personnelles depuis l'autre bout du monde, quand le courrier met un mois et demi à parvenir ? En fait c'est parce qu'il attendait cela depuis longtemps, et que l'annonce du *Mercure* pour *Connaissance du Temps* vient de renouveler cette attente, que Claudel se lance avec passion dans la plus longue lettre qu'il ait écrite : plus de quatre pages du format 14 x 23 de l'édition Gallimard.

Est-ce un paradoxe du hasard, que cette action de prédication se situe au pire moment de la liaison de Fou-Tchéou, peu avant la rupture ? N'est-elle pas pour Claudel l'occasion à la fois redoutée et espérée qui fait éclater la contradiction et rend impossible le compromis, comme dans ses drames ? Il écrira plus tard à Frizeau : votre lettre *m'a réveillé au sentiment de mon devoir*. Le devoir, c'est de s'engager comme *croyant absolu* vis-à-vis d'autrui, d'engager un acte presque sacerdotal qui l'obligera à regarder en face une situation insupportable, entre le «péché» avec Ysé et le salut annoncé aux autres. Le climat de sa réponse est à la fois enthousiaste, dramatique et solennel.

De Paul Claudel à Gabriel Frizeau, 20 janvier 1904

L'assurance de Claudel dans cette lettre, l'autorité avec laquelle il explique, affirme et exhorte, l'absence du moindre doute sur la réponse à donner à Frizeau, l'émotion débordante qui n'est qu'une émotion de plénitude, de rassasiement, tout cela cause une sorte de stupéfaction. Nous avons quitté ici le domaine des «propositions» du théâtre et de la poésie

7. cf. *Ma conversion*, *Oeuvres en Prose*, p. 1008, et André Vachon, *Le Temps et l'Espace dans l'Oeuvre de Paul Claudel*, pp. 45 à 79.

lyrique, et nous rencontrons l'édifice central de la croyance sur laquelle elles sont bâties. Nous lisons une prédication enflammée :

«Oui, croyez cela fermement avec une assurance inébranlable»,

et l'enseignement d'un catéchisme complet qui livre tout, qui est sûr de ne rien laisser au-dehors :

«Cela est la vérité, et si vous croyez cela vous croyez toute la doctrine catholique.»

Ce qu'il propose, c'est en même temps la source créatrice de la passion de toute sa vie, et un système de persuasion sorti tout armé de sa pensée. La révélation en est fermement agencée dans l'ordre de succession des paragraphes, qui sont attachés chacun à une idée et à une seule. N'a-t-on pas ici une mise en ordre et une mise au clair de toute l'histoire spirituelle de Claudel ?

Le premier paragraphe, en exprimant la joie d'avoir trouvé enfin un vrai lecteur, rappelle *le dessein dans lequel sont écrits tous mes livres*, qui est la propagation de la connaissance de Dieu. Il est suivi, en guise de justification, d'un passage qu'on ne pourrait mieux définir que comme une description enthousiaste de Dieu lui-même : c'est la représentation de l'illumination première, celle de la conversion restée depuis comme un bloc inébranlable : révélation de la joie divine venant compléter la première révélation reçue au contact de quelques grands artistes, «Virgile, Dante, Beethoven, Shakespeare» et définition du désir de bonheur de l'homme comme son mouvement pour combler la distance qui le sépare de Dieu.

Cette vérité toute-puissante et éternelle a été découverte au cours de la période dont le récit est fait ensuite; mais elle dépasse l'histoire personnelle de Claudel et devait être présentée d'abord. Le récit du troisième paragraphe, première version complète de «ma conversion», conduit Claudel du lycée jusqu'à la période présente, qu'il conçoit comme une «nouvelle phase» après la période de composition des drames : celle des ouvrages doctrinaux.

Comme le motif de cette lettre est, entre autres, de commenter l'envoi du premier de ces ouvrages doctrinaux, viennent maintenant deux paragraphes sur la doctrine : le récit de l'aventure spirituelle de Claudel est ainsi intercalé entre l'expression lyrique et enthousiaste de la révélation primordiale, et une démonstration plus raisonnée dans son intention : un paragraphe commence par *Il est pleinement satisfaisant pour la raison de croire* ... et le suivant, *Tout cela se suit parfaitement, tout cela est dans l'ordre de la vérité*. L'explication porte sur l'intention divine d'assurer le salut de l'homme, avec ses trois étapes : la création, Jésus-Christ, l'Eglise; elle est suivie d'une justification de l'obscurité des mystères chrétiens. Après quoi, il faut faire le pas sans hésitation : les deux derniers paragraphes s'adressent directement à Frizeau et lui tracent un programme : accepter l'humiliation intellectuelle d'un retour au catholicisme, pratiquer les sacrements, les dévotions et les oeuvres de charité, lire des ouvrages de doctrine et de mystique. Enfin, en post-scriptum, Claudel rejette avec mépris et horreur les sagesses hindouiste et bouddhiste auxquelles Frizeau avait fait allusion dans sa lettre, comme à un chemin possible vers la conversion.

La lettre présente donc une structure qui est celle d'une persuasion argumentée, d'un discours oratoire au sens classique du terme : une pensée qu'on imagine assurée depuis longtemps se raffermit encore dans le mouvement énergique qui la transmet. Ici se révèle véritablement, et pour la première fois avec autant de volume, le Claudel prosateur. On définira facilement ici la prose, par rapport à la poésie qui caractérise toutes les oeuvres publiées alors par lui, y compris *Connaissance de l'Est* et *Connaissance du Temps,* comme un discours logiquement articulé (et même un récit chronologique dans le rappel de sa conversion), écrit dans une syntaxe conforme à l'usage courant, avec des termes qui n'ont d'autre valeur métaphorique que fixée, elle aussi, par l'usage. On y reconnaît les images de la prédication religieuse : *dans les* trésors *de sa bonté, nous ayant* ouvert la porte, *nous ayant* montré le chemin *à suivre.* L'énergie de la parole claudélienne, se retrouve ici sous la forme plus maîtrisée des constructions oratoires destinées à convaincre avec urgence. Ce qui domine, ce sont les figures d'insistance par répétition, en général combinées en parallélismes binaires :

«vous ramener à la vérité et à la joie»,
«nous sommes nés pour un bonheur sans limites, pour d'inénarrables délices»,
«dans les trésors de sa bonté et de sa sagesse»,
«dont elle porte en elle-même une forte et sûre conscience»,
«cette différence ineffable et paternelle»
«de parler et de légiférer à sa place ! de lier et de délier, de fermer et d'ouvrir, sans doute et sans erreur».

On sent que très spontanément la phrase asseoit les certitudes sur des chutes binaires, en fin de proposition. Appartiennent aussi à ce mode de la certitude des antithèses, *ce ne sont pas ... ce sont, d'un côté il y a ... de l'autre il y a ...* et le soin apporté aux articulations logiques, aux déictiques de rappel, en particulier dans les deux paragraphes qui présentent la doctrine :

«Il est juste de penser que cet être...»
«Si nous sommes son oeuvre (...) comment se désintéresserait-il...»
«Donc si nous sommes misérables...»
«Et c'est pourquoi premièrement (...). Et secondement...»
«Voilà tout ce que nous avons besoin de savoir et c'est pourquoi...»

A la fin de la lettre Claudel conseille à Frizeau la lecture de *ce véritable Paradis de la Raison que sont les deux grandes Sommes de Saint Thomas d'Aquin ;* le style même du résumé qu'il en fait le laisse entendre. Il y a dans sa façon prosaïque de présenter le système métaphysique catholique un très grand plaisir de l'évidence, une sorte de jubilation éprouvée à faire résonner, du haut de la chaire, une «Raison» chrétienne séduisante par sa solidité géométrique. Et à Thomas d'Aquin se superpose évidemment le grand art des dômes de la Contre-Réforme et celui de Bossuet, cité à la fin de la lettre à la première place de la liste des maîtres spirituels.

Mais le style de la certitude n'est pas seul. Il est traversé des accents d'un lyrisme plus irrégulier, ici plus souple et plus secret, là plus impétueux. On a déjà une émotion moins maîtrisée lorsque le système répétitif est ternaire, et les termes eux-mêmes plus hyperboliques :

«la Joie immense, éperdue, bienheureuse»
«infiniment pur, infiniment tendre, infiniment innocent».

L'éruption émotive n'est pas loin ici, de même que dans la succession pressante des impératifs à la fin de la lettre, et sur un autre mode de violence mais toujours avec cette pression sourde, dans certaines accumulations coléreuses, *les savants, les artistes, les hommes intelligents, les hommes d'Etat, les hommes d'affaires, les hommes du monde, les cafards, les vieilles dévotes, l'art des chemins de croix, la suffocante ineptie des sermons.*

Il reste à parler d'un style accumulatif plus ample et plus libre : une manière, qui appartient au grand style lyrique de Claudel, de prolonger la phrase en une ou deux reprises avec variations, de sorte qu'elle retrouve ce rythme à deux ou trois grandes mesures, moins logique qu'émotif (parce que le principe de construction relève de la répétition, non de la subordination) que Claudel lui-même a si souvent comparé au rythme respiratoire. Le «verset» revient sous la plume du prosateur :

«et cependant il y a un petit secret personnel entre nous, il y a un petit coin qui est à nous seuls, un petit coin par lequel nous existons...»
«Tous mes drames ne sont que l'effort, la lutte d'une âme désespérée contre les suffocantes ténèbres sous lesquelles on veut l'étouffer, l'alchimie d'une âme qui ne se résigne pas...»

La construction est ici plus souple, plus ouverte, à mi-chemin entre la conversation familière (la pensée qui rajoute à la phrase plutôt qu'elle ne la construit) et la poésie lyrique. C'est un des éléments qui empêchent cette lettre de tomber dans un style d'éloquence sacrée trop guindé et déclamatoire, un autre élément étant que les phrases sont de longueur moyenne ou petite. Les parallélismes fermes et ordonnés portent sur de petites unités, tandis que l'ensemble du mouvement reste souple et ouvert.

Enfin Frizeau, et Jammes, second lecteur de cette lettre, ont certainement perçu comme des pulsations plus secrètes du poète quelques figures singulières et mystérieuses comme en est nourrie la poésie claudélienne :

«vous y trouvez toute paix, tout rassasiement, le sacrement en cette vie de votre mariage avec la mort»

«tous mes drames ne sont que (...) l'alchimie d'une âme qui ne se résigne pas ...»

Notre foi *n'est pas faite pour la dégustation de la langue, mais pour la digestion au-dessous de notre profond coeur*

«et ce bonheur ne se trouve que dans la jonction avec sa source»

Ces quatres exemples sont les seuls et forment, sauf le second, la dernière proposition du paragraphe, comme une clausule destinée à laisser songeur plutôt qu'à frapper définitivement une formule.

Voilà donc, à travers le discours explicatif, le poète des images profondes. Le discours, lui, nous livre à nu quelque chose qui n'apparaît dans les premiers drames que comme un désir, dans *Connaissance de l'Est* comme une proposition des paysages, et dans *Connaissance du Temps* comme un étrange chant en prose : la certitude d'une vérité trouvée, et une joie qui est passée par l'épreuve de ce paradoxe dramatique : le possesseur de la vérité n'a encore pu convaincre personne, il a dû lui-même livrer un long combat avant de se laisser convaincre, et le visage de sa vérité est souvent ridicule et mesquin. Cette idée de la contradiction chrétienne est l'une des idées-forces de Claudel: on la trouve exposée ici en termes clairs; on en entend l'écho dans ce ton pressant, impatient, ému, qui accompagne les certitudes. La certitude métaphysique s'ouvre, dans son langage, sur des failles, des contradictions, des appels vertigineux, générateurs d'une relation vibrante et inquiète avec Dieu.

Ainsi apparaît le caractère dramatique, conflictuel, de la pensée claudélienne. Le conflit est d'abord entre Claudel (parlant au nom de Dieu et comme Dieu lui a parlé) et ce qui chez son correspondant résiste à la vérité. La présence de Dieu est une force impérieuse. Le bonheur n'est pas un équilibre, c'est une agression. D'où cette accumulation, dans le début de la lettre puis à diverses reprises, d'affirmations péremptoires sur l'existence indiscutable d'un bonheur infini, de définitions superlatives de l'amour divin ; c'est un mouvement de lyrisme oratoire comme oserait à peine le faire un prédicateur emporté par son sujet. Dans une lettre adressée à un seul correspondant, avec le refus manifeste de poétiser, les définitions précises et les conseils pratiques qui suivent, on peut estimer que la pensée claudélienne se montre dans la réalité simple d'une relation vécue. Même sans l'interposition de la fiction dramatique ou du chant lyrique, quand il ne faut que pousser un homme réel à agir, Claudel ne peut parler de sa foi autrement qu'en ces termes urgents et exaltés :

> «Il n'y a de vérité que dans la Joie immense, éperdue, bienheureuse (...); tout ce qui nous confirme dans cette idée est vrai, tout ce qui nous en éloigne est faux ; il n'est pas douteux que nous sommes nés pour un bonheur sans limites, pour d'inénarrables délices. Et la consommation de cette joie est dans l'amour divin, c'est-à-dire dans la présence hors de nous et en nous d'un être distinct appelé Dieu, infiniment pur, infiniment tendre, infiniment innocent, qui nous connaît et nous aime d'un amour personnel, nous, Paul Claudel ou Gabriel Frizeau».

La sensibilité éminemment dramatique de Claudel apparaît plus directement encore dans le récit de sa propre histoire religieuse. Les éléments du récit de *Ma Conversion*[8] sont tous présents ici, plus condensés et plus abrupts : il est agressé par les «infâmes doctrines», il entend l'«horrible blasphème» de Renan sur la vérité triste ; le Dieu qui soudain lui tend les bras l'agresse en même temps, puisqu'il lui résistera quatre ans ; au bout de ce temps il n'est pas apaisé mais vaincu :

> «le conflit n'avait pas cessé, mais seulement la force en moi de le soutenir».

Et il est vaincu de manière inexplicable, par la grâce des sacrements après *s'être jeté à l'eau*. Dans ce récit tout est affrontement, contrainte et triomphe, triomphe encore combattant. C'est seulement la nature des forces en présence qui change ; d'abord combat entre lui et lui, puis entre lui et Dieu, enfin entre Dieu et lui, d'une part, et la contrainte de l'incroyance d'autre part:

> «Tous mes drames ne sont que l'effort, la lutte d'une âme désespérée contre les suffocantes ténèbres sous lesquelles on veut l'étouffer».

Et même la recherche proprement poétique, symboliste, inspirée à la fois de la scolastique médiévale et de Baudelaire, la recherche d'un accord de ressemblance entre l'esprit de l'homme, le monde sensible, et Dieu, est présentée comme la lutte obstinée contre les apparences décourageantes, la poursuite d'un secret envers et contre tout :

> «l'alchimie d'une âme qui ne se résigne pas à ne pas trouver hors d'elle-même dans ce monde visible qui l'entoure, l'ordre, la paix et la joie dont elle porte en elle-même une forte et sûre conscience».

Comme il le dit aussitôt après, le traité théorique de *Connaissance du Temps* est une nouvelle phase du combat de celui *qui ne se résigne pas*. C'est dit encore plus explicitement, et toujours dans les mêmes termes dramatiques, dans la lettre à Elémir Bourges qui, dix jours auparavant, accompagnait l'envoi du même traité :

> «Mon but a été de délivrer l'esprit humain de l'horrible et ignoble esclavage dont j'ai tant souffert dans ma jeunesse, celui des prétendues «lois scientifiques», (...) de rendre au monde la fraîcheur à jamais virginale de son innocence et de sa nouveauté[9].»

Il ne faut pas s'y tromper : la restitution de l'innocence est bien celle d'après la faute, elle ne consiste nullement en un doux retour à la paix protégée de l'enfance. Tout se passe au contraire, dans cette lettre à Frizeau, comme si Claudel voulait éliminer l'idée d'une conversion conçue comme un retour à l'enfance ; car Frizeau écrivait :

8. Publié dans une revue catholique en 1913. *Oeuvres en prose*, p.1008.
9. 9/1/04, *Cahier Paul Claudel 1*, p. 174.

«J'ai eu l'enfance catholique la plus douce et la plus heureuse ; ah, le tendre coeur plein d'amour que j'avais alors».

A l'époque même de cette lettre Claudel se montre circonspect devant les velléités chrétiennes de Jammes, justement pour cette raison. Pour lui, la démarche catholique est une exploration *avec la torche et l'épée*, comme il l'écrivait jadis à Mockel ; elle est, comme il le dira bientôt à Elémir Bourges[10], *...la victoire de l'affirmation acérée, dévorante*, elle est comme l'épée de Saint Paul *qui atteint jusqu'à la division de l'âme et de l'esprit*. Il veut éliminer aussi la tentation du refuge dans le néant, qui a touché Frizeau et à laquelle il semble revenir, à travers son attrait pour des livres bouddhistes. Il y a deux «blasphèmes», dans la lettre, deux fois ce terme d'accusation et de colère : *l'horrible blasphème* du positivisme sans illusion, «la vérité est triste», et le *blasphème radical qui est l'amour et la recherche du Néant.*

Au lieu du scepticisme tranquille ou du néant sans pensée, Claudel force son correspondant à entrer dans la relation inconfortable, paradoxale, qui règle les rapports entre l'homme et Dieu, distinction radicale et appel à la fusion totale, affrontement des contraires et intime ressemblance :

«Et nous de notre côté nous sommes distincts de lui afin que nous puissions avoir quelque chose à lui donner»
«Un être parfait, invariable, essentiellement différent de toutes les créatures, et dont le Mystérieux nom de Saint exprime cette différence ineffable et paternelle».

C'est l'idée maîtresse de *l'Art poétique* : l'existence d'un être n'est établie que par la différence qui le sépare des autres, tandis que cette même existence ne peut durer et croître qu'en reconnaissant la ressemblance qui permet la relation d'amour. Entre l'homme et Dieu la contradiction de ce double rapport est en quelque sorte exaspérée, étant donné à la fois l'énorme disproportion et l'intimité de la relation. Le sens de la vie, le sens de la mort, s'aiguisent réciproquement de leur perpétuel conflit. C'est pourquoi Claudel donne d'abord à la joie chrétienne des qualifications exaltantes et rassurantes, *bonheur sans limites, inénarrables délices, pur, tendre, innocent, bonté, sagesse, créance douce et facile, paix, rassasiement*, puis il termine sans transition par une formule d'un éclat contrasté et tragique :

«le sacrement en cette vie de notre mariage avec la mort».

La joie est soudain affectée d'une étrange lumière nocturne, celle de la mort regardée en face, des renoncements nécessaires et acceptations lucides.

Enfin, sur le plan de la morale pratique, la contradiction exigée du chrétien est tout aussi inconfortable. Elle est entre la grandeur, la richesse infinie de la joie promise, et l'humiliante petitesse des pratiques, leur disproportion avec le résultat escompté : confession, communion fréquente,

---

10. 23/6/05, op. cit. p. 177.

les dévotions les plus humbles comme le scapulaire et le rosaire, oeuvres de charité. Bien sûr, Claudel n'invente rien ici. Il n'est pas loin des conseils de Pascal, qu'il cite dans ce passage. Il reprend très probablement les exhortations de ses propres directeurs de conscience. Depuis la Contre-Réforme la spiritualité catholique est entièrement tournée vers le perfectionnement individuel proposé à tous. Dans ce contexte, même les sacrements, même l'amour des pauvres apparaissent comme d'humiliantes pratiques. Et Claudel non seulement accepte que l'usage en soit salutaire, mais il renchérit. Il imagine une prière à Dieu qui est l'un des modèles du paradoxe de la volonté chrétienne tel qu'il l'entend. Le paradoxe, c'est celui du désir d'humiliation; on s'engage dans des épreuves qui n'ont rien de glorieux, en sachant qu'elles sont nécessaires au salut, avec pour toute arme un sens du burlesque de la situation et une sorte de colère sourde envers Dieu qui exige de telles démarches. Nous reconnaissons là l'une des composantes du drame claudélien : les mesquineries imposées par Mara à l'humiliation de Violaine, l'impossibilité absolue de donner une interprétation flatteuse et glorieuse au sacrifice de Sygne, et bien sûr, pour le secours ambigu demandé au rire, le traitement burlesque de divers aspects du destin de Prouhèze et de Rodrigue. En voici, dans la lettre de Frizeau, l'équivalent dans la réalité : Claudel dénonce et accepte à la fois, «d'un coeur hilare et héroïque», les plus repoussantes petitesses de la société chrétienne, l'absurdité, la cafarderie dévote, l'ineptie intellectuelle, le mauvais goût artistique des catholiques. En face, c'est dans une opposition vigoureusement conflictuelle que sont dressées les puissances du monde moderne, que ces catholiques ridicules sont dérisoirement appelés à combattre. La situation de conflit est double : d'une part entre deux séries de comportement absolument inconciliables, d'autre part plus sourdement, entre l'amertume de l'humiliation et la force de l'amour de Dieu, qui sont loin de s'harmoniser; le fait que ce soit présenté sous la forme d'une prière à Dieu accentue encore le «grief»[11], la revendication. Claudel n'a jamais fini de méditer la plainte de Job, on le reverra à propos de Francis Jammes. Il oblige ici Frizeau à s'agenouiller pour exprimer à la fois l'amertume et l'amour :

> «Vous pouvez vous vanter d'avoir imaginé une religion bien folle et bien absurde. Et cependant elle me plaît telle qu'elle est et vous, mon Dieu, vous me plaisez tel que vous êtes et où que vous soyez».

Les conseils qui suivent déplacent la perspective dramatique, mais la maintiennent. Claudel invite son correspondant à se confesser, à communier fréquemment, à «s'humilier» par des dévotions comme le scapulaire et le chemin de croix, à participer à des oeuvres de charité, *le plus pénible sans doute à des hommes comme vous et moi*, à lire Bossuet et divers écrivains mystiques. L'attitude contradictoire nous semble ici la suivante : Claudel est poète, il sait

11. cf. Marianne Mercier-Campiche, *Le théâtre de Claudel, ou la puissance du grief et de la passion.*

ce que c'est que l'ivresse des mots, il sait qu'il s'adresse à un homme qui a été séduit par l'éclat verbal de ses drames. Or tout se passe comme s'il lui disait: ne vivez pas en poète, ne croyez pas en poète, ne pensez pas en poète.

Et le poète répond : je ne suis pas un poète, est-il écrit dans la Cinquième Ode[12]. Son rôle ici n'est pas de renouveler et d'amplifier la flatteuse émotion poétique. Il n'est pas non plus de la détruire ; il est de dresser l'une contre l'autre deux certitudes complémentaires, mais complémentaires seulement dans la mesure où elles sont irréductibles l'une à l'autre : certitude qu'il y a une relation d'amour entre l'homme et Dieu et que la poésie, l'art, peuvent la dire, et d'autre part certitude qu'il y a une distance infranchissable, celle des difficultés pratiques de la réalité, que seules des pratiques humiliantes peuvent essayer de réduire pas à pas.

Quel que soit le site exact de la contradiction, Claudel ne considère pas ses termes comme ceux d'une méthode provisoire qu'on abandonnerait une fois résolu le problème, quitte à s'ouvrir à d'autres contradictions inattendues. Claudel est le contraire d'un dialecticien, il ne croit pas en une pensée, une vie, une histoire qui avanceraient par progrès linéaire. Il ne s'agit pas d'aboutir à une conclusion à la fin d'un débat : *pour une objection dont vous serez venu à bout, il y en aura dix qui se présenteront à la place.* Les forces en présence sont éternellement là et éternellement vraies, et *le mariage avec la mort.*

On verra dans bien d'autres lettres que cette vision d'un conflit statique, si l'on peut dire, a poussé Claudel à s'attacher à la figure du «cercle», de la «fermeture», de la «maison fermée». Non sphère d'harmonie, mais cercle à l'intérieur duquel se livrent à chaque instant de dures batailles. En termes plus abstraits Claudel tient à la fois à la certitude et à l'affrontement, l'un ne peut exister sans l'autre. A cette condition il en résulte un profit qui n'est pas d'avancée mais d'approfondissement, d'exploration. Une autre conséquence de cette vision est l'éloge que fait Claudel de l'obscurité des «mystères» chrétiens. Cette conception est importante, elle se relie en fin de compte à la pratique poétique de l'obscurité, au désir de Claudel de maintenir dans ses drames une part incompréhensible, «c'est ce que vous ne comprendrez pas qui est le plus beau»[13].

Claudel semble d'abord demander à Frizeau la foi du charbonnier : *Voilà tout ce que nous avons besoin de savoir et c'est pourquoi nous n'en savons pas davantage.* Mais il continue en montrant qu'à l'intérieur du cercle des certitudes sommaires il y a une sorte de dessin confus d'ombre et de lumière, qui invite à creuser davantage, et qui surtout révèle des vérités sensibles au coeur, nécessaires à la vie :

---

12. *Oeuvre poétique*, p. 280.
13. *Le Soulier de Satin*, première journée, scène première.

> «Les ténèbres (...) permettent à notre foi de passer intacte au travers de cette partie banale et ouverte de nous-mêmes, meublée d'idées factices et de bibelots biscornus apportés tout faits de chez le marchand, que nous appelons notre science et notre raison. Elle n'est pas faite pour la dégustation de la langue, mais pour la digestion au-dessous de notre profond coeur».

Voilà encore deux certitudes irréductibles : la clarté de la vérité et son mystère insondable ; la découverte de Dieu naîtra d'une action de l'esprit qui tiendra compte de l'une et de l'autre. C'est ce que fait le poète qui interroge les choses, tirant sa joie, et non son désespoir, de ce qu'elle soient toujours plus complexes et plus imbriquées qu'il n'arrive à le dire, et qu'elles donnent à son poème lui-même une figure de mystère. Au même moment Claudel écrit à Elémir Bourges ces lignes assez agressives vis à vis du scientisme :

> «Je veux rendre aux hommes l'ignorance, la bienheureuse certitude que les choses sont vraiment ineffables, qu'elles ne nous feront pas défaut, qu'elles sont inépuisables en tant qu'aliment pour notre esprit, en un mot que nous ne pourrons jamais les connaître»[14].

L'ignorance n'est pas le refus de connaître, mais le refus d'expliquer. La démarche de Claudel est celle d'un chercheur de joies, non d'un chercheur de causes. Peu avant il écrivait à Gide dans des termes très voisins :

> «Nous allons enfin respirer à pleins poumons la sainte nuit, la délectable ignorance. (...)
>
> Quelle absurdité, quand on y réfléchit, de prétendre jamais expliquer quoi que ce soit, de prétendre à l'épuiser en tant que source de connaissance alors que le nombre des accords d'où naît celle-ci est infini ! Je compose en ce moment une espèce de poème dialectique pour célébrer l'avènement des temps nouveaux et de cette délectable ignorance...»[15]

C'est peu de dire que cette lettre est une exhortation à croire à la vérité catholique. C'est le plus intime dévoilement de lui-même que Claudel ait jamais fait jusque là. C'est, donné en un coup, l'état exact de sa croyance dans le double mouvement de son enthousiasme indicible et de sa précision sans lyrisme. Son émerveillement devant la demande de Frizeau, la promptitude et l'ampleur de sa réponse, permettent d'imaginer combien il s'était senti emprisonné jusqu'alors, ne pouvant s'affirmer aux yeux d'autrui que par quelques refus, des paradoxes agressifs, avec l'air d'un solitaire exalté et bizarre. C'est ainsi que l'avait vu Jules Renard, que va le voir encore Gide. Quant à ses drames, avaient-ils eu d'autres effets que de réveiller de confus mysticismes «fin de siècle» ?

---

14. 9/01/04.
15. 7/8/03.

Frizeau le premier se présente comme un demandeur simple et quotidien, et surtout comme un lecteur qui a fait la liaison entre les drames lyriques et la pensée utile à la vie réelle. C'est pourquoi Claudel pense pouvoir parler d'abondance de lui-même, homme réel et non poète. Il n'a finalement rien d'autre à montrer que lui-même, comme il le répètera à Suarès, mais un lui-même étroitement attaché à la foi qu'il veut transmettre. Que la croyance catholique soit ici présentée avec la rigueur objective d'un catéchisme, cela ne peut être dit que si l'on ajoute aussitôt que Claudel, qui veut entraîner et non démontrer, présente toute la profondeur intime et insondable de sa propre joie de croire, fait le récit unique de sa conversion unique, et livre cette attitude abruptement paradoxale qui est la sienne. Il propose dans tous ses aspects

> «cette monstrueuse lumière intérieure qui m'avait si étrangement éclairé»

Cette lettre de Paul Claudel à Frizeau, du 20 janvier 1904, inaugure solennellement la correspondance apostolique. Enracinée, sans le dire, dans la passion pécheresse de Fou-Tchéou, elle apparaît comme une défi à la réalité scandaleuse de cette situation : devant sa propre indignité Claudel ne choisit pas de se taire, de disparaître un moment dans une retraite pénitentielle. Il saisit au contraire une occasion de propager sa foi, une foi exigeante, absolue mais peu flatteuse, dans une lettre adressée à un inconnu à l'autre bout du monde. Sans attendre l'épilogue d'une liaison sans issue, il couronne ses recherches de philosophie catholique par l'offre publique du livre qui en résulte et s'empresse de l'accompagner d'une prédication enflammée pour le premier demandeur. Ainsi est Mesa, ainsi seront Rodrigue, Prouhèze, Sygne, dans les brusqueries de leurs réactions : plus le mal est proche, plus la foi doit lui être *opposée* avec force. Le salut naîtra de la contradiction : Claudel, dans peu d'années, sera à ses propres yeux, et aux yeux des autres enfin rencontrés, un poète catholique sans angoisse ni équivoque. La période apostolique et militante de son existence est commencée.

Chapitre 3

Francis Jammes, ou la pénitence insuffisante

Réseau de rencontres

L'histoire et l'analyse des relations entre Paul Claudel et Francis Jammes ont été esquissées par André Blanchet dans la préface de l'édition de leur correspondance[1]. Mais elles demandent à être approfondies. Tous les observateurs ont remarqué qu'il y a dans leur rencontre et leur amitié une question qui reste posée, un paradoxe qui résiste. *L'affinité de Francis Jammes et de Paul Claudel n'était pas celle des caractères*, écrit André Blanchet, «il y a loin du grand vent rêche de Villeneuve-sur-Fère aux prairies sonnantes des vallées pyrénéennes». Et il cite cet aveu de Jammes lui-même : *il ne me semble pas qu'aucun trait de caractère nous rapproche*[2].

L'étude de leur rencontre en est d'autant plus attirante. Le paradoxe, dans leur cas, a été fécond. Il a engendré des attitudes révélatrices où se sont aiguisées l'une à l'autre la sympathie et la réticence, la fascination et l'agacement. Et leurs lettres, puisque c'est d'elles qu'il va s'agir, sont évidemment des témoignages privilégiés. Il faut malheureusement le dire en partie sur le mode du regret : presque toutes les lettres de Jammes à Claudel ont disparu, et dans celles de Claudel il y a de nombreuses pertes. Mais il en reste assez pour prendre conscience de l'importance de Jammes dans l'espace épistolaire que nous avons défini.

C'est Schwob, devenu l'ami de Jammes par l'intermédiaire du groupe de Mallarmé, qui lui a révélé les drames de Claudel. C'est sans doute Schwob aussi qui a incité Jammes à envoyer à Claudel un poème qui était très probablement *Septembre*, écrit en 1897 et dédié «à Paul Claudel», figurant dans le recueil *De l'Angélus de l'aube à l'Angélus du soir*. Telle fut l'origine de leurs relations. Le texte de la carte de réponse du «Consul de France» à Hankéou figure en tête de la correspondance publiée. Claudel y cite Théocrite, créateur de la poésie bucolique. La référence est bien naturelle

1. pp. 9-15.
2. F. Jammes, *Mémoires*, «Les Caprices du Poète», p. 247.

pour Jammes, mais elle nous rappelle aussi que le goût «alexandrin» avait réuni Claudel et Schwob, quelques années plus tôt. Ainsi se dessine vaguement un triangle Claudel-Schwob-Jammes, dans une affinité de sensualité symboliste très «fin de siècle». C'est avec cette sensualité que Jammes a soudain vibré, un jour à Bordeaux, en lisant par hasard le «cocotier» de *Connaissance de l'Est*, dont le trouble exotisme tropical *est bien, dans tout Claudel, ce qu'on peut trouver de moins claudélien*, remarque justement André Blanchet. «A la vérité», écrit Jammes, *j'avais eu entre les mains (...) un exemplaire de* Tête d'Or. *N'ayant pas compris ce drame qui me reste fermé, je l'avais rejeté.*

Mais Francis Jammes, c'était surtout, à la fin du siècle dernier, l'ami d'André Gide. Les rapports entre Jammes et Gide, bien connus grâce à l'édition de leur correspondance[3], pourraient faire le sujet d'un livre entier. Il n'est pas indifférent de savoir que deux des plus célèbres amis littéraires de Claudel ont été d'abord amis entre eux pendant de longues années. Ils se sont ensuite brouillés, et l'aide apportée par Claudel à la «conversion» de Jammes a contribué à rendre leur séparation définitive. Mais il ne faut pas affirmer tout uniment que c'est Claudel qui a détourné Jammes de Gide. On n'a pas besoin de Claudel pour expliquer la polémique qui les a opposés à propos de *Ménalque*, premier fragment des *Nourritures terrestres*, en 1896 et 1897, et plus gravement à la publication de *l'Immoraliste*, en 1902.

C'est une opposition irréductible que Jammes voit s'élever entre Gide et lui, celle du riche et du pauvre. Gide-Ménalque est riche de sa culture, de ses relations, de ses voyages. Son désir insatiable de nouveaux objets de volupté, c'est un luxe de riche, *une insulte à ceux qui, pareils à moi, vivent dans l'ombre amère*[4]. Le déracinement est facile à qui possède une intelligence supérieure et des revenus réguliers. La pensée de Ménalque c'est *une exposition de luxe moral et d'égoïsme*. Jammes n'avait pas de quoi payer son billet de train pour Paris, et s'il a accompagné Gide en Algérie, c'est parce qu'on lui a offert le voyage. Voilà pourquoi la volupté de Gide n'est pas un dépouillement, un abandon de toute la culture qui l'encombrait, mais des *fêtes coûteuses où les pauvres ne furent point conviés*. Toute l'attitude de Jammes, dans leurs désaccords du moment, repose sur l'image qu'il se fait d'un Gide trop riche, riche d'argent, riche de voluptés rares et lointaines, riche de problèmes philosophiques. Ses désaccords avec Gide ont poussé Jammes à trouver en lui-même plus d'attitudes chrétiennes qu'il ne pensait.

Francis Jammes écrit de Gabriel Frizeau : *lui qui fut mon camarade de lycée, mais que je ne retrouvai que douze ou treize ans après l'avoir perdu de vue*[5]. Jammes

---

3. F. Jammes et A. Gide, *Correspondance*, introduction et notes de Robert Mallet.
4. Les jugements de Jammes que nous citons ici sont extraits d'un article de lui sur *Ménalque* reproduit en appendice dans la *Correspondance* Jammes-Gide.
5. «Les Caprices du poète».

ayant quitté le lycée en 1887, nous sommes conduits à 1899 ou 1900. D'après les recherches de J.-F. Moueix[6], Frizeau et Jammes se seraient revus dès 1897. En 1902 en tous cas, d'après la première lettre publiée de Jammes à Frizeau, ils étaient amis. Jammes servit d'intermédiaire pour faire connaître à Frizeau le nom de Claudel. Mais tandis qu'il s'en tenait à son enthousiasme pour le *Cocotier*, Frizeau lut seul et découvrit les drames de l'*Arbre* qui trouvèrent un écho profond dans son tempérament secrètement inquiet et dramatique. Et c'est lui qui entraîna Jammes vers le *vrai* Claudel, en les associant de plus en plus dans son univers d'amateur sérieux d'art nouveau. Ils se soutiennent alors l'un l'autre dans leur attirance pour Claudel et pour un catholicisme renouvelé par l'art de leur ami commun.

Claudel lecteur de Jammes : *l'échange des produits de notre industrie*

A condition de confronter les indications des lettres de remerciement de Claudel à la chronologie des oeuvres de Jammes, on peut énumérer les poèmes ou recueils qu'il a lus. Il a commencé, en 1895, par trois poèmes publiés dans la *Revue Blanche* : «*J'aime dans le temps*», «*C'est aujourd'hui la fête de Virginie*», «*le Vieux village*» ; en 1897 il reçoit directement de Jammes un poème qui semble être, comme on l'a vu, «*Septembre*», qui lui sera dédié plus tard, et *la Naissance du Poète*[7]. Il reçoit ensuite *Quatorze Prières* publié hors commerce à Orthez en 1898[8], *Clara d'Ellébeuse*, roman, en 1899, et *Pomme d'Anis ou l'histoire d'une jeune fille infirme*, roman, en 1904. A partir de 1905 des livres ont pu être reçus et commentés sans laisser de trace dans la correspondance. Les *deux livres qu'il me fallait lire après les avoir entendus* de la lettre du 14 octobre 1905 sont difficiles à identifier[9]. Comme Gide et quelques autres, Claudel a entendu la lecture de *l'Eglise habillée de feuilles* chez Arthur Fontaine le 30 novembre 1905. Et sa première lettre de Chine[10], sera pour remercier de *l'Eglise* et de *Pensée des Jardins*.

Les premières lignes écrites par Claudel à Jammes, sur une carte qui remercie de «*Septembre*», sont une citation de Théocrite. Sans nul doute Claudel a voulu assurer à la poésie champêtre de Jammes une sorte d'authentification littéraire. Il ne faut pas dire trop vite que *leur génie à tous deux ne devait rien aux livres*[11]. N'est-ce pas dans les plus anciens livres poétiques que

6. op. cit.
7. Incorporé à *De l'Angélus de l'aube à l'Angélus du soir*, envoyé à Claudel en 1898.
8. incorporé au *Deuil des Primevères* en 1901.
9. Jammes a publié *Un jour*, *Almaïde d'Etremont* en 1901, *Le Triomphe de la Vie* (comprenant *Jean de Noarrieu*) en 1902, *Le Roman du Lièvre* en 1903, *Le Poète et sa femme* en 1905.
10. 10/6/06
11. André Blanchet, introduction à la *Correspondance*, p. 9.

Claudel a découvert l'histoire, solennisée et glorifiée par le temps, des désirs de l'humanité ? En remerciant Jammes avec des vers de Théocrite il le considère, avant toute analyse, comme digne de figurer dans une lignée prestigieuse. Et lui-même montrera à Jammes, dès la lettre suivante, à quelle tradition voisine il se rattache en lui envoyant sa traduction de l'*Agamemnon* d'Eschyle.

Des relations épistolaires vont ensuite s'établir entre les deux poètes d'une manière très épisodique jusqu'à l'année 1900 où ils se verront pour la première fois. Outre la première carte, il nous reste de cette époque cinq lettres de Claudel, auxquelles ne semblent pas correspondre plus de deux lettres de Jammes, perdues comme la plupart de ses envois. Encore faut-il remarquer que les deux dernières ont été écrites après leur rencontre à Paris en avril 1900.

Nulle amitié véritable entre eux. Comme les quelques lettres de Claudel à Gide de la même période, ce sont seulement des réflexions rapides sur des livres envoyés par le correspondant, ou sur des fragments de lui lus dans quelque revue. Mais la littérature est pour eux chose vitale, et les jugements littéraires entraînent vite quelques confidences personnelles, non sur tel ou tel événement immédiat mais sur les plus essentiels principes de pensée.

«Il est certain que, poètes, nous ne saurions proprement *correspondre* que par l'échange des produits de notre industrie»[12]

J'ai fourré toute ma figure dans ce parfum et ce pollen

Les jugements de Claudel sur la poésie de Jammes s'orientent toujours selon les deux axes opposés de l'extrême plaisir et d'une désapprobation très marquée. Le plaisir va s'imposer d'abord avec la reconnaissance implicite d'une sensibilité poétique commune.

Si Jammes était fermé au Claudel des premiers drames, il avait perçu et aimé en lui des accents de sensibilité qui correspondent à sa propre pente : une délicatesse de tonalité symboliste, la recherche d'une beauté transparente et nacrée, une émotion secrète et nostalgique, un peu tremblante. Or Claudel justement lui renvoie de lui cette image, en un moment où ils baignent encore tous les deux dans l'esthétique symboliste. Ses jugements sur l'ensemble du recueil *De l'Angélus de l'Aube à l'Angélus du Soir* puis sur *Clara d'Ellébeuse* relèvent avec plaisir une préciosité naïve, qui est peut-être plus savante qu'on ne croit. Comme il en a l'habitude à cette époque, Claudel donne à l'énonciation de son jugement la même grâce contournée et un peu langoureuse que celle qu'il apprécie chez son correspondant. C'est une critique par sympathie poétique :

12. à Jammes, 12/2/99.

«des vers (...) dont la naïveté et la fraîcheur avec je ne sais quelle grâce créole m'avaient surpris»[13].
«Tout chez vous est original et vierge, le galbe fin des phrases, la cassure hardie et ingénue des vers, la composition comme ovale des poèmes, le tour et les grâces naturelles d'un discours dont les mots rattachés comme des grains de raisin crèvent d'un même suc dans la bouche »[14].
«Ce bouquet généreux qui sent la fleur des fèves, le miel et ce tulle dont on fait les voiles de première communion, vos *Quatorze Prières* ! J'ai fourré toute ma figure dans ce parfum et ce pollen»[15].
«*Clara d'Ellébeuse* dont le nom fait pour n'être jamais dit tout haut est comme un gros baiser de petite fille (...) Quel délicat cône à papillon vous avez combiné pour capturer cette ombre subtile»[16].

Il s'agit de tout autre chose que de la simple fraîcheur rustique. Claudel a suivi dans la poésie de Jammes une ligne qui l'a conduit à des harmoniques complexes, parentes de celles de *Connaissance de l'Est* : la sensation naïve du présent, le rêve champêtre ou exotique, si banals en cette fin de siècle, réveillent la mémoire profonde, celle du passé culturel et celle de l'enfance, et ouvrent le corps et l'esprit à d'étranges désirs que l'on craint de voir ouvrir sur la mort.

Tel est le sens général de ce long jugement sur *Clara d'Ellébeuse*, qui devient une méditation sur la richesse infinie du moment poétique, sur son mystère, représenté entre autres par l'image de *la bouche sans les yeux* qui étaient déjà dans la lettre à Albert Mockel de 1891, puis sur la qualité de transparence et d'innocence des souvenirs tels que les restitue le poète. Ecrites quand Claudel envisage de renoncer à la poésie, et d'entrer au couvent, ces lignes sinueuses chargées de métaphores recherchées, de tournures rares sont comme un adieu à la manière encore langoureuse qu'il a d'être sensible aux relations analogiques du temps, de l'espace et des êtres :

«Elle succombe à ce même attrait volatil et funèbre du passé qui fait de nous les victimes de la douce conventine, dont je vois dans ma pensée moins les yeux que la bouche. S'il est vrai que la formation en nous des choses futures nous cause une sorte d'irritation et d'ébranlement comme une idée de devoir, les choses qui ont existé ne cessent pas de tenir à nous par une sorte de continuité et de lien analogue à celui de la responsabilité. Toute la région antérieure à nous forme comme d'authentiques Champs-Elysées, le jardin de la Grande Vacance, une campagne libérée de l'inquiétude. Combien il est solennel de penser à la qualité particulière de lumière, à la spéciale obliquité des ombres qu'à telle heure de telle date révolue le soleil fit sur l'antérieure prairie ! La rondeur du cadran nous abuse, jamais aucune heure ne se répète.

13. 2/5/97.
14. 28/6/98.
15. 12/2/99.
16. 8/5/00.

L'étrange maturité de ces beaux lieux a connu cette âme aux jeux de qui nous avons manqué et cette Clara d'Ellébeuse qui est morte de ne nous avoir point connus»[17].

Le jugement littéraire s'épanouit en lyrisme, un lyrisme de plus en plus tourné vers l'intérieur, vers ce Moi poétique de Claudel qui présente ici, en mineur, bien des traits connus : outre le visage sans les yeux, on relèvera le désir vu comme un devoir irritant, et la méditation sur le déroulement des heures. C'est l'époque où il écrit *Connaissance du Temps*. On en retrouve ici les idées et les inflexions, plus foisonnantes en symboles mélancoliques que dans le traité de *l'Art poétique*.

Il découvre heureusement d'autres valeurs dans Jammes. Pour le comprendre nous pouvons partir du parallèle qu'il établit entre eux deux dans la lettre du 28 juin 1898. Ce parallèle est souvent cité comme l'un des rares témoignages d'une comparaison vraiment intime entre leurs deux tempéraments poétiques, si différents par ailleurs. Rappeler, pour commencer, qu'ils ont le même âge, ce pourrait être rappeler qu'ils sont de la même génération symboliste, comme nous l'avons fait. Mais il s'agit d'autre chose, peut-être d'une sorte de christianisation du côté doux et naïf du symbolisme :

> «... en même temps qu'une certaine inaptitude à la virtuosité, l'indifférence aux modes d'un homme nu, un certain sens tendu, humilié et naïf des oeuvres de Dieu».

Il y a là une éloge de l'obstination de Jammes à vouloir être naïf. Le style champêtre de Jammes n'est pas un divertissement de citadin en vacances. Etant donnée la tradition littéraire française, cette obstination qui brave le ridicule a quelque chose de farouche. Derrière les gambades de «Janot lapin» ou la «grâce créole», voici un poète qui refuse et qui affronte, qui porte en lui quelque chose de dramatique.

Claudel n'essaye-t-il pas de lire dans Jammes sa propre conception des rapports entre l'homme et Dieu, étroitement liée, dans ces années 1895-1900, à la manière dont il est à la fois catholique et poète dans «le monde». Bien plus que Jammes il est un demi-reclus, fréquentant peu la société européenne de Chine et visitant le pays, selon le mode de *Connaissance de l'Est*, comme quelque chartreux poétique perdu dans sa contemplation solitaire. Il invoque, dans sa lettre sur *Clara d'Ellébeuse*, «la compagnie ténébreuse et fraîche de cette jeune personne, à ces moments où l'on se sent le plus désespérément seul et séquestré, par exemple quand on est *dans le monde*. Il en souffre, comme il l'écrit aux uns et aux autres, mais il en vit. Il a accompli une étrange et difficile descente aux enfers dans *le Repos du Septième jour*, et sent maintenant en lui l'exigence du silence ; il l'a dit à Renard et Pottecher dès 1895, et le redit plus fermement à Jammes ce 28 juin 1898 :

---

17. 8/5/1900.

> «L'illusion du rêve que je poursuivais alors par des moyens littéraires ne m'échappe plus. Mes tiroirs sont pleins de papiers et j'écris encore, mais je prévois que peu de temps consommera chez moi le silence».

Il a fallu qu'il décèle chez Jammes une même «inaptitude», une résistance instinctive au «monde» -sous sa forme littéraire en particulier- pour lui faire cette confidence. Et c'est sans nul doute à travers une sympathie pour cette attitude tendue qu'il est conduit à goûter pleinement l'autre attitude plus évidente, le «jammisme» proprement dit, comme l'a nommé Robert Mallet. Pour Claudel il n'y a pas de joie devant les choses créées sinon fade et décevante, si le contemplateur n'est pas soutenu par une forte conscience du mal, c'est-à-dire de la distance qui le sépare de Dieu, et du sacrifice exigé pour la réduire. Pas de Marthe ni de Violaine, ni de Musique dans les fleurs et les fruits, sans la lumière dure de leur sacrifice. Seul le conflit produit des biens avec fécondité. Claudel est à la recherche d'un conflit chez Jammes, d'une résistance. On peut avancer qu'il la trouve, en poète qui attache la plus grande importance à la formulation artistique, dans le style de Jammes : c'est une résistance par l'humilité et l'ignorance, comme dans une certaine tradition ascétique chrétienne. Jammes serait un coeur pur, un bienheureux, parce qu'il serait «pauvre en poésie». Claudel lui dit de son vers, dans la lettre du 12 février 1899 :

> «Je le comparerais à ce geste d'un homme qui tire sur la corde sans connaître à quelle cloche elle aboutit et qui trouve pieusement sa joie *à ne pas savoir* la voix qu'il émeut et le nombre d'instruments qui répond à sa saccade, ébranlant à chaque coup sa surprise».

Etonnant retournement du sens de l'image de Mallarmé,

> «Le sonneur effleuré par l'oiseau qui l'éclaire,
> Chevauchant tristement en geignant du latin
> Sur la pierre qui tend la corde séculaire,
> N'entend descendre à lui qu'un tintement lointain.
> Je suis cet homme. Hélas ! de la nuit désireuse
> J'ai beau tirer le câble à sonner l'Idéal,
> De froids péchés s'ébat un plumage féal,
> Et la voix ne me vient que par bribes et creuse !»[18]

Là ou Mallarmé se désespère, Jammes, dit Claudel, résiste «pieusement» à la tentation de savoir et de comprendre. Attitude bien peu combative, dira-t-on : mais ce que nous voulons montrer, c'est que Claudel lui donne un signe positif, dynamique. Elle vient d'un refus, et produit une «commotion» comme la cloche, elle «ébranle» en «saccades» : ces termes dont se sert Claudel au cours de la lettre pour caractériser la poésie de Jammes appartiennent à sa terminologie fondamentale, à son imaginaire le plus intime : la joie, poétique ou religieuse, vient toujours par explosion, coup, ébranlement.

18. Mallarmé, *Oeuvres complètes*, p. 36.

Ainsi lit-il Jammes lorsqu'il y prend plaisir. Tel est «l'accent fraternel» qui les réunit, et qui lui permet de remercier Jammes de *ce sentiment que vous m'avez rendu de l'enfance, que j'ai dans une si large mesure trahie.* Pour lui qui se méfie tant des accès de sentimentalité, ce compliment a du poids. *J'ai senti combien me voici désormais raisonneur et sec*[19]. Claudel n'est pas un poète de l'enfance, celle à laquelle on s'abandonne avec attendrissement ou nostalgie. S'il aime chez Jammes la présence d'un esprit d'enfance, c'est parce qu'il le sent dressé contre la certitude rationnelle de l'adulte, parce que c'est un combat. Le sentiment de l'enfance est «délicieux», mais «poignant» aussi : il n'échappe pas aux agressions.

Un coeur trop sensible et trop accessible

Jammes ne peut tout de même pas être lu comme un explorateur du drame humain *avec l'épée et le feu*. C'est pourquoi Claudel est bien déçu de le voir se livrer, dès qu'il veut penser, aux plus faciles synthèses métaphysiques et aux douceurs de son propre coeur, *trop sensible et trop accessible.* A mesure que les lettres analysent plus à fond le *jammisme* de Jammes, on voit affleurer, puis s'imposer, des reproches qui ne s'embarrassent pas d'atténuations. Le plaisir même qu'il prend à lire Jammes est suspect. Il est vite impatient de lui notifier la différence fondamentale qui existe entre eux sur certains points. Il faut circonscrire et trancher :

> «Pour tout dire, je dois avouer que j'ai trouvé dans vos *Quatorze Prières*, d'accent si religieux deux ou trois passages qui m'ont choqué et même, de votre part, peiné»[20].
> «Ajouterai-je que pour nous autres, hommes au coeur dur et calleux, la vue que vous nous donnez de ce que les plus humbles choses ont de pathétique (...) nous cause une sorte de vexation et de gêne ...»[21]

Sous sa plume apparaissent alors, après les contours et les transparences de l'éloge «symboliste», des propositions péremptoires, assises sur des affirmations redoublées, «dur et calleux», «vexation et gêne», et ailleurs «un esprit religieux et catholique», «fort surpris et choqué», «trop sensible et trop accessible». Voici venir l'assurance et l'interpellation véhémente dans la délimitation de la différence : *Quel besoin aviez-vous... ? Comment un esprit aussi peu conventionnel que le vôtre ... ? Comment avez-vous pu écrire ... ? Je ne puis vous pardonner...*, et le lyrisme des allégories durement éclairées, des paradoxes agressifs, à la manière des prophètes bibliques :

> «Le catholicisme est une doctrine merveilleusement étroite, jalouse et intolérante»!

19. 28/6/98.
20. 12/2/99.
21. 8/5/00.

«La Sagesse qui est toujours là comme une femme insupportable».
«(il faut rejeter) toute chaleur qui ne peut devenir flamme, et toute flamme qui ne peut servir à forger notre âme comme une clef»!

Le mouvement de l'imagination symbolique, dans cette dernière phrase, explique parfaitement le désir impatient de Claudel. Jammes est un révélateur de sa propre violence : il ne suffit pas de se chauffer doucement à la chaleur des joies innocentes. La flamme, la forge désignent un besoin d'absolu mystique, de destruction purificatrice et de dure réforme morale. L'image de la clef implique un passage unique et étroit qu'on ne peut ouvrir qu'après l'effort et la concentration.

Les reproches ne s'embarrassent pas toujours de transpositions symboliques. A propos de *la Naissance du Poète,* Claudel écrit :

«J'aime les vers de votre *Naissance* (...) plus que l'idée. Vous paraissez attacher à la fonction de poète une sorte d'importance extérieure et officielle que je ne puis lui voir. D'ailleurs les affreux bourgeois de 1840 (les Lamartine, les Gautier, les Musset et autres aboyeurs) ont tellement avili ce noble nom que, reconnaissez-le, il devient difficile à un homme pudique de l'avouer sans rougir»[22]

Claudel a bien mal lu *la Naissance du Poète,* ou plutôt il s'est laissé entraîner par son aversion bien connue pour les ambitions sociales et politiques des romantiques. Il est impossible de déceler de telles ambitions dans l'oeuvre de Jammes en question. Ce poème d'une vingtaine de pages, en strophes alternées, présente les déclarations lyriques de diverses «puissances» spirituelles et naturelles qui président à la naissance du poète tel que le conçoit Jammes : Dieu, les anges, les esprits, puis l'arbre, la pierre, le ruisseau, la mer et la terre. «L'importance extérieure et officielle» du poète n'y apparaît pas comme politique ou sociale, mais comme métaphysique : le poète convoque autour de son don de parole toutes les forces qui le traversent et s'en institue l'émanation :

«L'âme du poète descend sur la Terre.
Elle, c'est nous.»

C'est une allégorie métaphysique de plus, après toutes celles qu'ont produites le romantisme et le symbolisme. Et ce que reproche finalement Claudel à Jammes, si l'on ne tient pas compte de ce glissement spontané de son jugement du philosophique au social, c'est *l'ambition* du poète-grand prêtre, fondée sur une trop grande *facilité* de pensée. Ainsi s'explique le reproche d'avilissement et d'impudeur, qui est celui que Claudel a toujours adressé aux effusions unanimistes ou panthéistes de ses contemporains. Nul poète n'a le droit, de lui-même, de s'instituer le porte-parole de quoi que ce soit. Il devient alors un «aboyeur».

22. 2/5/97.

Mais les reproches vont se faire plus précis, car Claudel se rend vite compte que Jammes entretient avec le christianisme des relations privilégiées. Quand des recueils poétiques s'intitulent «De l'Angélus de l'aube à l'Angélus du soir» et «Quatorze Prières», un lecteur aussi fidèlement catholique que Claudel ne peut manquer de mesurer les poèmes aux critères de sa propre foi. Sans doute, l'obstination de Jammes à rester proche des humbles et des pauvres est certainement sa vertu la plus naturellement chrétienne. Claudel reconnaît son avance sur lui-même dans ce domaine. Il y dépasse le simple esprit d'enfance, et son visiteur comprendra, en passant à Orthez, combien cette attitude est authentique :

> «Une des premières choses qui m'ont le plus frappé, et pourquoi ne le dirai-je pas, édifié pendant les quelques jours que j'ai passés avec lui, c'est le sérieux, la familiarité sans contrainte, le sentiment d'un respect réciproque, qu'il apporte dans ses relations avec les gens de son pays»[23].

Est-ce suffisant pour se réclamer aussi ouvertement sinon de l'Eglise, du moins des églises et des processions, et pour envoyer à Claudel, qu'il sait catholique obstiné, des poèmes qui tentent de donner une réponse au problème de Dieu ?

Une sévère mise en garde apparaît dans la lettre du 12 février 1899 sur les *Quatorzes Prières*. Claudel n'a pu laisser passer l'une de ces prières, où il est dit :

> «Je ne porterai point de corde autour des reins :
> car c'est insulter Dieu que de meurtrir la chair.
> Amant des prostituées et des fiancées claires
> mon coeur chante à la femme un angélus sans fin.
> Je n'admirerai point celles aux fauves bures,
> car c'est nous voiler Dieu que voiler la beauté :
> mais je veux que la vierge aux seins dressés et durs
> fleurisse comme un lis à l'azur fiancé»[24].

Il réplique vigoureusement par une justification de l'ascétisme qui nous renvoie à l'image de la clef durement forgée :

> «Comment un esprit aussi peu conventionnel que le vôtre ne comprend-il pas que le sentiment ascétique est tout aussi naturel en nous que les autres instincts vitaux, et quelle querelle pouvez-vous faire à ceux qui, ayant reconnu l'importance vraie de cet instinct primordial, concertent et appliquent les méthodes les plus propres à en assurer l'exercice ?»

Mais il ne s'agit pas seulement des autres, ni d'une théorie générale de l'ascétisme. Il s'agit de «choses essentielles» à la vie de l'un et de l'autre : le plaisir que l'on prend à l'amour des femmes. On en vient au coeur du sujet pour ces deux poètes hommes (et combien masculins l'un et l'autre !) :

23. article de mars-avril 1912, *Oeuvres en prose*, p. 543.
24. Cité par André Blanchet, *Correspondance Claudel-Jammes-Frizeau*, p.382.

«La "glorification de la chair" ou plutôt de l'acte sexuel est une idée d'écrivain. Rien de plus étranger en tout cas au génie héllène, si réservé et si douloureux , rien de moins primitif et qui sente plus déplaisamment la basse jactance moderne. La nuit, une pudeur funèbre, l'amertume pénitentielle sont inséparables de l'union de l'homme et de la femme, pour des raisons profondes. Wagner, ce grand passionné, l'a bien compris. Mais la joie sacrée, la ressource éternelle, la divine et intarissable allégresse ne se trouvent pas aux bras d'une femme».

Argumentation «catholique» ? Plus exactement, Claudel se réclame d'une attitude certes prise en charge par le judéo-christianisme, mais considéré ici comme «naturelle», «primitive», et ces mots sont destinés à frapper Jammes. Celui-ci encore une fois agit comme révélateur du tragique claudélien ; nul plus que Claudel n'a conscience de l'importance du secret, de l'obscur, de ces lieux et de ces moments où les désirs et les angoisses s'entremêlent et s'affrontent. L'amour de la femme est un de ces lieux centraux, où l'homme comprend dans son corps ce qu'est la «pénitence» : humiliation, envie de se cacher.

On ne saurait répondre plus sévèrement à Jammes. Claudel refuse toute vérité à son attitude, c'est une «idée d'écrivain». La vérité, appuyée sur la réalité des attitudes, actuelles et ancestrales, devant la sexualité, est du côté de l'angoisse devant les forces de l'instinct. Il est impossible de s'appuyer sur une vague philosophie euphorique de la bonté naturelle. Si Jammes veut prier et rechercher Dieu, il ne le trouvera pas dans le paradis terrestre. Fermement Claudel dresse une barrière, se donne volontairement le visage peu attirant de la pénitence et de la nuit, et cela dans la lettre même où il écrivait avec une reconnaissance joyeuse : *J'ai fourré toute ma figure dans ce parfum et ce pollen.* Que Jammes s'arrange comme il le peut de la contradiction, comme les créatures dramatiques de Claudel s'en arrangent elles-même si difficilement.

Une doctrine merveilleusement étroite, jalouse et intolérante

Avant la lettre sur *Clara d'Ellébeuse*[25] Claudel a reçu Jammes dans les quelques pièces qu'il habite à Paris, pendant son séjour en France. Jammes sera frappé encore, vingt cinq ans plus tard, par le souvenir de l'austérité du cadre et la brusquerie d'opinion du personnage[26]. Nous savons que Claudel préparait son entrée au couvent. Par rapport à ces attitudes, la première partie de la lettre sur *Clara d'Ellébeuse* est un poème plein de chaleur et de richesse poétique. Le reproche introduit dans la deuxième partie n'en est que

25. 8/5/1900.
26. Jammes, *Les Caprices du poète*, *Mémoires*, op. cit., p. 248.

plus important, solennisé par l'éloquence lyrique qui emporte progressivement la lettre. En effet, la réflexion s'élargit aux questions de principe, la critique devient acérée et définitive :

«Je vais me faire comprendre en touchant un autre sujet sur lequel je n'ai pas eu le temps de m'expliquer à cette fois unique où j'ai eu le plaisir de causer avec vous. Donc, quand je vous ai dit l'autre jour que je reconnaissais mal en vous pour le moment un esprit religieux et catholique, vous m'avez paru fort surpris et choqué. Je ne connais nullement vos opinions et le degré chez vous de précision et surtout d'exclusivisme autour de certains points qui constitue un catholique. La raison de ma méprise, si elle est réelle, était celle-ci : c'est que vos ouvrages font le signe d'une grande tendresse et d'un coeur trop sensible et trop accessible».

«Un coeur trop sensible» : malgré quelques précautions préalables, le reproche est direct, et formulé non plus au nom d'un goût personnel, mais au nom de l'«exclusivisme» du catholicisme. L'attaque continue, de front :

«Votre jardin n'est pas un jardin fermé, il est arrosé par d'autres sources que la *fons sigillata.* Le catholicisme est une doctrine merveilleusement étroite, jalouse et intolérante ! Toute sensation à laquelle elle n'a point sa part contriste en nous la Sagesse qui est toujours là comme une femme insupportable ; toute tendresse à quoi elle ne sert point lui est un détriment...»

Rien ne ressemble moins à Claudel que d'accompagner discrètement sur sa pente l'ami à qui il veut faire partager sa foi. Ainsi avec Jammes, qui se voit tout naturellement sur le chemin catholique parce qu'il fait à Dieu l'hommage de ses bonheurs campagnards et de ses émotions fraternelles. La préface de l'*Angélus* donnait dès l'abord le signe de cette facilité, sous forme d'une prière :

«Je passe sur la route comme un âne chargé dont rient les enfant et qui baisse la tête. Je m'en irai où vous voudrez, quand vous voudrez».

L'humble abandon aux volontés de Dieu, s'il n'est pas soutenu par la «Sagesse» à la doctrine ferme, n'est qu'un laissez-aller. Claudel voudrait certainement un âne plus têtu, qui sache ce qu'il veut. Il faut créer un obstacle, un contre-courant. Dieu se manifeste par une contradiction paradoxale opposée à nos ressorts les plus intimes, tout en prenant appui sur eux : ainsi avec l'amour du corps féminin, avec la tendresse pour le passant. Les vertus chrétiennes les plus évidentes, comme la simplicité de coeur et l'amour d'autrui, sont ici bousculées : il faut fermer son jardin et s'enorgueillir, comme dans le passage cité plus haut, de forger dans les flammes une «clef» qui nous introduira, nous seuls catholiques, à la Sagesse jalouse et «insupportable» ! Le jardin d'Orthez, Claudel voudrait le remplacer par l'Eden judéo-catholique, symbole antique et prestigieux du paradis interdit par l'épée de feu, et rouvert seulement avec la clef du dogme de l'Eglise *merveilleusement étroite, jalouse et intolérante.*

Tel est le caractère judaïque de la foi de Claudel. Croire en Dieu, c'est d'abord quitter son pays, traverser le désert, faire pénitence aux dures paroles des prophètes. Il faut aller contre l'air du temps, et sur le plan individuel (la spiritualité catholique en ce temps continue d'être nourrie de l'idéal de perfection individuelle forgé à l'époque classique) il faut se méfier des facilités de l'affection. Pour la première fois Claudel le dit explicitement, et c'est Jammes qui le lui fait dire, Jammes qui représente pour lui la tentation opposée à celle du rationalisme sceptique de Renan, la tentation de l'innocence. C'est ainsi que Jammes s'entend reprocher l'excessive ouverture de son coeur. La proposition est volontairement paradoxale et provocatrice. Claudel manifeste alors l'importance vitale et, disons-le encore une fois, dramatique, de sa croyance catholique.

La lettre se termine par un appel au sens de l'humour qui n'est pas sans ambiguïté :

> «Bien entendu prenez tout cela *cum grano salis*. J'essaie de me faire comprendre comme je peux, et n'ai nullement l'intention de faire le docteur. (Quand je me regarde dans la glace pour me raser, il y a des moments où je trouve que je commence à ressembler à Caïphe et à l'évêque Cauchon : il ne me manque plus que la clémentine bordée de fourrure. Tout ce que j'ai dit explique pourquoi les catholiques, quand ils ne sont pas des saints, prennent parfois cet air séparé et clos des zélotes qui les rend aussi répugnants que des Juifs.)»

Par cette présentation caricaturale le paradoxe n'est pas rejeté : il est au contraire accepté avec une sort d'humilité agressive. Claudel a commencé à manier le burlesque dans des lettres de jeunesse à Pottecher et à Schwob, et autour de Pollock Nageoire dans l'*Echange*. C'est la première fois qu'il l'applique à son attitude religieuse. Il le fera de plus en plus volontiers. Le recul opéré par l'emphase burlesque permet d'établir à la fois sa propre indignité, et l'importance de l'enjeu qui produit un tel zèle. Tout est excessif dans ce que Dieu nous demande. Le rire burlesque n'est pas apaisant comme le simple humour; il cause une espèce de gêne. Ici, il est montré qu'il n'y a pas de milieu à tenir entre le grotesque et le saint. Ce qu'il faut comprendre, c'est que l'humilité chrétienne n'est pas une modestie paisible : c'est peu ou prou un passage dramatique de l'extrême moins à l'extrême plus, inspiré d'une tradition mystique à laquelle appartient Pascal, la dialectique abrupte de la misère et de la grandeur. Parmi les figures grotesques auxquelles Claudel craint de ressembler, survient à la fin de la lettre celle de «Juifs répugnants». Singulière attitude de mépris et d'attirance, qui accentue l'impression d'instabilité, de désagrément, qu'il veut donner de l'attitude catholique. Ce qui caractérise le catholicisme, c'est l'inconfort. Signalons au passage que c'est l'un des chemins qui conduisent Claudel à une compréhension de l'âme juive[27].

27. Sur l'attitude de Claudel vis-à-vis du judaïsme, voir *CPC 7*, «La figure d'Israël», et Jacques Petit, *Quatre écrivains catholiques face à Israël*. Voir aussi plus loin, p. 148.

N'allez pas devenir catholique au moins! — La lettre à Francis Jammes du 24 octobre 1904.

Impressionné par la réponse de Claudel à Frizeau, Jammes lui écrit le 12 septembre 1904, après quatre ans de silence, un billet plein d'effusion :

> «Ah ! mon ami, que n'êtes-vous là... que je vous embrasse pour l'émotion que vous m'avez donnée, pour le bien que vous m'avez fait en écrivant à mon cher Frizeau cette lettre catholique».

A des amabilités sur la dégustation d'un thé envoyé par Claudel s'ajoutent des allusions douloureuses à ses déceptions sentimentales, et cet appel souvent cité :

> «Claudel, j'ai besoin de Dieu»

Mais l'impression qu'il a retenue de Claudel continue d'être filtrée par la douceur sentimentale dans laquelle baigne pour lui le christianisme :

> «Vos paroles demeurent en moi comme l'amer, humble et doux parfum d'un dimanche des Rameaux».

Il voudrait écrire plus longuement sur le sujet. Mais Claudel n'attend pas. Il répond par retour de courrier, ayant sans doute senti l'urgence d'une réponse claire et ferme. C'est la première réaction qu'il ait reçue à la longue lettre écrite à Frizeau : n'est-elle pas une invitation à continuer dans la même voie ? Mais il commence à bien connaître l'âme de Jammes, ses nostalgies d'innocence, ses refuges dans l'enfance et dans la vie rustique lorsqu'il se sent blessé. Puisqu'il demande l'aide de Dieu, dans un contexte de souffrance, il faut l'entraîner dans la violence d'un appel de tonalité biblique. Ce n'est pas en se repliant sur son jardin qu'il trouvera le Dieu des Prophètes et de Jésus-Christ. C'est pourquoi la réponse est brève, brûlante, austère. Elle commence par une dénégation, un mouvement paradoxal de refus. La nuance burlesque, présente ici encore (Claudel caricature, en l'outrant, sa propre circonspection, elle devient mise en garde, invitation à ne pas suivre son exemple), est faite pour secouer, pour intimider même le postulant ; non pour le rebuter réellement, mais pour lui montrer l'ampleur du retournement intérieur à opérer. Ainsi dans son théâtre, Claudel produira-t-il avec le burlesque des effets combinés et contradictoires de plaisir et de vexation. L'humilité chrétienne n'est pas une douce modestie, elle est un effort vers Dieu qui frôle constamment le ridicule de l'excès, et qui s'en réjouit. Rien de plus *sain* et de plus *saint* que cette joie devant les failles, les obstacles, les échecs qui en réalité désignent l'incessant désir de Dieu et l'énergie avec laquelle il se manifeste[28]:

> «Je reçois votre lettre qui, je l'avoue, me cause presque autant d'étonnement que de plaisir. Je vous croyais un homme heureux et si bien fait pour jouir des belles et bonnes choses de ce monde qu'il

---

28. voir *Cahier Paul Claudel* 2, «Le rire de Paul Claudel», Gallimard, 1960.

s'embarrasse peu de chercher les clefs du *Hortus conclusus*. N'allez pas devenir catholique au moins ! Quand je pense à tout ce que Dieu exige d'un coeur où il est entré de gré ou de force (si encore c'était nous qui l'avions été chercher !), à ce contrôle auquel il prétend et qui ne nous permet plus d'être chez nous en nous-même (...) Craignons, pour mon avis, le désordre que la religion apporte dans un ménage d'écrivain !»

La conversion est un retournement dramatique, l'acceptation d'un combat contre soi-même, contre les autres dont on comprend bien la«haine» de Dieu, est-il encore écrit. Ce schéma était expliqué, raconté, dans la lettre à Frizeau. Ici il est raccourci, rendu plus abrupt. Le tableau tourmenté de la vie du croyant est fait en réalité pour suggérer l'exaltation d'une certitude d'autant plus forte, qui se développe ensuite dans la lettre en termes de contraste et de combat.

«Et cependant la seule attitude digne d'un homme est (...) d'affirmer héroïquement, intrépidement comme le vieux Job, que son vengeur vit.»

La lettre effectivement se prolonge en une méditation des paroles de Job[29] sur la résurrection, et une invitation à relire la liturgie de l'Office des Morts où elles sont citées. On verra, si l'on relit le contexte du Livre de Job, que Claudel ajoute aux images bibliques de désolation qu'il regroupe vigoureusement celles de l'homme malheureux *trait comme du lait* et *caillé comme un fromage*, destinée sans doute à relier à la pensée de la Bible l'inspiration propre à Jammes. Mais l'intention d'ensemble est bien de prendre à contre-pied la pente naturelle de Jammes.

Claudel n'avait guère de peine à le faire. Par un autre paradoxe, cette lettre qui refuse une part de Jammes présente des confidences bien plus actuelles et plus intimes que la longue lettre enthousiaste qu'avaient reçue Frizeau. Les allusions au «péché» de Fou-Tchéou sont transparentes dans les deux dernières phrases. *Je ne suis qu'un pécheur*; cette aventure terminée dans l'humiliation a ravivé en Claudel une part obscure et violente de son expérience religieuse. Ce qu'il oppose à Jammes, il le vit sur deux plans différents, dans ce drame passionnel et dans un sentiment particulièrement vif qu'il a, en cette période où se préparent les lois de séparation et les lois contre les congrégations, de l'humiliation du catholicisme :

«Pourquoi est-ce que tu me caches ton visage et que tu me penses ton ennemi ? Qu'est-ce que tu attends de moi, qui suis comme un vêtement mangé par la teigne ? (...) Retire-toi de moi un peu et laisse-moi le temps que j'avale ma salive (...) Est-ce que tu juges cela bien digne de toi de me poursuivre ?»

André Vachon[30] a montré que la méditation de l'humiliation de Job, le sentiment de passer par des périodes d'obscurité où le croyant ne se main-

29. Livre de Job, ch. 19, vers. 25-27.
30. A. Vachon, *Le temps et l'espace dans l'oeuvre de Paul Claudel*, première partie, ch. II.

tient que par une *résistance,* forment l'un des supports de la conversion de Claudel, enfoui en lui et ressurgissant aux moments de détresse. Si l'on consulte le *Journal* de cette année-là, qui en est la première année, on ne rencontre que des citations du Livre de Job, des prophètes, et des commentaires correspondants de Saint Grégoire : elles multiplient les images de la rigueur du sort de l'homme, de son découragement, et les plaintes du coeur endurci du pécheur ; en même temps on y trouve de véritables litanies d'imprécations contre les philosophies raisonnables ou sceptiques, doctrines de facilité comparées au comportement des «petits chiens» qui ne savent même plus mordre, mais seulement se livrer à de dégoûtantes satisfactions[31].

Tel est l'état d'esprit présenté à Jammes dans cette lettre qu'on peut considérer comme l'inauguration des relations destinées à le convertir. Pas de philosophie ici, pas de prédication. Jammes se fait une fierté de son aversion pour les systèmes d'idées (il a à peu près avoué, dans la lettre à laquelle répond Claudel, qu'il ne comprenait pas *Connaissance du Temps*) ; mais les mots mordent sur la sensibilité, comme il convient pour un poète, dans un bref contact d'homme souffrant à homme souffrant à travers la «discipline» amère qu'il lui propose.

31. *Journal,* tome I, p. 4.

André Suarès, dans les tourments

Suarès et Claudel jusqu'en décembre 1904

Pour faire l'histoire des relations entre Paul Claudel et André Suarès, il faut remonter à l'année 1886. Dans les classes préparatoires du lycée Louis-le-Grand on rencontre ensemble d'une part Claudel et Maurice Pottecher que des relations familiales et de voisinage provincial ont poussés à faire connaissance, d'autre part Pottecher et Suarès, tous deux pensionnaires au collège Sainte-Barbe. En outre, tous les trois sont plus ou moins intimement les amis de Romain Rolland, étudiant à Louis-le-Grand lui aussi. Sans être vraiment liés, Claudel et Suarès sont donc plus que de simples camarades de promotion.

Puis ils se séparent. Suarès devient l'ami intime de Romain Rolland à l'Ecole Normale Supérieure. Passent alors de nombreuses années pendant lesquelles s'affirme l'individualité farouche et tranchante de Suarès : refus d'une carrière universitaire à la sortie de l'Ecole Normale, refus du service militaire, longue période d'inaction et parfois de prostration dans sa famille à Marseille, jusqu'à ce qu'en juin 1894 il aille demander l'aide de Maurice Pottecher à Meudon. C'est là que Suarès vivra désormais, soutenu par l'amitié et le voisinage de Pottecher.

L'homme que Claudel va connaître dans le décor de sa vie quotidienne et dans l'intimité de ses attitudes spontanées n'est pas de ceux qu'on oublie, une fois reparti[1]. Ce qui frappe d'abord, c'est l'incroyable misère matérielle dans laquelle il vivait. A Meudon, il va de garni en garni, tous plus inconfortables les uns que les autres. De 1900 à 1903, Marcel Dietschy relève neuf logements différents, et cite cette note désespérée :

> «Une fois de plus toutes les angoisses, toutes les hontes de la misère. Je n'ai pas un sou. Je ne vais pas pouvoir payer ce que je dois à cette dégoûtante vieille, qui y pense depuis huit jours. Et depuis huit jours j'en suis hanté. Je calcule et recalcule à dix sous près.»[2]

---

1. Voir Marcel Dietschy, *Le Cas André Suarès*, et Christian Liger, *Les Débuts d'André Suarès*, thèse, Université de Montpellier (1969).
2. M. Dietschy, *op. cit.*, p. 60.

Dans des *Carnets* écrits en 1906, il se plaint :

«Je n'ai pas de libraire, et il faut que je fasse les frais de mes livres. Et je vis d'aumônes.»[3]

Ses seules ressources viennent de quelques articles obtenus par Pottecher, par Brunetière. Au *Mercure* Valette se fait prier avant de publier ses *Airs*, qui restent à peu près invendus. Parfois la *Revue de Paris* lui prend quelques impressions de voyage. Il ne pourrait survivre sans l'aide de Pottecher, de son frère Jean, de sa soeur Esther, plus tard de quelques amis fortunés, attirés par sa personnalité, qui le soutiennent avec discrétion et patience : les Funck-Brentano, les Latil. De plus, de nerfs très fragiles, Suarès est toujours à la merci de moments de crispation ou de prostration qui le laissent sans force, incapable d'agir, de penser et même de se nourrir. Il garde l'obsession d'être atteint du même mal que son père, mort à cinquante-cinq ans après dix ans d'inaction à cause d'une maladie nerveuse. Toujours dans les *Carnets* de 1906, il note avec angoisse :

«(Le médecin) me guérira-t-il de ce vertige, de cette station sur le brouillard, au bord du précipice ? -Me rendra-t-il la santé, le loisir du travail, pour un an ou deux, - ha, ne fût-ce que pour quelques mois.»

Mais surtout, il ne parvient pas à se remettre du malheur qui l'a terrassé en 1903, celui qui a motivé le livre *Sur la mort de mon frère* et les relations avec Claudel. Alors qu'il retrouvait de l'ardeur et des raisons de vivre dans un début de célébrité littéraire, un réseau de parents et d'amis compréhensifs et affectueux et sa première passion amoureuse, l'accident horrible de son frère Jean, broyé par une locomotive, le replonge dans un désespoir dont ses proches pensent un moment qu'il ne se relèvera jamais. Son frère était son confident le plus intime, et constituait pour lui un lien quasi physique avec l'action, la réussite, la vie. Officier de marine à l'esprit cultivé et ouvert, il permettait à André de vivre en quelque sorte par procuration une existence inverse de la sienne : l'harmonie de l'action et de la pensée, la réussite sociale. Enfin la liaison amoureuse qu'entretient Suarès depuis 1903 n'est pas faite pour lui simplifier l'existence. D'après ce qu'on peut deviner, en 1905 le «ménage» commence à devenir pesant à l'un et à l'autre, et traversé d'orages.

Telle est la réalité quotidienne dont Claudel ira prendre la mesure en avril 1905 : misère sordide, handicap physique et psychologique, passion amoureuse tournant au «collage» sans joie. Il prendra aussi la mesure de ce qui les sépare dans la manière de vivre, d'envisager les ressources matérielles ou la santé physique. Devant Suarès il se sentira riche, éclatant de santé et d'équilibre, heureusement sorti de la crise passionnelle de Fou-Tchéou. Que lui donner, en réponse à son appel, qui ne soit pas générosité facile ? Faut-il le «convertir», ou tout simplement d'abord le guérir au sens propre du

3. daté du 15 février 1906. *Les Lettres Nouvelles*, février 1975, 5ème année, n°46, pp. 161 à 171.

terme? Claudel ne saura trop comment se situer. Jamais encore il n'avait lancé sa foi chrétienne au secours de la détresse totale, de la double détresse matérielle et morale.

La compréhension du «cas Suarès» demande que l'on remonte un peu dans le passé. La misère présente est le produit d'une longue histoire personnelle. L'abondante documentation rassemblée par Christian Liger révèle avec une sorte de monotonie les mêmes traits de plus en plus affirmés et tournant enfin à la névrose. Une impossibilité totale de vivre dans une relation avec autrui qui ne soit pas immédiatement investie par un désir ou une angoisse hypertrophiés, a produit inévitablement un sentiment aigu d'échec sur les plans matériel et social. Il ne peut lui survivre que par une compensation dans l'ordre symbolique. On connaît peu d'autres exemples d'une si complète projection dans l'idéal des pouvoirs symboliques de l'art. La jouissance qu'il donne est, chez Suarès, entièrement autonome, devenue valeur en soi, non seulement séparée mais opposée au monde réel dans un manichéisme radical :

«Les lettres sont l'art suprême, pour cette raison qu'entre toutes, les oeuvres écrites sont affranchies de la matière.»[4]

La matière, obstacle au jeu esthétique, est haïssable. Suarès ressent une haine véritablement meurtrière pour son moi physique. Son corps, c'est la laideur, la maladie, la menace de mort, et il rêve du contraire de ce qu'il connaît : un corps comme absent, qui serait un serviteur efficace et invisible de la vie spirituelle. Ainsi s'explique son attirance pour l'ascétisme des mystiques et le jansénisme de Pascal.

Aussi l'activité artistique est-elle indispensable, urgente, pour échapper à la mort. Christian Liger rapporte que quarante-huit heures après le terrible traumatisme de la mort de son frère, André Suarès commençait à écrire «poétiquement» sur l'événement. De même, immédiatement après la mort de son père il abandonnait son prénom d'enfance, Félix, pour celui d'André : il était urgent de se prouver à lui-même par ce geste symbolique, donc artistique, que son Moi d'écrivain allait survivre à ce Moi d'enfance mort avec son père. Ses long cheveux, ses tenues excentriques étaient les manifestations semi-névrotiques d'un désir de relation esthétique avec autrui.

Le modèle mythique de Suarès, c'est l'homme qui, dans quelque domaine que ce soit, a fait de sa vie une oeuvre d'art, un ensemble harmonieux et dynamique de relations esthétiques : son frère, son ami Romain Rolland (avec qui il se brouillera quand le tableau ne lui semblera plus aussi parfait), Tolstoï de qui il écrit dans sa jeunesse :

4. M. Dietschy, *op. cit.*, p. 52.

«Tolstoï ne peut rien écrire qui ne soit oeuvre d'art, encore qu'il n'ait peut-être jamais voulu ni pensé créer une oeuvre d'art. (...) Je n'ai jamais été et ne suis rien que totalement artiste (je veux exprimer qu'en moi il n'est place qu'à des sentiments d'art).»[5]

On pourrait contester l'originalité d'un tel idéal en remarquant qu'à la source de toute création artistique on trouve une énergie née d'une affectivité déséquilibrée, sublimée dans l'art par un transfert symbolique. Il ne manque pas d'écrivains qui ont déclaré que s'ils cessaient d'entretenir un univers autonome de création poétique, ils sombreraient dans la folie et la mort. Mais le propre de Suarès est d'avoir poussé cette attitude jusqu'à ses conséquences extrêmes, de n'avoir accepté aucun compromis raisonnable entre le poétique et le réel. Il s'est laissé entraîner, par diverses forces de sa personnalité, à ne vouloir vivre que comme symbole poétique, et croit à chaque instant mourir de l'échec de cet effort. Il vit sur le mode névrotique cet idéal d'individualisme esthétique né dans le romantisme et exaspéré chez bien des symbolistes : rien ne compte que l'expansion poétique du Moi, hors de la laideur du réel. Attitude d'aristocrate solitaire qui vit dans la nostalgie d'une puissance qui lui fait défaut :

«La sincérité des lâches et des faibles ne doit venir qu'après l'insincérité du courage et de la force.»[6]

Derrière la faiblesse nerveuse et la misère matérielle, c'est une forteresse bien fermée sur soi que va trouver Claudel.

Sur la mort de mon frère

C'est chez Pottecher que Claudel a revu Suarès en 1900. *J'ai eu grand plaisir à renouveler connaissance avec Suarès, nous nous entendons sur presque tous les points*[7]. Retenons ce témoignage d'une affinité reconnue de part et d'autre. L'envoi à Claudel de *Sur la mort de mon frère*[8] ainsi que l'empressement qu'a mis Claudel à répondre trouvent probablement leur motif dans le souvenir de cette rencontre.

Cet ouvrage est une succession de trente-quatre proses poétiques de quelques pages. Les titres de certaines de ces proses, «L'Espace», «Le vent dans les feuilles», «Salutations des larmes», «Pluviôse», «Pensées», «Larmes dans les ténèbres», sont la recherche d'un moment d'accord silencieux entre

---

5. In C. Liger, *op. cit.*, I, p. 272.
6. *Carnets* de 1906.
7. Lettre de Paul Claudel à Pottecher, *Cahier Paul Claudel 1*, p. 108.
8. André Suarès, *Sur la mort de mon frère*, éd. Frédéric Hébert, Paris, 1904. Le livre fut peu diffusé, et ne fut guère lu que par des connaissances. Nous en avons consulté un exemplaire grâce à l'obligeance de M. Christian Liger.

l'âme et les sens; ils rappellent *Connaissance de l'Est*. Claudel pouvait reconnaître là un poète de sa famille. Mais une terrible douleur s'y donne cours : le frère adoré, Jean, vient de mourir dans un accident stupide et atroce. A travers des souvenirs, des images qui prennent la consistance de récits de rêves, des ébauches de philosophie, Suarès tournoie dans son désespoir sans pouvoir en sortir. Où qu'il aille, il heurte la mort dans ses images les plus atroces, et dans l'unique certitude qu'elle lui laisse, celle du néant. Pourra-t-il se délivrer ?

La réponse est diffuse dans le livre. On retiendra un passage[9] qui la résume clairement :

> «Qui voit la mort dans sa plénitude, il n'a que trois partis : Mourir. Ou croire à la cause qui donne, qui ôte et qui rend la vie. Ou créer à son image, en attendant la mort, l'ombre de la vie.»

Le livre dans son ensemble est une réalisation du troisième parti, sans illusion mais par nécessité absolue, pour survivre :

> «plus malheureux que tous, sachant la vanité de ce qu'ils font, en l'oubliant un peu du temps qu'ils sont à le faire, ils s'enivrent d'une création, où le rêve de la vie lui-même fait un rêve».[10]

Mais il est facile de penser que c'est l'éventualité du second parti qui a retenu Claudel. Non que ce mouvement-là soit accentué dans le livre. Suarès n'arrive pas à croire en Dieu. Nulle rancune pourtant chez lui envers une Providence cruelle. Mais par prédestination il n'a pas les dispositions requises :

> «Trois partis, dont pas un n'est au choix de l'homme : il ne choisit pas celui qu'il veut suivre; il suit celui pour lequel il a été choisi.[11]

Quelle étincelle de croyance chrétienne y a-t-il dans ce livre ? Seulement le refus méprisant des solutions épicuriennes, l'esprit posé sans réticence sur l'éventualité d'une foi, et un attrait beaucoup plus profond pour le côté noir du christianisme :

> «Le grand amour est le profond connaisseur de la mort.»[12]

Il s'agit d'ailleurs plutôt d'un regard porté sur une planche de salut possible, la beauté noire frangée de lumière des amours pour lesquels on meurt : *La méditation de la beauté et la vue de la mort ont des profondeurs mitoyennes : c'est dans les régions du total amour, soit qu'il délire, soit qu'il perde son sang par quelque incurable blessure.*[13] Ce salut-là ne s'accorde pas les facilités

9. *La Savante lâcheté de la vie*, p. 56.
10. Id., p. 57.
11. p. 56.
12. p. 54.
13. p. 53.

des romantiques : la prose «Sanglots sur la route» porte en exergue un passage du psaume de l'office des Ténèbres *O vos, qui transitis*, et le paraphrase à la fin : *O vous, qui passez sur le chemin et que j'attriste, dites s'il est une douleur semblable à la mienne ?* Et surtout une autre partie est une méditation sur Pascal, *Pascal, le grand nihiliste.* Le titre résume toute la démonstration. La grandeur fascinante de Pascal vient de son nihilisme; la raison ne le fait pas douter, ce qui serait facile et lâche, mais nier :

> «Il a trop grand coeur : de là qu'il ne doute pas, il nie. Nier n'est pas douter. Avec plus d'esprit on ne va pas si loin. Jamais grand coeur ne fut sceptique. Le doute n'est qu'un moyen. Douter n'est pas jouer, mais se jouer. Ce n'est pas un état où se tenir. Il faut croire; ou nier et souffrir.»[14]

C'est dans ces six pages sur Pascal que Suarès va le plus loin dans la définition d'une foi possible. Il abandonne les fantasmes poétiques par lesquels il transfigure ailleurs son désespoir. Il épouse la démarche sans illusion de son modèle, où le «coeur» prend la figure austère de la raison. Il découvre enfin, au-delà du dénuement et de l'anéantissement, non encore un présence, mais l'unique possibilité d'une présence :

> «Pascal se confie même au néant : il a l'infini du coeur et la vie éternelle en récompense; il les attend de Dieu même, enfin. Non pas d'un dieu qui n'est que dans les mots sans forme et sans action; non pas d'une idole verbale : mais d'une personne, d'une volonté vivante comme sa création.»[15]

Il trace ainsi la voie à une apologétique possible, celle de la tradition mystique classique. Mais la voie est-elle tracée pour lui ? A le lire on comprend qu'il n'y a pas de passage possible, qu'il y a une séparation radicale entre la découverte de Pascal, qu'il analyse avec une précision «jalouse» (le mot est de lui) sans pouvoir la partager, et son«parti» à lui, qu'il n'a pas choisi mais pour lequel il a été choisi, l'idole verbale, le dieu qui n'est que dans les mots.

Comme par une pente fatale Suarès retombe dans la contemplation poétique de sa douleur, c'est sa vie maintenant, et même sa survie, c'est le seul pain qu'il puisse mâcher; Il répond à Pascal :

> «mais mon père est mort; mon enfant est mort, et pour lui je n'ai rien pu faire. Et que suis-je, déjà, moi-même ? J'appelle rédemption, la vie de mon amour.»[16]

Telles sont certainement les «dernières pages» auxquelles fera allusion Claudel. Ce sont elles qui envisageant une attitude chrétienne, beaucoup

---

14. p. 67.
15. p. 168.
16. p. 168.

plus que la conclusion du livre qui les suit, conclusion pourtant intitulée «L'acte de foi jusque dans le doute». C'est un chant funèbre en forme de dialogue entre le frère mort et le frère survivant. Il y est envisagé, pour survivre à la douleur, une attitude de soumission et de contemplation devant elle. C'est un prélude à la résurrection, à l'amour, à la vie. Mais on ne peut pas s'y tromper : le dieu aimant, dieu caché qui sera retrouvé dans *les tourments de la soif, de l'inanition, des blessures à travers le coeur, et l'amour calomnié*[17], il n'est autre que le frère mort, qui revivra dans la souffrance acceptée par le survivant. Les dernières répliques, dialogue mystique dans la fiévreuse et austère tradition de Sainte Thérèse (ou de certaines pages pascaliennes) ne mettent en scène personne d'autre que le frère et le frère :

«- Que me demandes-tu ? Ha, fais-moi grâce.
- Pauvre frère, soumets-toi.
- O ma chère pitié, soumission à tes désirs. Soumission éternelle à la douleur, mon Bien-Aimé»[18]

N'est-ce pas une présence symbolique du Dieu qu'il pressentait qu'a établie Claudel en développant longuement le même thème du frère mort à travers les relations entre Cébès et Tête d'Or ?

Il y a des accents de *Tête d'Or* dans les déplorations alternées du livre de Suarès. Mais on voit vite l'inversion des rapports, en passant de l'un à l'autre: le «frère» de *Tête d'Or* n'est qu'une fiction, pâle image de l'amour réel de Dieu, tandis que le frère de Suarès est une dure réalité, Dieu n'étant derrière lui qu'une possibilité incertaine. Le fait humain n'est pas un symbole sûr du fait divin. Ce Dieu déduit de l'homme n'est qu'une création du Moi angoissé, une fiction d'espérance.

Vous trouverez la consolation là où elle est

La correspondance avec André Suarès ne commence pas par une lettre aussi éclatante qu'avec Gabriel Frizeau. Il faut grouper leurs quatre premières lettres : celle de Claudel, de Chine, après l'envoi du livre, et la réponse de Suarès renvoyée de Chine à Paris (où Claudel vient de rentrer au printemps 1905), puis un échange de billets avant leur première entrevue.

Ils n'ont guère plus qu'un souvenir l'un de l'autre. La lettre de Claudel commence par un«cher Monsieur Suarès» très impersonnel. Mais ils vont très vite, et à un niveau profond, se *reconnaître*. Déjà ces trois pages établissent le climat qui restera le leur, dans l'intimité d'un débat proprement religieux.

Que Claudel remercie Suarès pour l'envoi d'un livre, il n'y aurait rien là de tellement remarquable. Témoignages «d'estime et de sympathie»,

17. p. 177.
18. p. 178.

rappel de leurs rencontres «chez M. Pottecher»[19], ce pourraient être de banales amabilités. Mais les trois lignes centrales touchent autre chose; elles pénètrent, comme en passant, dans les couches secrètes de la pensée, elles formulent un souhait et un jugement qui touchent au plus intime de la vie :

> «Les dernières pages de votre livre me font espérer que vous avez trouvé ou trouverez la consolation là où elle est n'étant que là, *Ascensus cordis disposuit in convalle lacrymarum.*»[20]

Discrètement mais fermement Claudel s'engage, c'est-à-dire va sans ambages à ce qui lui paraît essentiel. C'est bien là sa manière. Mais ce qui nous retient ici, c'est le «site» comme il le dira un peu plus tard, de son engagement. Le livre de Suarès était un long cri de souffrance, et se terminait assez naturellement par l'espoir d'une consolation. Claudel qui a *lu avec émotion le livre pathétique* se situe dans cette souffrance, la souligne par la «vallée de larmes» du psalmiste, et essaye déjà d'en faire une voie de salut. Cette voie de salut par l'expérience de la souffrance est bien connue dans la tradition chrétienne, mais il est difficile d'y accompagner quelqu'un, et ce n'a pas été la voie de Claudel. Mais, parce qu'il est réellement ému de la détresse de Suarès, parce qu'il croit fermement en l'universalité de la foi consolatrice, parce qu'il veut en fin de compte conduire Suarès à la joie qu'il connaît, Claudel accepte d'entrer dans un climat de tourments et d'angoisses.

L'autre point important de la lettre est l'allusion à Pindare qui est faite à la fin. Claudel rappelle que c'est Suarès qui, chez Pottecher, lui a fait connaître Pindare *dont la lecture est devenue une de mes grandes sources et un réconfort littéraire.* Voilà un rappel qui devrait instituer autour d'eux un climat bien différent du précédent : pour un lecteur moderne Pindare est un lyrique peu accessible, devenu hautain et solitaire par l'éloignement du temps et de son art, une exaltation austère et réservée à quelques initiés. A côté de la déréliction de l'homme écrasé par une mort absurde et atroce, voici l'idéalisme poétique le plus exigeant; la «vallée de larmes» et Pindare, telles sont les deux notes de cette lettre, qui soutiennent l'appel central.

Suarès a perçu ces signes. Lui qui ferme sa porte à tout le monde, et qui reconnaît qu'il a peu lu Claudel, il propose et demande une amitié plus complète, en confirmant les affinités que son correspondant avait esquissées entre eux. Il a l'intuition que Claudel est proche de lui par deux points : la déréliction morale, et la hauteur poétique. Dans sa réponse il n'aborde pas de front la question de la consolation religieuse, appréciant seulement que Claudel lui offre ce qu'il connaît et éprouve de meilleur. Ce qui l'attire, c'est de supposer que seuls les semblables se recontrent, et qu'avec Claudel vienne

---

19. C'est très probablement Maurice Pottecher qui a conseillé à Suarès d'envoyer son livre à Claudel.
20. 14/12/04.

enfin à lui une sensibilité et un esprit accordés aux siens. Il reconstitue ainsi un portrait de Claudel à son usage, portrait en grande partie imaginaire, mythique, projection de certaines parts de lui-même dans un être qu'il désire admirer. Il le reconnaît sans peine :

«Je ne sais rien de vous, mais je m'en fais des images.»[21]

Il ne sait rien, bien entendu, de la détresse présente de Claudel depuis le départ d'«Ysé», mais il croit trouver dans ce qu'il connaît du poète-consul une sorte de fatalité du malheur, au moins sous la forme de la solitude. Dans le cercle des amis de Pottecher, on connaissait Claudel comme un écrivain étrange et hermétique, aussi éloigné par sa carrière de consul que séparé par son catholicisme abrupt, se plaignant de sa solitude mais semblant tout faire pour la renforcer. N'est-ce pas lui qui a pris l'initiative de rompre avec Pottecher ?

Il ne faudra pas oublier, dans la suite de la correspondance, la persistance de cette figure d'homme difficile. Claudel lui-même la rappelera une fois, se qualifiant d'*homme dur, violent, peu aimable, peu affectueux*. Pour Suarès il est celui qui est brouillé avec son meilleur ami, Pottecher. Cette situation grosse d'orages n'est pas faite pour lui déplaire. Ses propres relations sont toujours compliquées et tourmentées. Toujours est-il qu'il désire un Claudel solitaire :

«Je ne sais si vous avez beaucoup d'amis. Cela m'ennuierait et d'ailleurs j'en doute.»[22]

Claudel par sa *sympathie* au livre de Suarès a montré une sensibilité au malheur qui ne peut venir que d'une certaine expérience. Cette expérience, Suarès l'imagine par ce qu'il connaît de lui, comme le malheur de la solitude. Non malheur passager mais déficience intrinsèque, fatalité. Et comme toute fatalité celle-ci grandit celui qui en est la victime :

«La solitude est fatale. Bien dure, oui; saine, pourtant.»[23]

Car plus encore que toute autre, la fatalité de la solitude est en même temps un don des dieux, une invitation à la hauteur d'esprit et au génie. Suarès ne cache pas son mépris pour les écrivains bavards et expansifs qui vivent en colonie, *ceux d'aujourd'hui, gens de lettres et rien de plus*. Il y reviendra dans une lettre suivante, établissant encore plus nettement la parenté entre la difficulté de caractère, l'isolement, et implicitement la proximité du génie.

> «Je ne suis pas comme tous vos gens de lettres (...) Vous et moi, notre monde n'est pas petit : il n'est pas si facile à retrouver. Ce n'est pas un habit commode, dont on fait l'envers et l'endroit.»[24]

---

21. de Suarès, 29/1/05.
22. Id.
23. Id.
24. de Suarès, 16/06/05.

Son «image» de Claudel, passe donc spontanément de la solitude à la grandeur, qui est pour eux grandeur poétique. La référence de Claudel à Pindare l'y invitait, ainsi que ce qu'il connaissait du jeune auteur des drames de *l'Arbre* :

«J'ai compris votre goût pour les grands Anciens, que j'aime le mieux, moi-même. De tous pourtant, c'est Dante que vous approchez de plus près.»[25]

On sait assez quelle filiation Claudel reconnaissait à toute occasion entre Eschyle, Virgile, Shakespeare et ses oeuvres. Il a tenu Pottecher au courant de sa traduction d'*Agamemnon*. Quant à Dante, il était l'objet d'une égale ferveur de la part de Claudel et de Pottecher. Son nom ici donne à penser que Suarès a lu et apprécié des passages du *Repos du septième jour*, qui est le *Purgatoire* et l'*Enfer* de Claudel, et de *la Ville* dont la scène finale est une esquisse du *Paradis* . Dans la lignée symboliste qui, comme le dira plus tard Claudel, a dégénéré en fabricants de bibelots, celui-ci est le seul poète de grande vision :

«Et à vrai dire, vous seul pourriez faire un fort poème où la foi unirait en pures noces le réel et la vision étroitement embrassées (...). Le tout est que vous seul, de nos jours, êtes un poète pour moi. De là, mon profond isolement. A qui parler ? -Il m'a fallu vivre loin de tout.»[26]

L'image est cohérente : Claudel solitaire, Claudel seul poète visionnaire, devient le seul ami en poésie, le seul«à qui parler». Après s'être pressentis ils se reconnaissent maintenant grâce à ce signal de reconnaissance qu'a été le livre *Sur la mort de mon frère*. Ils sont, plus ou moins clairement dans l'imagination de Suarès, deux ermites prophètes qui pourraient communiquer à niveau, de leur montagnes respectives

«Il faut se comprendre, et il faut pouvoir s'honorer. Les amis sont de grands arbres qui se fécondent.»[27]

Il se sont rencontrés deux fois, fin mai et début juin 1905. Ils sont venus l'un à l'autre avec l'unique intention d'approfondir la révélation réciproque de leurs attitudes essentielles. Il y a des nuances pathétiques dans les mots qu'ils échangent pour se fixer rendez-vous. La tension émotive n'est jamais loin chez Suarès, et Claudel, lui-même désemparé au moment de ce retour en France, pressent qu'il va s'engager dans une voie tourmentée et obscure en essayant de secourir ce correspondant :

«J'ai une sorte de joie à l'idée de nous tenir là, sous les feuilles, au soleil, quand la flèche d'une hirondelle mesure l'espace.»[28]

25. de Suarès, 29/1/05.
26. de Suarès, 29/1/05.
27. de Suarès, 29/1/05.
28. De Suarès, 29/1/05.

«Les nuits de mai sont bonnes pour ouvrir la fenêtre sur le fleuve; on le voit couler, et l'on se sent vivre.»[29]
«Que de choses à nous dire !»[30]
«Oui, nous avons beaucoup à nous dire : j'étais sûr que vous le saviez.»[31]

La lettre du 13 juin 1905

Nous ne savons pas ce que se sont dit Claudel et Suarès de vive voix en cette fin de printemps de 1905. Mais une longue lettre de Claudel, du 13 juin, a suivi de peu leur conversation. Comme il le fera avec Gide, il éprouve le besoin de fixer par écrit, non un résumé de ses paroles, mais le plus profond de ce qu'il voulait dire, qu'il n'a peut être pas réussi à dire ouvertement, car, comme il l'écrira en septembre,

«Que vous dirais-je que je ne puisse bien mieux vous écrire, une certaine pudeur s'opposant à ce que certaines choses retentissent»[32]

A chaque instant nous rencontrons cette différence entre ce que Claudel réussit à *dire* dans une première entrevue importante, avec son débit saccadé et son air de réciter le catéchisme qui a agacé entre autres, Jammes et Gide, et ce qu'il *écrit*, écrivain avant tout, et solitaire ayant pris l'habitude de vivre par la plume dans l'univers de sa pensée.

La rencontre de Suarès a laissé en Claudel un trouble, une sorte de gêne devant la misère matérielle si totale et la misère morale si manifestement névrotique qu'il a rencontrées :

«Je n'ai pas cessé de penser à vous depuis notre dernier entretien. Je vous ai quitté très affligé de l'état d'abandon parfait où je vous ai trouvé (...) mais, s'il faut dire, plus perplexe encore...»

Cependant il n'en reste pas aux impressions de cette découverte. La lettre est bien un important texte d'engagement apostolique, comparable à celles que nous analysons ici pour chaque correspondant important. Il n'y a pas à s'y tromper, Suarès est l'un de ceux que Claudel veut entraîner dans sa foi catholique en abordant soudainement avec eux un entretien sur ce sujet, dès qu'ils en pressent la demande.

La différence, avec Suarès, c'est que Claudel est obligé devant un personnage aussi tourmenté et «caverneux», d'entrer dans sa psychologie, d'aider à se voir et à se comprendre cet esprit déjà si émotivement introspectif. Que ce soit dans une simple démarche de compassion immédiate pour un malade qu'il veut essayer de guérir, ou avec la dimension supplémentaire du

29. De Suarès, 23/4/05.
30. De Claudel, 22/4/05
31. id., 29/1/05.
32. id., 22/9/05.

salut chrétien, il faut parler à Suarès de lui-même, et on ne peut le faire sans précaution. On ne trouve dans cette lettre ni«affirmation acérée» comme l'aime Claudel, ni présentation solennelle de la grande construction du salut dans le style des prédicateurs, comme nous l'avons vu ailleurs, mais un style d'explication simple et familière, une démarche d'analyse où l'on prend son temps. La phrase est très parlée à la manière d'une explication intellectuelle donnée dans un style oral soutenu : un professeur qui reprend un point délicat, ou plus précisément ici un directeur de conscience qui aide quelqu'un à voir clair dans un moment difficile. Il faut éclaircir quelque chose *que je ne puis arriver à comprendre*, écrit-il non sans ruse pédagogique; on notera ainsi les articulations de son discours :

> «Le site général de l'opinion est chez vous (...) ce que vous avez dû trouver sans doute (...) et cependant cette orientation, ce mouvement, ce «sens» (...); vous êtes (...) et il me faut (...); je note que (...) que faut-il donc penser ? car je sais que le besoin de croire, c'est-à-dire (...); voici donc un autre point réglé (...) je suis donc amené à penser que (...); vous me dites que (...) mais en réalité; d'une part (...) d'autre part (...); cela veut dire que (...); quel chemin donc vous recommander ?»

On voit affleurer, sans doute, les modes d'expression auxquels nous a habitués Claudel : comparaisons insolites (*vous êtes certainement chrétien comme on dit qu'un arbre est vert)*, tournures recherchées qui arrêtent la pensée sur une articulation (*vous ne les avez point trouvés introductifs*), scansions binaires appuyées (*ridiculement accablé et affublé*) pression lyrique sourdement maintenue. Mais la marque significative et dominante reste l'étalement discursif de l'explication.

Cette explication donnée à Suarès de lui-même se résume assez facilement en trois points qui s'enchaînent : vous possédez le désir de croire; mais au terme de ce mouvement vous refusez de reconnaître le Dieu chrétien; pour y parvenir le seul moyen est la prière, attitude beaucoup plus «réelle» et active que la recherche théorique du vrai sur laquelle vous butez. On voit que l'analyse psychologique est entièrement orientée vers le salut, et on peut présumer que Claudel ne s'y serait pas engagé autrement, car il avait peu de goût pour les psychologies individuelles et, si l'on peut dire, la charité par identification. Mais même en réduisant la psychologie, comme ici, à l'étude des attitudes de foi en Dieu d'un individu, rarement Claudel porte autant d'attention à son correspondant.

> «chez un coeur aussi profond que le vôtre, chez une nature aussi sensible et ausi «musicante...»
> «chez vous il y a cette étrange réserve des enfants qui ont le coeur aimant, la méfiance de ceux qui ont été trompés, la rancune de ceux qui ont été malheureux injustement.»
> «Cet isolement, ce dépouillement de toute affection humaine et finalement cette incapacité momentanée de travail.»

Les images sont chargées de sympathie affective : la musique, l'enfant, le juste malheureux. La pensée est toujours que Suarès a un instinct droit, qu'il ne croit pas *des choses étrangères ou opposées* à la vérité chrétienne. Si des reproches doivent lui être faits, d'être si proche de Dieu et de refuser de le reconnaître, il faut admettre qu'il a des excuses. C'est alors que Claudel construit un singulier parallèle entre Suarès et Dieu, où il semble que chacun d'eux a des reproches à recevoir : Suarès, de désirer Dieu sans vouloir positivement le rencontrer, et Dieu de se montrer si cruel dans le destin qu'il a donné à Suarès. Le propos tourne finalement à la justification apologétique des souffrances, voie privilégiée de la rencontre de Dieu. Mais sur la voie se déroule un combat, et une fureur sourde d'avoir à le soutenir. Voici encore une mise en drame du conflit salutaire, mais cette fois-ci la réalité d'autrui fournit déjà assez de violence, d'amertume, de contradiction entre le désir et l'obstacle. Claudel n'a pas besoin de secouer Suarès pour l'introduire aux démarches étranges et cruelles de la Providence. Il lui fait seulement comprendre que lui aussi les a expérimentées. Nous retrouvons l'image un peu burlesque de la sagesse divine, présentée aussi à Francis Jammes, mais cette fois-ci bien plus proche de la souffrance de l'un et de l'autre :

> «Je connais assez les moeurs et les démarches de ce personnage réel et concret que nous appelons Dieu et qui est aussi inexplicable qu'une femme pour comprendre quelque chose de sa conduite à votre égard.»

Voulant proposer un premier geste positif vers le salut, Claudel incite son correspondant à la prière. Ce qu'il en dit, définition très expressive de la prière comme un cri, appel, première démarche encore instinctive, dépasse le propre cas de Suarès et nous renvoie à la théologie claudélienne, inspirée de la tradition judéo-chrétienne de l'efficacité d'une prière obstinée. On peut donc lire cette lettre comme un conseil de directeur de conscience, donné au nom de la révélation chrétienne selon un schéma somme toute assez classique : vous êtes sur la voie, priez *avec acharnement* sans penser à autre chose, et le reste viendra de lui-même, car *voilà la foi, l'espérance et la charité.*

Mais Claudel se rend compte de la distance que Suarès pourra trouver entre ces paroles et la réalité de sa situation : *Ne prenez point mal ma lettre et n'y voyez point le prosélytisme d'un dévot*. C'est pourquoi il offre aussi la compagnie d'un semblable, ce semblable ne pouvant être qu'un homme souffrant lui aussi d'humiliations intimes. Le mouvement d'encouragement est vivifié par un contrepoint plus secret, qui n'est autre que l'implication personnelle de Claudel. Cette implication est formulée en termes nets au début et à la fin de la lettre, par une allusion à l'état d'abandon qu'il peut *apprécier en connaisseur*, et à la crise dont il sort lui-même *si épuisé* qu'il écrit cette lettre *avec une espèce de mauvaise volonté et de mauvaise foi*. Elle se prolonge par une reconnaissance de leur ressemblance intellectuelle, «le site général de l'opinion est chez vous tellement analogue au mien que nous pouvons pénétrer comme de plain pied l'un chez l'autre», et une référence à «nous autres écrivains».

Mais le texte de la lettre révèle une participation plus subtile : Claudel a toujours voulu montrer que la foi en Dieu est une attitude intime, engageant les aspects les plus personnels de nos désirs, de nos sensations, et même de notre vie physique; toute sa poétique reprend, au niveau de l'expression, les mêmes postulats; c'est de là que découlent ses éloges de l'obscurité : trop de clarté nous réduit à la petite part intellectuelle de nous-mêmes. Or, en Suarès, il voit avec évidence, sous une forme paroxystique, à quel niveau intime s'enracinent les attitudes fondamentales; et comme il ne peut l'entraîner sincèrement à la foi qu'en faisant état d'une ressemblance entre eux, il est amené à percevoir avec une sourde acuité combien la confession de sa foi est un aveu de soi, un éclairage gênant sur son intimité. Suarès l'oblige aux confidences et au dévoilement de soi, et l'on sent qu'il accepte pour cela de se faire violence :

> «peut-être même qu'il (Dieu) vous a mis sous la main un ami dont vous pouvez user sans façon et sans scrupule, étant si évidemment méprisable, si manifestement indigne de la lumière dont il est ridiculement accablé et affublé. Mettons donc toute pudeur de côté entre nous».

Ce n'est pas une simple image poétique que de dire que Dieu est *aussi inexplicable qu'une femme* : après ce qu'il vient d'éprouver à Fou-Tchéou, il ne peut plus parler de l'un sans l'autre, et les deux termes renvoient à des expériences obscurément correspondantes et toutes les deux difficiles à avouer. Le plus significatif est cette relation qu'il établit entre la foi et la sexualité :

> «Car je sais que le besoin de croire, c'est-à-dire d'appliquer son coeur et son esprit à l'objet condigne, s'il est plus obscur et plus difficile à dégager, est aussi naturel à l'homme que le besoin sexuel».

S'agit-il d'une métaphore significative qui révélerait le désir de coordonner la foi et l'aventure de Fou-Tchéou, dans le «travail» souterrain qui va bientôt aboutir à *Partage de Midi* ? On peut du moins se tenir à une signification plus simple et plus générale : dire qu'on croit en Dieu, c'est en quelque sorte se mettre à nu. Il est facile de remarquer la convergence des symboles: le besoin de croire ressemble à un instinct sexuel, Dieu à une femme incompréhensible, la révélation de sa foi à une impudeur, et dans une autre phrase les tourments de Suarès sont expliqués par un refoulement de croyance qui agit comme un refoulement de pulsion :

> «Je suis persuadé que ce besoin ne se voit point refuser issue sans qu'il résulte une atteinte aux sources.»

L'attitude religieuse ne s'appuie pas sur des «vérités» et autres idées ou sentiments qui sont, surtout pour des écrivains, *des pièces que nous manions avec une certaine indifférence supérieure.* Elle entre en relations avec de tout autres forces, celles qui terrassent un homme ou lui insufflent l'enthousiasme. Plus que par Jammes, Frizeau ou Gide, Claudel est entraîné par Suarès à révéler les confins obscurs de sa croyance. Et celui-ci va lui répondre que désormais *une loyauté vivante comme la pulsation, un seuil de franchise brûlante est entre nous.*[33]

33. de Suarès, 15/6/05.

Gide, ou la conversion de la littérature

L'avertissement que depuis un mois bientôt j'attendais

Il est impossible de voir dans les quatre lettres envoyées par Claudel à Gide jusqu'au printemps 1905[1] le commencement d'une amitié ou d'un échange approfondi. Gide était connu par Claudel comme l'ami de Jammes, une figure rencontrée autour de Mallarmé et de Schwob, une relation à conserver dans un milieu littéraire qu'il estime assez proche de lui. Pour Gide, Claudel était l'auteur lointain de «l'admirable *Tête d'Or*» qu'il a relu à haute voix pour Emmanuelle en mai 1905[2] et l'étrange catholique absolu qu'il est allé voir avec Jammes en 1900. Il lui envoyait à l'occasion ses livres. Ce sont ces envois qui ont donné à Claudel l'occasion d'écrire : jugements aiguisés et tout brillants de métaphores, sur *Philoctète, El Hadj*, le *Traité de Narcisse, Paludes, Prétextes*[3] à la manière mallarméenne comme il en envoyait à Schwob et Jammes. Cela n'allait pas plus loin, comme l'a écrit Claudel, qu'*une espèce de connaissance mortuaire, théorique, télépathique*[4]. Ils n'étaient guère plus, l'un pour l'autre, que des contemporains en littérature qui ont pressenti quelques affinités communes :

> «J'ai grand plaisir à toutes les pages à constater que nous sommes de la même génération et à trouver exprimées d'une manière si charmante et si distinguée les opinions et les sentiments qu'il nous a été départi collectivement d'assumer.»[5]

Gide a donc été le témoin de quelques *opinions et sentiments* de Claudel, en particulier cette idée qu'il faut favoriser la revanche de la poésie sur la

1. Une de Chine de 1899, deux en 1900 pendant le congé en France et une en 1903, de Chine.
2. *Journal*, 16 mai 1905.
3. Mais il ne lui envoie pas *L'Immoraliste*, et il n'existe aucune preuve que Claudel en 1905 ait lu ce roman. C'est dans une lettre du 29 février 1912, dont nous parlons plus loin, qu'il dit avoir lu «autrefois» avec inquiétude *Saül* et *L'Immoraliste*. Quand ? La seule chose sûre est qu'il a gardé pour lui ce qu'il pouvait en penser, jusqu'en 1912.
4. voir p. 99 et 103.
5. 7/8/03.

science, et de ce qu'il appelle *la bienheureuse ignorance*, comme il a écrit aussi à Beck et à Bourges sur ces *abominables théories qui ont opprimé notre jeunesse.* Sur Gide lui-même, qu'il connaît mal, rien d'autre que des appréciations de son style. On relève même un refus d'aller plus avant :

> «Je ne parlerai point des vues que vos deux livres me donnent sur la nature de votre esprit. C'est là un sujet trop délicat.»[6]

En 1905 à Paris, des questions de traduction les rapprochent d'abord par écrit, sans qu'ils se revoient[7]. Claudel est bien décidé, rentrant en France, à sortir de son isolement; Gide lui apparaît comme un introducteur possible pour bien des milieux littéraires :

> «Ne viendriez-vous pas me voir un de ces jours ou de ces soirs ? J'ai un service à vous demander.»[8]

Cherche-t-il davantage, lorsqu'il insiste, le 22 septembre 1905 :

> «Vous êtes un de ceux que j'aurais voulu voir à mon passage à Paris».

Or, voici qu'arrive, à la fin d'une réponse de Gide sur des questions de boutiques littéraires, cet acquiescement au souhait de Claudel :

> «Si j'avais pu penser qu'il ne vous ennuyât pas de me revoir, je serais accouru vous voir dès que j'ai su votre retour en France. La crainte de vous importuner n'a pas été sans peine plus forte que mon désir.»

La lettre est du 25 septembre. Depuis le printemps, Gide trouve Claudel sur sa route : *Tête d'Or* est peut-être relu à cause du retour de l'auteur; mais surtout il ouvre l'ode *Les Muses* qui vient de paraître à *l'Occident* :

> «Les quelques phrases que j'en lis en marchant s'emparent complètement de ma pensée. C'est un ébranlement de tout mon être, et comme l'avertissement que depuis un mois bientôt j'attendais».[9]

Quel «avertissement» attendait Gide ? En parcourant le *Journal* de ces mois-là, on comprend qu'il espère enfin voir revenir une ferveur artistique, un enthousiasme qui le sorte de sa fatigue, de son «atonie»[10], d'une impossibilité d'écrire. *Je voudrais prendre en main toutes ces causes de stérilité, et les étrangler toutes*, écrit-il encore en mai[11]. En réalité voici déjà fort longtemps que, de mois en mois, Gide calcule dans son *Journal* des périodes de stérilité et des étapes pour le retour de l'inspiration. Depuis la publication de

---

6. 12/5/1900.
7. Claudel traduit *Léonainie* d'Edgar Poë pour *L'Ermitage*, à la demande de Gide ; puis il lui demande des renseignements sur le traducteur allemand Franz Blei.
8. billet du printemps 1905.
9. *Journal*, 17 mai 1905, p. 156.
10. «Mon atonie de ces derniers jours (elle durait depuis trois semaines bientôt), je commençais sérieusement à croire que je n'en relèverais plus désormais.» ibid., p. 149.
11. Ibid., p. 157.

l'Immoraliste en 1901 il n'a plus rien d'important à écrire, aucun grand projet ne s'impose, tandis qu'à 36 ans il se sent vieillir. «En janvier 1902», écrit Claude Martin[12], «*L'Immoraliste* terminé, il en est encore à chercher *une question nouvelle* (...). En vérité, après cet état heureux d'équilibre dans lequel il a pu mener à bien *l'expérience* de Michel, Gide cherche une rupture de cet équilibre, une brèche qui le contraindra à une nouvelle création expérimentale. Il va chercher, longtemps, très longtemps. La fin de *L'immoraliste* marque aussi le début d'une très longue période creuse dans la carrière de l'écrivain. (...) C'est presque en vain qu'il mettra en chantier *La Porte étroite* au printemps 1905.»

Le projet de ce qui deviendra *La porte étroite*[13] permet du moins de situer dans cette année 1905, qui nous occupe ici, le fameux désir de Gide de donner à *L'Immoraliste* un pendant symétrique et opposé, l'exploration et le bilan de ce qui reste en lui de sa jeunesse de christianisme fervent et de puritanisme protestant. C'est à ce moment qu'il rencontre Claudel et qu'il ravive la résonance que produisait en lui l'éclat de son lyrisme somptueux et obscur. Cette faveur soudaine du catholicisme autour de lui, Jammes, Frizeau, son beau-frère Marcel Drouin un moment tenté, et Henri Ghéon ébranlé par une déconvenue amoureuse, —*un pas de plus et tu fais un écrivain catholique*, lui écrit Gide[14] — tout cela l'irrite et le trouble. N'est-ce pas l'ébranlement qu'il cherche pour pouvoir avancer vers une nouvelle ferveur, ce catholicisme qui en même temps bouscule par sa discipline exaspérante la fière autonomie de son puritanisme et la liberté enfin conquise de *L'Immoraliste*, et par son anti-intellectualisme, sa tradition artistique profuse et baroque, remet en question son néo-classicisme menacé de stérilité ? Il y a de la ferveur à chercher du côté de Jammes comme du côté de Claudel. Il la trouvera pendant la soirée de novembre chez Arthur Fontaine, où il lira d'une voix bouleversée les poèmes du premier en présence du second, à qui il demandera aussitôt après de lui parler de son catholicisme. Jusqu'où faut-il pénétrer, dans la cathédrale catholique, pour assimiler toute la nourriture poétique que lui donnent ces croyants ? Telle semble bien être la question qu'il se pose à ce moment. «Oui, j'ai revu Gide bien changé en quinze jours, *très ému*», écrit Frizeau à Jammes en mai 1905.

Jammes et Claudel sont, chacun à leur manière, des adversaires de la clarté classique et de la littérature d'idées. Il faut alors joindre à l'intérêt passionné que leur porte Gide, la redécouverte qu'il fait, toujours en 1905, des *Chants de Maldoror* de Lautréamont, et la reprise de lectures de Rimbaud:

«Je viens de lire à voix basse d'abord, puis à haute voix, l'extraordinaire

---

12. Claude Martin, *La maturité d'André Gide, de «Paludes» à «L'Immoraliste»*, 1895-1902, p. 533.
13. publiée en juin 1909 au *Mercure de France*.
14. Henri Ghéon et André Gide, *Correspondance*, tome II, «1904-1944», p. 603. Voir en particulier la note de Jean Tipy.

VIe Chant de Maldoror (...) Voilà qui m'exalte jusqu'au délire (...) Je relis aussitôt après les *Poètes de sept ans* de Rimbaud.»[15]

«La lecture de Rimbaud, du *VIe Chant de Maldoror*, me fait prendre en honte mes oeuvres, et tout ce qui n'est qu'un résultat de la culture, en dégoût. Il me semble que j'étais né pour autre chose.»[16]

Voici donc la nostalgie du génie créateur, celui qui s'impose en dehors de toute justification raisonnée, par la puissance et la richesse de son flot. Or il peut se souvenir de la lettre de Claudel du 7 août 1903, écrite comme symboliquement, de Chine, un «jour de typhon» :

«Nous allons enfin respirer à pleins poumons la sainte nuit, la bienheureuse ignorance (...) Quelle absurdité, quand on y réfléchit, de prétendre jamais expliquer quoi que ce soit, de prétendre à l'épuiser en tant que source de connaissance alors que le nombre des accords d'où naît celle-ci est infini !»

Tout cela vaut la peine de sonder le secret du pouvoir poétique de Claudel, non en curieux, mais en chercheur passioné de nourriture vitale. Est vital, en art, ce qui engendre le pouvoir de transformer à son tour sa propre vie en ferveur créatrice.

C'est lui-même qui m'a mis sur le sujet religieux

Au désir de Gide de le revoir, Claudel répond aussitôt :

«Nous aurions pu longtemps nous regarder en chiens de faïence. Vous êtes certainement un des hommes que j'estime le plus et que je désirais le plus revoir à mon retour en France. Mais je n'osais pas vous importuner, et comme vous n'avez jamais répondu à mes lettres, je me demandais s'il vous serait agréable de renouveler connaissance. Voilà mes doutes dissipés. Tâchons donc de convenir d'un rendez-vous.»[17]

Le rendez-vous ne pourra pas être pris, et il se reverront d'abord, non en tête à tête, mais dans la soirée consacrée à Jammes chez Arthur Fontaine, le 30 novembre 1905. On connaît bien la longue relation qu'en a faite Gide dans son *Journal*[18]. Il avoue que sur le moment

«J'étais occupé un peu trop à me défendre et n'ai répondu qu'à demi à ses avances.»

Comprenons qu'il a disputé avec sérieux, mais plutôt sur la défensive et avec une espèce de gêne intérieure. Il semble se rassurer, après coup, en se rappelant qu'il n'a pas vraiment et tout le temps acquiescé aux *affirmations*

15. *Journal*, 23 novembre 1905, p. 183.
16. Ibid., 28 novembre 1905, p. 185.
17. 27/9/05.
18. 1er décembre 1905. Cité par R. Mallet dans leur *Correspondance*, p. 54.

brusques. Il n'a pas pu cacher cette force d'adhésion qui, pour le moment, l'entraînait vers le lyrisme claudélien, vers ce rayonnement massif d'une croyance.

Ils sont allés assez à fond pour désirer se revoir. C'est ainsi qu'ils déjeunent en tête à tête le 5 décembre. Le *Journal* de Gide[19] s'attarde encore plus longuement sur cette seconde entrevue. Il confirme qu'il ne savait pas se défendre :

> «C'est, je pense, la voix la plus *saisissante* que j'aie encore entendue. Non, il ne séduit pas; il ne veut pas séduire, il convainc — ou s'impose. Je ne cherchais même pas à me défendre de lui; et quand, après le repas, parlant de Dieu, du catholicisme, de sa foi, de son bonheur, et comme je lui disais bien comprendre, il ajouta :
> «Mais Gide, alors pourquoi ne vous convertissez-vous pas ?» (ceci sans brutalité, sans sourire...) Je lui laissai voir, lui montrai dans quel désarroi d'esprit me jetaient ses paroles.»

Une fois Claudel parti Gide se reprend, et dans le miroir de son *Journal* le désarroi se dissout dans ce long portrait de Claudel où l'observateur intéressé, mais détaché, reprend le dessus. Impossible d'imaginer Gide retourné en profondeur quand on lit :

> «Il parle intarissablement; la pensée d'autrui n'arrête pas un instant la sienne; le canon ne la détournerait pas. Pour causer avec lui, pour tenter de causer, on est obligé de l'interrompre. Il attend poliment que l'on ait achevé la phrase puis reprend où il en était resté, au mot même, comme si l'autre n'avait rien dit.»

Cependant Claudel a au mois perçu une chose : c'est Gide qui a introduit dans la conversation le sujet religieux, parlant *de Dieu, du catholicisme, de sa foi, de son bonheur*, et *lui disant bien comprendre*. Il a entendu là un appel, car en cette année 1905 il guette tous les appels à l'explication de sa foi. Et expliquer sa foi, c'est en même temps convaincre l'interlocuteur de l'embrasser. Sur cette entrevue avec Gide, il écrit quelques jours plus tard à Frizeau :

> «J'ai déjeuné avec Gide l'autre jour : c'est lui-même qui m'a mis sur le sujet religieux; je lui ai parlé avec toute la force dont j'était capable.»[20]

Gide est l'ami de Jammes et une relation cordiale de Frizeau : ne pourrait-il pas former avec eux le noyau d'un renouveau catholique dans les lettres et les arts ?

Le soir même Claudel envoie un mot à Gide[21] pour s'excuser de son attitude de «zélote» et de «fanatique» (qualificatifs qu'il s'attribuait aussi

---

19. 5 décembre 1905, aussitôt après le départ de Claudel.
20. à Frizeau, 16/12/05.
21. 5/12/05.

devant Jammes), mais pour regretter en même temps de n'avoir pu être plus éloquent. Bien plus, il prolonge l'effet de son «zèle» en envoyant à Gide ce «cahier de citations que j'ai prises dans les Ecritures et dans les Pères au moment de ma plus grande détresse morale»[22]; ce n'est autre chose que les premières pages de son futur *Journal*, méditations dramatiques sur l'expérience intime du remords et sur la déréliction de l'Eglise persécutées, dans l'esprit de l'Office des Ténèbres qui préside aux lettres décisives envoyées à Jammes et à Suarès. Tout cela était bien peu accordée à la psychologie gidienne... Mais Claudel ne se soucie pas de psychologie :

> «Il est terrible de savoir ce que je sais et de le dire si mal (...) Je crains de vous avoir scandalisé en vous parlant un peu succinctement de de certaines choses. Mais quoi ? Il m'aurait été insupportable que vous me prissiez pour ce que je ne suis pas.»

Donc au moment même où Gide reprend ses esprits dans son journal en relatant l'entrevue comme une expérience à la fois fascinante et consternante, mais pas vraiment troublante, Claudel estime de son devoir de continuer à secouer Gide en lui livrant sa foi chrétienne comme l'expérience de plusieurs combats superposés : celui de Job et des Prophètes, le sien intime, celui de l'Eglise au moment même, en cette fin de 1905, où l'on vote les lois de Séparation. C'est dans ce climat que va se dérouler, en deux lettres, l'échange le plus important.

Gide répond, dès réception du mot de Claudel[23]. Il est fidèle à son principe de sincérité : l'émotion d'avoir été pris au mot, le «devoir absolu que l'on a d'être un saint» réveillé en lui, la *ferveur* qui prend maintenant la forme d'une angoisse devant l'éclat dramatique de la foi de Claudel, *Ah ! que j'avais raison de redouter de votre rencontre ! Comme j'ai peur de votre violence à présent!*, tout cela est vrai dans l'instant et doit être dit, en même temps qu'une analyse plus fouillée de son attitude qui est en fait un refus du catholicisme : répugnance pour une «religion pratique et tempérée», choix délibéré de l'éthique de l'art au détriment de l'éthique chrétienne, des «faux dieux» au lieu du vrai. Il n'est pas question de se rendre à Claudel (ce qu'il appelle plus discrètement *trouver une solution*), mais il avoue entrevoir une *acceptable position de combat*, c'est-à-dire accepter les risques d'une fécondation de son univers par celui de Claudel.

---

22. Id.
23. jeudi 7 décembre, et non pas 8 comme il est complété dans la *Correspondance*. Voir Pierre de Gaulmyn, «Une lettre mal datée — A propos de la première lettre «apostolique» de Paul Claudel à André Gide», BSPC n° 51, 3ème trimestre 1973, pp. 29-33.

Avec un caractère d'urgence terrible — La lettre du 7 décembre 1905

La ferveur inquiète est l'attitude exacte de celui qui cherche Dieu. Claudel va donc répondre immédiatement à Gide, le même 7 décembre, sans doute le soir[24]. Sa lettre reprend point par point les positions avancées par celui-ci, mais c'est surtout sa passion contenue qu'elle veut bousculer, retourner, soulever. Le débat du déjeuner continue, tel que Gide l'avait rapporté, tournant autour du choix entre l'Art et la Foi; et l'invitation à se convertir est reprise et orchestrée, par l'écriture de cette lettre, avec une voix bien plus *saisissante* que le monologue mécanique perçu par Gide pendant leur entretien.

La lettre tranche sur les demi-confidences polies des premiers échanges épistolaires entre les deux hommes. Dès la première ligne la pensée est lancée par un souhait énergique,

«Périsse mille fois ...»

et la pression ne se relâche plus, durant trois grandes pages imprimées (quatre pages d'un manuscrit de grand format, d'une écriture régulière et sans rature qui occupe toute la surface), d'interrogations et d'exclamations en exhortations, jusqu'à la dernière phrase, longue péroraison emphatique d'un vaste mouvement de persuasion.

Fini de tergiverser. Gide, en avouant la renaissance de son inquiétude religieuse, a montré une ouverture, une faille par laquelle il faut s'engouffrer. C'est «urgent» selon les termes dans lesquels Claudel en parle à Frizeau. Voici le «coup de boutoir», l'impatience soudaine de convaincre, le résultat, lorsqu'il est dirigé vers autrui, du conflit toujours renaissant en lui de la force de Dieu et de la résistance de l'homme. C'est le mouvement naturel de son esprit d'être entraîné aux relations dramatiques dès qu'il est question d'entraîner quelqu'un vers la croyance chrétienne. Il ne peut concevoir une conversion autrement que sous la forme brusque et éclatante qu'a prise la sienne, il ne cesse dans cette correspondance «apostolique» comme dans toute son oeuvre, de répercuter autour de lui le «coup sourd» et l'ébranlement de sa nuit de Noël 1886, rappelant d'ailleurs à Gide très explicitement cet anniversaires, en l'incitant à venir d'urgence communier au prochain Noël *qui a vu jadis la grande miséricorde de Dieu à mon égard*. La réminiscence, — on pourrait dire le mémorial solennel — de sa propre conversion peut être vue comme plus profonde encore, à condition de rapporter la figure de sa pensée du moment au schéma fondamental de la démarche de conversion dans la pensée chrétienne; expérience de mort et

24. Nous confirmons cette date sans hésitation. cf. notre article, *op.cit.* La lettre se trouve, à la fausse date du 7 novembre (mais l'erreur est de Claudel), dans la *Correspondance* p.52.

promesse de résurrection s'articulant dramatiquement dans le même instant. En effet, nous pouvons l'imaginer au moment où il écrit d'un seul jet cette lettre : il veille, en cette soirée du 7 décembre, avant d'aller célébrer l'Immaculée Conception dans une messe de minuit à Notre-Dame -liturgie probablement assez nouvelle, connue seulement des plus fervents zélateurs du culte marial, qu'il pouvait interpréter comme le symbole audacieux du mystère de la génération mystique, fécondation nocturne et secrète destinée à concevoir le premier corps innocent de la nouvelle création. A-t-il consciemment voulu participer «dans l'Eglise» à cette préparation d'une naissance salutaire, en venant appeler violemment, du fond de la nuit, l'âme de Gide à faire naître un homme nouveau, à se livrer à une «immaculée conception» ? L'inscription de cette fête en haut de la lettre suggère un mouvement de pensée mystique de ce genre. Nous entrerions alors dans la structure interne de sa pensée religieuse, si étroitement articulée sur quelques grands thèmes de la liturgie catholique. Parmi eux, André Vachon[25] relève une constellation de figures et d'émotions qui s'appliquent assez bien à cette nuit de la lettre à Gide : sombre tristesse de la fin de l'automne, office des morts et image de la fin du monde : figures superposées de la caverne (nous la trouvons, au même moment, avec Suarès), du sein maternel et de l'église obscure. Ces figures entourent celle (envoyée à Jammes) de la Sagesse «possédée» et «conçue» par Dieu avant la naissance de la lumière.[26]

«Les abîmes n'étaient pas encore, et déjà j'étais conçue». Ce chapitre du livre des Proverbes «où l'on voit la Sagesse jouant sur l'abîme dans une liberté sublime» n'est pas gratuitement rappelée par Claudel à Gide. C'est après avoir relu dans son missel cette figure fondamentale de la liturgie mariale qu'il refait pour Gide sa théorie de l'art du poète croyant.

De même, la longue évocation de l'accusation lancée par les pauvres au jour du Jugement Dernier, qui se trouve vers la fin de la lettre, est à mettre en relation avec le passage d'Evangile sur le même sujet, lu dans l'Eglise catholique à la fin de l'année liturgique, le dernier dimanche de novembre ou le premier de décembre. Vision dramatique, préparée par le tableau violent, noir et sulfureux du «monde», qui la précède. Claudel rappelle qu'il vient de lire *Bubu de Montparnasse* de Charles-Louis Philippe[27], et il fait aussitôt entrer ce tableau de la misère morale d'une métropole moderne dans une vaste vision du mal absolu révélé par l'histoire : il relie le Paris contemporain au «hideux paganisme» décrit par Tacite (qu'il vient sans doute de relire) dans les termes d'un prophète dénonçant les horreurs du monde sans Dieu qui entoure et menace la cohorte des élus. On entend ici les accents de *La Ville*, qui

25. *Le temps et l'espace dans l'oeuvre de Paul Claudel.*

26. *Livre des Proverbes*, 8, 22-24. Liturgie des vêpres du 7 décembre et de la messe du 8 décembre.

27. voir p. 81.

sont ceux de Jérémie selon Claudel lui-même. Rappelons encore une fois que dans le monde politique la campagne anticléricale est à son comble : le parlement est en train de voter la Loi de Séparation, et selon une lettre à Jammes du même moment[28] Claudel est de ceux qui s'attendent à une persécution.

Tout se rejoint pour noircir et dramatiser encore cette méditation nocturne sur fond de fin du monde, du milieu de laquelle s'élève la lettre à Gide comme un appel à l'héroïsme. C'est dans le *passage* obscur, à la fin du temps qui va de la Fête des Morts à l'annonce de Noël, aux jours les plus courts et les plus tristes de l'année, que Claudel entend l'appel de Gide : moment où l'on commémore de nouveau la naissance au sein du chaos sans lumière, des premiers balbutiements de l'histoire du salut, moment où depuis cinquante ans l'Eglise superpose à cette image celle, non pas même de la naissance, mais de la conception de la femme qui conçut le Sauveur. Ce n'est pas au détour d'une mondanité d'hommes de lettres que Claudel répond, c'est du sein de l'Eglise et de sa propre expérience de la grâce, dans le mouvement du salut universel, pendant une veillée liturgique où l'on priait dans l'attente d'événements dramatiques :

> «Ç'a été comme une revue passée par la Sainte Vierge de ses plus fidèles au moment de la persécution qui commence et qui pourra bien aller jusqu'à l'effusion de sang. A la bonne heure ! voici commencer des temps où il y aura vraiment plaisir à être chrétien.»[29]

Comme un frère à un frère

Tel est le contexte dans lequel on pourra comprendre une sorte de contradiction de Claudel vis à vis de Gide, au sujet de la «sincérité» de son style. En effet, de cette lettre composée comme une prédication écrite au nom de Dieu et de l'Eglise, Claudel écrit à Gide huit jours plus tard :

> «Je vous ai parlé comme on ne parle pas souvent en ce monde, *directement*, comme un frère à un frère...»[30]

Etrange façon de parler «directement», surtout à un homme comme Gide. Car, outre qu'il se conforme à l'état spirituel et au moment liturgique de l'Eglise, Claudel lui emprunte l'une de ses plus prestigieuses traditions oratoires : jamais autant qu'ici il ne s'est approché de l'éloquence de Bossuet. Qu'on en juge par le début de la lettre :

> «Périsse mille fois ce qu'on appelle l'«Art» et la «Beauté», si nous devions préférer des créatures à leur créateur et les vaines constructions

28. déc. 1905.
29. Lettre à Jammes sur la veillée du 7 décembre à Notre-Dame-des-Victoires, Correspondance Claudel-Jammes-Frizeau, p. 77.
30. 16/12/05.

de notre imagination à notre différence hors de nous substantielle et délectable. Qu'est-ce que Saint Jean condamne, sous le nom des trois Concupiscences, sinon la préférence des choses en elles-mêmes, leur considération en tant que telles, de préférer en elles la chose en quoi elles ne sont pas, c'est-à-dire en quoi elles ne sont pas celui qui Est, et non pas cela en quoi elles sont éternellement créatures de leur Créateur et soutenues par l'acte de sa gloire et de sa bonté.»

Nous sommes dans l'éloquence la plus persuasive et la plus solennelle: la thèse est affirmée par une condamnation véhémente dans l'attaque d'un subjonctif de volonté et d'une hyperbole. Suit une démonstration solidement construite, assise sur des symétries binaires, fermes colonnes introduisant des propositions équilibrées en séquences d'ampleur croissante, cadence majeure, et bifurquant toujours sur de nouveaux couples de notions. Elle est relancée, dans la suite du premier paragraphe, par une succession de six interrogations oratoires, de ces fausses interrogations chères à l'éloquence persuasive, qui contiennent déjà leur réponse. Aucune phrase ici n'est seulement énonciatrice : toutes sont soutenues par la volonté de convaincre, une volonté non pas subtile ou présupposée, mais officielle, proclamée.

La ressemblance avec Bossuet frappe aussi dans le tour qui plusieurs fois sert à introduire avec autorité une définition : «qu'est-ce ... sinon ...?», dans une formulation toute classique comme *les vaines constructions de notre imagination*, dans le jeu rigoureux des abstractions métaphysiques, à la manière scolastique, *les choses en quoi elles ne sont pas ... en quoi elles ne sont pas celui qui Est, et non pas cela en quoi elles sont ...*

D'autre part Claudel ne craint pas l'amplification par des couples d'hyperboles relativement convenues, «de sa gloire et de sa bonté», «éclatant et généreux», ou par l'anaphore simple et appuyée : *comme le cantique des jeunes hommes (...), comme le cantique du Soleil*. Comme on l'avait déjà remarqué dans la grande lettre à Frizeau, il renonce à ses hyperboles inattendues et explosives, abruptes par leur couleur, leur trivialité ou leur disproportion. On trouve seulement ici les «énormes jardins de Caïn», et la massive définition carrée :

> «... une exclamation et une acclamation, une énumération et une action de grâce.»

Claudel est entraîné ici par le rythme de son effet de persuasion. Dans la suite de la lettre, même l'invitation plus personnelle et plus amicale à se convertir est coulée dans une grande phrase à quatre côtés semblables, si l'on peut dire :

> «C'est à vous, mon cher ami, de voir à quel moment (...), de ne point vous faire d'illusions (...), de mesurer la force (...) et de voir (...).

Et la période s'achève sur une clausule binaire :

> «... qui seule excuse le schisme et le délai.»

Suit un morceau de bravoure digne d'une anthologie d'éloquence sacrée : une longue prosopopée des pauvres présents au jugement de Dieu, toute soulevée d'injonctions et d'hyperboles, et plus que jamais rythmée en groupes binaires ou quarternaires. Ajoutons-y l'opposition entre la phrase *urgente* exceptionnellement brève, *mais jugez-les*, et les quatre longues interrogations qui suivent. Enfin l'ample conclusion dogmatique sur la vérité du Christ et l'invitation finale à l'Eucharistie sont amplifiées par de larges incidentes équilibrées, et terminent la lettre sur une autre clausule oratoire :

«... la joie de rompre avec un frère le pain des Anges et des Forts.»

Claudel, orateur sacré ? La tendance à manifester son «zêle» dans des mouvements empruntés à la grande éloquence, déjà remarquée dans la première lettre à Frizeau, se renforce dans cette lettre exceptionnelle. Les rythmes oratoires, la succession des démonstrations dogmatiques, des admonestations personnelles, des tableaux dramatisés du «monde» et du «jugement» composent une prédication prononcée avec l'autorité maîtrisée mais imposante d'un orateur de la Contre-Réforme, dans le dôme que nous avons déjà évoqué, où les jeux de colonnes jumelées ouvrent sur des fresques qui donnent des leçons graves et surhumaines : une «gloire» de la vierge-sagesse, une peinture convulsée du paganisme, un jugement dernier : l'ensemble conduit les yeux et l'esprit à un triomphe du Christ qui surmonte l'autel où le nouveau converti est invité à venir communier.

L'art et la religion (...) perpendiculaires l'un par rapport à l'autre

Il n'empêche que cette lettre qui a l'allure d'une prédication solennelle traite d'une question précise, propre à Gide et à Claudel : les rapports entre l'art et la religion. La lettre de Gide que venait de recevoir Claudel était, nous l'avons vu, une réponse explicite à la question : allez-vous choisir entre Dieu et l'art ? Gide a répondu : l'art, plus clairement sans doute dans sa lettre qu'il ne l'avait dit dans l'entrevue du 5 décembre. Ce jour-là, d'après les notes de son *Journal*, il avait été fasciné par la manière dramatique dont Claudel posait le problème. Il rapporte en style direct ce qu'il a retenu de ses paroles, comme pour mieux le peser en lui :

«Pendant longtemps (disait Claudel), pendant deux ans, je suis demeuré sans écrire; je pensais devoir sacrifier l'art à la religion. Mon art! Dieu seul pouvait connaître l'énormité de ce sacrifice. Je fus sauvé quand je compris que l'art et la religion ne doivent pas être, en nous, posés en antagonisme. Qu'ils ne devaient pas non plus se confondre. Qu'ils devaient rester, pour ainsi dire perpendiculaires l'un par rapport à l'autre; et que leur lutte même était l'aliment de notre vie. Il faut se souvenir ici de la parole du Christ, «Pas la paix, mais l'épée.» C'est cela que le Christ veut dire. Nous ne devons pas chercher le bonheur dans la paix mais dans le conflit. La vie d'un saint est d'un bout à l'autre une lutte; le plus grand saint est à la fin le plus vaincu.»[31]

La grande lettre d'exhortation est une tentative délibérée pour entraîner Gide dans cette situation inconfortable. Elle est aussi un nouvel essai, de la part de Claudel, pour définir sa place de poète dans l'Eglise (non au sens institutionnel, mais au sens mystique de communion des saints). C'est la poésie qu'il faut convertir, dramatiquement, dans un climat encore traversé de crises.

Sur le fond apocalyptique de l'évocation du mal absolu, qui est le même dans les lettres à Gide et à Charles-Louis Philippe du même jour, se détache pour Gide, et pour Gide seulement, cette qualification de Néron :

«cet «artiste» selon le coeur de l'infâme Renan»

L'art peut être uni à la pire des perversions morales. Il n'y a pas d'art pur, d'art pour l'art, dégagé de toute notion de bien et de mal. L'idée sera reprise souvent par Claudel, et précisément avec Gide. Ici apparaît pour la première fois le principal tranchant de leur différence : ne pourrait-on pas dire qu'ils se sont convertis en sens inverse, avec autant de fièvre et de soudaine certitude, Gide de la religion à l'art, Claudel de l'art à la religion ? Lorsque le premier écrit :

> «après avoir fait, au début de ma vie, de la lecture de la Bible ma quotidienne nourriture et de la prière mon premier besoin (j'ai préféré) la plus brusque rupture avec mes premières croyances à je ne sais quel compromis tiède entre l'art et la religion »[32]

Claudel réplique exactement et violemment :

> «Périsse mille fois ce qu'on appelle l'«Art» et la «Beauté», si nous devions préférer des créatures à leur créateur.»

Autre inversion terme à terme : lorsque Gide dit «je» et ne se fonde que sur sa propre préférence, Claudel s'en prend à l'«exécrable orgueil», à la «luxure spirituelle» d'une telle attitude, et fait appel aux plus hautes autorités de son Eglise. Car il y a dans sa lettre, en même temps qu'une parenté de style, une référence évidente à la pensée de Bossuet. A cette époque Claudel recommande à ses catéchumènes[33] la lecture des *Elévations sur les Mystères* et des *Méditations sur l'Evangile*. Or, on lit dans la 90e méditation sur l'Evangile[34] un passage sur les trois concupiscences selon Saint Jean manifestement repris dans le début de la lettre :

> «Qu'est-ce que le monde, sinon *la concupiscence de la chair, la concupiscence des yeux* et *l'orgueil de la vie* ? (I. Jean, II, 16). La concupiscence des

31. *Journal*, op. cit., p. 190.
32. de Gide, 7/12/05.
33. à Frizeau par exemple, 20/1/04.
34. Edition Dreano, Vrin 1966, pp. 506-507.

yeux, l'esprit de curiosité nous mène à des connaissances, à des épreuves inutiles. On cherche toujours et on ne trouve jamais, ou bien on trouve le mal. L'orgueil de la vie qui dans les hommes du monde, en fait tout le soutien, nous impose par de pompeuses vanités.»

L'influence de la pensée de Bossuet est moins évidente, plus diffuse, dans l'opposition qui est faite entre l'art «païen», orgueil de la créature retournée sur elle-même, et l'art chrétien qui est une participation à la Sagesse divine. La Sagesse est la libre intelligence de Dieu préexistant à la création, notion tirée du chapitre VIII des *Proverbes*, cité plusieurs fois dans la liturgie de l'Immaculée Conception, comme nous l'avons dit. L'univers mental de Claudel est tellement pétri de l'idée de la Sagesse comme liberté poétique de Dieu et garante de la valeur de la poésie humaine — idée beaucoup plus approfondie que chez Bossuet — que l'on ne verrait peut-être pas de parenté directe avec celui-ci sans le style d'éloquence de la lettre. Mais enfin on peut mettre en regard deux passages tirés des *Elévations sur les Mystères*, et plus précisément d'une longue suite de réflexions sur la Sagesse du chapitre VIII des *Proverbes* qui conduit Bossuet à s'interroger sur la valeur de l'art humain; d'abord pour en condamner les adorations :

> «Mais ceux-là sont sans comparaison plus aveugles et plus malheureux, et leur espérance est parmi les morts, qui trompés par les inventions et l'industrie d'un bel ouvrage ou par les superbes matières dont on l'aura composé, ou par la vive ressemblance de quelques animaux, ou par l'adresse et le curieux travail d'une main antique sur une pierre inutile et insensible, ont adoré les ouvrages de la main des hommes.»[35]

En face, et presque en contradiction avec cette sévère condamnation, on trouve une tentative pour assimiler le sentiment du Beau à la Sagesse divine, et même au mystère de la Trinité :

> «L'art qui est comme le père n'est pas plus beau que l'idée qui est le fils de l'esprit; et l'amour qui nous fait aimer cette belle production est aussi beau qu'elle.»

Formulation générale un peu sybilline, mais que l'on peut interpréter comme nous le faisons parce qu'elle se trouve dans une méditation, la septième, intitulée «Fécondité des Arts».

Il ne s'agit donc pas d'une référence explicite, mais de l'émergence momentanée d'un style de pensée, en même temps que d'un style tout court, qui a présidé avec d'autres à l'«évangélisation» de Claudel. On ne peut pas aller plus loin; d'abord parce qu'on ne trouve pas de trace précise d'une lecture de Bossuet pendant cette année 1905, année décisive à tant de titres. Le *Journal*, qui est une collection de citations et de notes de lecture, ne contient aucune allusion à lui, alors que Newmann par exemple est partout présent. D'autre part, comme nous l'avons dit, Claudel est maintenant suffisamment

35. Ed. Dréano, Paris, Vrin, 1962, p. 203-204.

assuré de sa propre pensée sur la question. On voit au début de cette lettre qu'il n'est nullement intéressé par la distinction morale entre les trois concupiscences (la chair, la science, la richesse); il les réduit à une distinction binaire beaucoup plus élémentaire, l'opposition entre celui qui ne voit que l'homme dans le «jardin» du monde, et celui qui y voit Dieu. Cette approche métaphysique et non morale a l'immense avantage, à ses yeux, de ne pas condamner par principe le désir sensible, qui est pour Claudel une composante de l'action poétique; au contraire, il le réhabilite ou l'appelle *mimique de la parole créatrice* ou *cette puissante source de jeunesse que donne seul le sentiment du divin* naturel, *qui anime par exemple les poèmes homériques*.

Tous les éléments de la lettre s'articulent en cette position de principe: l'art humain ne peut peindre autre chose que l'enfer et le désespoir, comme celui de Charles-Louis Philippe et de Tacite, alors que l'art divin «éclatant et généreux» est une acclamation de joie, de jeunesse (d'où l'évangélisation, si l'on peut dire, des primitifs comme Homère, proches par leur forme poétique de l'exaltation originelle, indépendamment de leur philosophie). Conséquence morale : le devoir du poète est de dire la joie, c'est là-dessus qu'au dernier jour il sera jugé par la foule des pauvres sans joie, «misérable légion des perdus et des engloutis.» Et pour celui qui *sait*, comme Gide qui n'a pas l'excuse de l'ignorance, cette fécondité de l'art ne sera obtenue que par une adhésion délibérée à Jésus-Christ, à son Eglise et à ses sacrements.

Voilà donc donnée, en quelque sorte, la théorie, la doctrine harmonieuse et auréolée de grâce du poète chrétien. La réalité est plus difficile, comme Claudel en avait fait la confidence à Gide (*je pensais devoir sacrifier l'art à la religion. Mon art* !). Mais le conflit permanent entre l'art et la religion, que Claudel décide maintenant d'accepter et auquel il voudrait convier Gide (puisque c'est son *inquiétude* qui pourrait le convertir), ce conflit n'a de sens, de réalité substantielle que s'il existe dans l'absolu, c'est-à-dire en Dieu, une perfection de l'art chrétien, un art juste au sens du Juste de l'Ecriture, l'art des poètes-saints comme François d'Assise ou les jeunes hommes dans la fournaise. C'est cet art glorieux et réconcilié que montre ici Claudel à Gide, malgré l'anathème initial. C'est le fondement théologique de la conversion de l'artiste.

Claudel connaît peu Gide; il s'est d'ailleurs montré peu disposé à l'écouter, selon ce dernier. Ce qu'il voit en lui, c'est l'écrivain à convertir, c'est même plus généralement la littérature à convertir et c'est sa propre activité de poète converti à justifier. Question brûlante et essentielle, interrogation qui pénètre au coeur de tout écrivain qui estime engager une vie en écrivant. Et il est essentiel que les poètes bibliques, Saint Jean, François d'Assise, Bossuet, l'Eglise avec sa liturgie et ses sacrements, soient les garants de cette «gloire du poète» inscrite au plus secret du désir de Claudel autant qu'à la voûte du Dôme mystique. C'est pourquoi Claudel peut écrire de cette lettre:

«Je vous ai parlé comme on ne parle pas souvent en ce monde, *directement* (c'est Claudel qui souligne), comme un frère à un frère et comme une âme à une âme, toute considération de temps, de lieu et même de visage écartée.»

Retenons la parole *directe*, et l'absence de visage. La communication des susbtances, si l'on peut dire, la relation d'être à être, se fait mieux en regardant l'Ecriture et l'Eglise qu'en regardant les traits de Gide. Avec une innocence agressive, Claudel prend l'exact contrepied de la façon gidienne de pénétrer autrui, la patiente, minutieuse et fiévreuse exploration de tous les traits individuels et de leur reflet dans le Moi de l'observateur. Le style *vrai*, le style *sincère* de Claudel n'a rien à voir avec le sytle du Moi, il n'a rien à voir non plus avec le style du quotidien. De même que son écriture poétique est toujours un essai d'écriture de la transcendance, même quand il dit *je* dans les *Odes*, de même sa conversation, lorsqu'elle devient profonde, ressemble à la «récitation d'un catéchisme», et de même son style épistolaire et le site de sa pensée sont d'autant moins personnels, au sens banal du terme, qu'il veut faire communiquer ce qu'il y a de plus intime chez lui et chez autrui. Plus les valeurs essentielles sont en jeu, moins il parlera *quotidien*. Il n'a pas à forcer sa nature pour couler ses pensées les plus importantes, celles que pénètrent le désir et la ferveur, dans une pensée et un style qu'il estime être ceux de la transcendance passionnée. Il parle de Gide à Gide, pour le «saisir» et l'entraîner à la conversion, dans le mouvement d'une grandiloquence sacrée qui est, fondamentalement, dans sa nature convertie.

La difficulté de parler

Après la grande lettre du 7 décembre 1905, et jusqu'au départ en Chine de mars 1906, il y a peu d'échanges épistolaires entre Claudel et Gide. Habitant tous deux Paris et ayant déjà entrepris de vive voix une conversation sur des questions décisives, ils pensaient pouvoir se revoir. Du moins Claudel pensait-il que Gide, touché par la grâce, voulait de nouveau parler du christianisme avec lui. Au début de décembre, il espérait dans une lettre à Jammes que les Gide allaient venir communier avec lui à Noël. Mais il n'a obtenu aucune réponse à sa grande prédication, et se décide, le 16, à relancer son interlocuteur : *Et alors voici de nouveau le silence entre nous* ?

Gide est ébranlé; non qu'il ait une quelconque intention de se convertir réellement et d'aller communier avec Madeleine comme le rêve Claudel, mais le «feu et l'épée» que lui a dévoilés celui-ci correspondent trop bien à ce qu'il attendait et redoutait : à la source d'un génie qu'il admire et envie un peu, une exaltation de prophète primitif que jamais il ne pourra éprouver; il écrit dès le 9 décembre à Henri Ghéon :

«Claudel souffle sur moi une espèce de typhon religieux qui me secoue du faîte à la base, mais me fatigue plus qu'il ne me convainc. Je te montrerai ses lettres prodigieuses, et le cahier de citations et d'exclamations, de «Plaintes de l'Eglise persécutée en l'an de honte 1904» qu'il m'apporta l'autre jour pour aider à ma conversion. Je m'apprête à le copier en entier.»[36]

Il tient aussi à faire savoir à Claudel qu'il n'est pas indifférent, mais que tout cela est bien difficile à expliquer car il n'est pas question, on s'en doute, d'acquiescer en quelques mots :

«Chaque jour je veux vous écrire et recule devant l'énormité de tout ce que je pourrais vous dire.»[37]

Mais il préfère, en fin de compte, un entretien oral, qu'il sollicite. Les circonstances ne l'ont pas permis. Ils n'ont pas pu se voir seul à seul, mais dans une soirée chez Claudel avec les Berthelot, que Gide rapporte à Jammes[38] pour marquer qu'ils n'ont eu aucunement l'intention de rompre. «Rassurez-vous», écrivait Claudel dans son billet d'invitation, *nous ne parlerons pas des sujets interdits*[39]. Avec les Berthelot, en effet, il n'en était pas question. Deux lettres seulement vont être envoyées par Claudel qui ne renonce pourtant pas à rétablir ce contact entre leurs âmes (*J'aime profondément les âmes* avait-il écrit) : l'une est accompagnée de l'«Abrégé de toute la doctrine chrétienne», l'autre rend pathétique la précipitation de son départ :

«Trop tard, cher Gide, adieu !
Oui, j'ai le sentiment de bien des choses qui restent entre nous non dites»[40]

Ainsi, si l'on excepte les billets qui donnent seulement la preuve de leur désir de se revoir, trois lettres de Claudel prolongent un peu l'action spirituelle intense du début de décembre, et en dressent le bilan.

Nous avons déjà dit que ce que Claudel d'abord ressent et exprime à Gide, c'est le sentiment de s'être beaucoup avancé personnellement, de s'être compromis :

«Ne considérez pas ma dernière lettre comme indiscrète, elle ne l'est pas. Je vous ai parlé comme on ne parle pas souvent en ce monde, *directement*, comme un frère à un frère et comme une âme à une âme, toute considération de temps, de lieu et même de visage écartée.»[41]

Il s'agit bien du langage *absolu*, de ce discours porteur d'une parole divine éternellement présente que Claudel a essayé de produire dans les

36. Ghéon et Gide, *Correspondance*, t. 2, p. 622.
37. de Gide, 5/1/06.
38. André Gide et Francis Jammes, *Correspondance*, lettre du 16/5/06.
39. janvier 06.
40. 14/3/06.
41. 16/12/05.

pages lyriques de *Connaissance du Temps*, de l'Ode *Les Muses* et bientôt des autres Odes. C'est dire l'étroite relation qu'il faut établir entre ces lettres d'engagement apostolique et l'entreprise poétique : il faudrait pouvoir parler de Dieu comme il parle à l'homme, au plus intime, dans un mouvement de confession du coeur qui est au-delà de l'indiscrétion. Mais la poésie permet de quitter le langage de l'individu et de la contingence quotidienne, et de faire comprendre ce que peut être la *possession* de soi par un «verbe» qui est à la fois le plus transcendant et le plus intime, selon l'expérience mystique, tandis que la prose épistolaire risque toujours de se limiter à l'anecdote personnelle. On sait combien Claudel a horreur de la confidence, et veut se garantir de tout soupçon de suffisance dans ce domaine, envers Gide surtout qui ne s'y prête que trop. C'est pourquoi, vis à vis de celui-ci, il force sur l'expression de son humilité, à la manière des mystiques, ici encore, qui s'humilient d'autant plus qu'ils ont senti Dieu passer plus à l'intérieur d'eux-mêmes :

> «considérez-moi comme une chose sans nom, impersonnelle, comme une espèce de végétal avec lequel il n'y a pas à se gêner (...) La confiance (qu'on me témoigne) m'effraye et m'humilie».[42]

Il est plus difficile de parler de Dieu à travers soi dans ces conversations et ces lettres directes, que par le truchement flatteur du talent poétique. C'est pourtant nécessaire :

> «Et surtout ne me considérez pas comme un littérateur.»

Les deux autres lettres, écrites dans la hâte du départ, témoignent encore du double sentiment de gêne :

> «J'espère que vous me conserverez votre souvenir et votre amitié et me pardonnerez les lettres échauffées que je vous ai écrites il y a quelques semaines»,[43]

et d'assurance :

> «Je ne les regrette pas, somme toute. Que je sois ceci ou autre chose, que mes paroles plaisent ou non, elles sont du moins un témoignage à la vérité qui réside uniquement et exclusivement dans les enseignements de l'Eglise catholique, et non pas ailleurs.»[44]

L'affirmation ne saurait être plus nette. Elle correspond au style de *l'Abrégé de toute la doctrine chrétienne*[45]. Qu'un tel bloc de certitude dans la vision du salut soit peu susceptible de convaincre Gide, Claudel doit bien s'en douter. Mais ce texte joue le rôle de l'épée de feu, de l'«affirmation acérée» dont l'expérience est à la base de toute conversion réelle et exige en

42. 16/12/05.
43. 9/3/06.
44. 14/3/06.
45. Voir plus loin, p. 123.

contrepartie une zone de silence dans le discours personnel; démarche bien difficile à Gide, mais nécessaire :

> «Admettez dans votre coeur cette irruption du fait, faites place dans votre intelligence à d'immenses espaces déserts»[46]

Le temps presse : *encore une poignée de mains et je vais être engouffré pour de longues années.* Avant de partir Claudel envoie ses feuilles imprimées de *l'Abrégé;* adressé à Gide, c'est un geste de violence intellectuelle, destiné non pas à supplanter l'attitude propre de son correspondant, mais à la contrecarrer. Etrange aventure que cette irruption du dogme thomiste revivifié par la passion claudélienne dans une conversation d'écrivains français du début du XXe siècle ! Car ils restent et resteront des écrivains qui communiquent au niveau de leur métier d'écrivain. Témoins ces lignes qui sont à la fin de la dernière lettre écrite à Gide avant le départ en Chine, à propos d'*Amyntas* :

> «Quel excellent écrivain vous êtes, l'esprit prend les grâces du corps le plus souple, quel bel usage de la syntaxe, je me rappelle une page avec deux imparfaits du subjonctif qui ont fait mon admiration.»[47]

L'éclat de la correspondance avec Gide va résider dans cette tension entre le bonheur de s'entendre si facilement en tant qu'écrivains, et les agressions dont a besoin la foi de Claudel pour exister. Frappé maintenant de cet éclat, Gide écrit dans son journal au reçu de cette dernière lettre de France:

> «ce matin très belle lettre de Claudel.»[48]

A côté de Gide, et le même jour, Charles-Louis Philippe, *au milieu de ces ténèbres épouvantables*

Nous venons de voir qu'au moment où il incitait Gide à la conversion, Claudel lisait *Bubu de Montparnasse* que venait de lui envoyer Charles-Louis Philippe[49]. C'est dans ce roman de la misère parisienne qu'il trouvait la figure contemporaine de la malédiction du monde, un enfer comparable à celui de Tacite. Le même jour qu'à Gide, dans ce climat de menaces de persécutions et d'exaltation militante où il vivait, la veille de la fête mariale du 8 décembre, Claudel envoyait à Philippe aussi une lettre, écrite dans les mêmes termes dramatiques :

---

46. 14/3/06.
47. 14/3/06.
48. «mardi matin», mars 1906. Bibl. de la Pléiade, p. 201.
49. C'est Marcel Schwob qui avait fait connaître à Claudel l'oeuvre de Philippe, et réciproquement. Philippe admirait énormément Claudel, comme en témoigne l'extrait de sa réponse à l'enquête de Le Cardonnel et Vellay (*La littérature contemporaine*, Mercure de France, 1905).

«Je viens de lire votre livre «Bubu de Montparnasse» qui a fait une vive impression sur moi. De quel enfer nous sommes entourés ! Le mal est toujours pareil à lui-même, et en vous lisant tous mes souvenirs de ces noirs historiens de l'affreux paganisme antique me revenaient à l'esprit. Je revoyais la Batavie écrasée par Germanicus, tous les jeunes gens et les jeunes filles envoyés aux lupanars de Rome. Je pensais à cette fille de Séjan, un enfant de huit ans que le bourreau viole avant de l'étrangler. Et «oppressam jugulavit» comme dit élégamment Tacite.

Philippe n'a rien demandé, il ne reçoit donc pas comme Gide une injonction précise à se convertir. Mais Claudel le met sur la voie, après l'évocation des horreurs de «l'affreux paganisme» :

«Que la lumière de Dieu est faible au milieu de ces ténèbres épouvantables !

Je connais depuis longtemps la sympathie que vous avez pour moi, et j'en suis vivement touché, car je sais qu'elle a des raisons plus profondes qu'une appréciation de mes petits talents littéraires».

C'est ce qu'il dit à ce moment à tous ceux qui lui demandent le sens de sa poésie : la littérature n'est qu'un moyen médiocre d'accéder à une autre «raison». Il propose ensuite un rendez-vous *pour causer de votre livre* . Ils se sont rencontrés sans peine, étant très proches voisins à Paris. A la mort de Philippe[50] Claudel aura le remords de ne pas avoir mieux dirigé l'entretien vers l'attitude religieuse et l'éventualité d'un retour à la foi catholique; c'est bien dans cette intention qu'il lui proposait son amitié. Mais aucune lettre n'a prolongé cette rencontre. D'après la seule qu'il lui ait écrite, on voit bien que Claudel prenait Philippe un peu trop haut, si l'on peut dire, et d'un peu trop loin. Le témoignage que donnait ce romancier de la misère matérielle et morale du prolétariat parisien, et de sa propre pauvreté, demandait sans doute plus d'attention que cette incorporation hâtive, quoique grandiose, à des figures de la littérature antique. Et la reconnaissance éperdue que lui manifeste Philippe[51] établit une bien grande distance entre eux. On se demande s'ils ont eu dans le temps d'une rencontre le loisir de la combler pour se retrouver de plain-pied; de toute façon le terme de «catéchumène» employé par Claudel[52] est excessif. Ce n'est vrai que de son point de vue, et par une anticipation due à l'émotion qu'il ressentait devant la confiance et l'admiration de Philippe. Celui-ci était pour lui le seul porte-parole littéraire, en France, du peuple humilié, du moins le seul qui lui parût avoir de *l'amour* pour les hommes au nom de qui il parlait; c'est avec son exemple qu'il posait à Gide, en termes urgents, le problème de la responsabilité de l'écrivain[53]. Il

50. Le 21 décembre 1909.

51. de Philippe, 8/12/05.

52. à Frizeau, 16/12/05. Voir le chapitre suivant, sur Sylvain Pitt.

53. L'ensemble des réflexions faites sur ce sujet avec Gide et Philippe en décembre 1905 se retrouve dans l'article sur Charles-Louis Philippe écrit par Claudel en 1923 (*Oeuvres en prose*, Bibliothèque de la Pléiade, p. 539).

représentait l'appel des pauvres, de la pauvreté urbaine, dure, et non de la pauvreté rurale joyeuse de Jammes, non seulement comme écrivain, mais dans son existence. A la fin du court poème consacré à Philippe, donné à la *N.R.F.* en 1910 après sa mort, apparaît la relation entre sa pauvreté et le devoir que se donnait Claudel d'en approfondir le sens religieux :

> «Philippe est mort qui était seul et pauvre et petit.
> «Et toi du moins n'avais-tu rien à me dire ?
> Pourquoi me laisses-tu partir ainsi ?»[54]

Claudel est reparti pour la Chine sans qu'ils aient pu se parler vraiment, au sens où il l'entendait, autrement que par leurs oeuvres littéraires. Ils ne reprendront contact qu'à la fin de 1909, et toujours au voisinage de Gide, à propos de la création de la *Nouvelle Revue Française*.

54. *Oeuvre poétique*, p. 427.

Chapitre 6

Réponses à d'autres demandes

Les quatre rencontres épistolaires que nous venons d'analyser inaugurent d'importantes correspondances, celles que connaît le grand public; elles ont entraîné des amitiés approfondies et des influences réciproques. Mais elles n'ont pas été les seules. Car il s'est produit, de 1903 à 1905 environ, la rencontre de deux mouvements : d'une part, Claudel a voulu parler de sa foi, et la propager; d'autre part les admirateurs de sa poésie dramatique apprenaient qu'il ne désirait rien d'autre que communiquer sa foi catholique. Ils en éprouvaient une sorte de stupéfaction. Appartenant en général à des milieux symbolistes, ils avaient retiré de l'art, de la sensibilité, de la philosophie chrétiennes une très grande partie de leur vision du monde, mais ils ne comprenaient absolument pas pourquoi il aurait fallu se replier sur la rigueur doctrinale et morale du catholicisme. En envoyant aux écrivains qu'il connaissait son premier traité théorique, *Connaissance du Temps*, Claudel a renforcé l'étonnement des autres et, parallèlement, son propre désir de dissiper toute équivoque. C'est plus ou moins autour du dévoilement de ce paradoxe, un poète symboliste s'affirmant zélateur du catholicisme, que nous présentons ici deux séries d'échanges, sans lendemain, avec Christian Beck et Elémir Bourges. Elles sont intéressantes comme exemples d'un climat général de relations, plutôt que pour leurs conséquences.

Le troisième échange, avec Sylvain Pitt, aura des suites bien plus importantes; mais jusqu'en 1909 il n'y a eu entre Pitt et Claudel que quatre ou cinq lettres de chaque côté. Il était difficile d'en faire le sujet d'un chapitre séparé. Mais ici la parole de Claudel a porté. Nous voudrions en faire la conclusion de cette présentation des rencontres de 1905.

A Christian Beck, février 1904 : *Je suis en effet et jusqu'à la racine de mon âme catholique.*

Deux semaines après avoir longuement répondu à Frizeau, Claudel envoyait une autre longue lettre, à Christian Beck, le 4 février 1904[1] Nous

1. Cette lettre, précédée de celle de Beck du 25 décembre 1903, et suivie de cinq autres lettres

sommes là au coeur du mouvement de confession de sa foi à autrui, et de justification apologétique, qui accompagne l'achèvement de *Connaissance du Temps* et la proposition faite dans le *Mercure de France* d'envoyer cet ouvrage à ceux qui en feraient la demande. Beck vient d'en demander l'envoi dans une lettre qui éclaire à la fois le sens et le registre dans lequel répond Claudel. Christian Beck *personnage insaisissable, à la fois moral et immoral, religieux et irreligieux, fréquentant Alfred Jarry*[2], représente à la fois le courant symboliste belge, introduit depuis peu à Paris par Mockel et Verhaeren, et l'anarchisme «fin de siècle» de nombreux jeunes littérateurs. C'est dans cet état d'esprit qu'il a dû lire *Tête d'Or* et *La Ville*, puis les autres drames comme il l'explique dans sa lettre. Il a présentement quatre maîtres, ajoute-t-il, France, Barrès, Gide et Claudel. Il est âgé d'environ vingt-cinq ans et l'on ne peut s'empêcher de rapprocher son panthéon littéraire de celui de Jacques Rivière, un peu plus jeune, qui au même moment se détachait de Barrès pour porter sa ferveur alternativement vers Claudel et Gide. Ils appartiennent à ceux de la génération de 1900 qui ont voulu être les héritiers de la fièvre métaphysique apportée par le courant symboliste, plutôt que du positivisme. La question chrétienne est au centre de ses méditations, mais il n'aurait pas eu l'idée de trouver un attrait à la discipline catholique comme on lui a dit que faisait Claudel :

> «On m'a souvent dit que vous étiez chrétien et fort catholique. Je suis moi-même chrétien mais point romain, ni d'ailleurs (nullement) protestant. Votre christianisme m'intéresse beaucoup (...). Si vous voulez bien me parler de votre religion, il y aura là plaisir et profit pour moi, et vraisemblablement, pour d'autres.»[3]

Que Claudel soit un catholique de stricte observance, voilà qui lui cause une sorte de stupéfaction. Il écrivait à Gide le 23 juin 1903 :

> «On m'écrit de Belgique que Claudel va se faire dominicain (...) De la part d'un si grand génie un tel acte (...) a réellement quelque chose de consternant.»[4]

Beck ne dévoile ni inquiétude ni passion religieuse; plutôt, dans son intérêt, une curiosité un peu désinvolte : *j'ai peine à comprendre que vous puissiez croire* ... Il demande plutôt une réponse qui le délivre de son étonnement. Il ne situe pas la question au niveau des nécessités vitales, comme le fera Jacques Rivière, mais au niveau de la vérité théologique en soi. C'est presque une *colle* de théologie scolastique qu'il pose à Claudel, en questions numérotées :

---

de Beck s'échelonnant jusqu'en 1915, est publiée dans le Bulletin de la Société Paul Claudel en Belgique, n°15, 1970, «Paul Claudel et Christian Beck».

2. Victor Martin-Schmets, «Paul Claudel et Christian Beck», id., p. 4.
3. Id. pp. 6-7.
4. Id. p. 4.

«a) l'existence de Dieu comme cause première
b) l'existence de Dieu comme personnalité
c) la conception athanasienne de la divinité de Jésus
d) l'action *ex opere operato* des sacrements
e) l'inspiration littérale des évangiles.»[5]

Claudel va répondre en professeur de théologie, appelant lui-même sa lettre «un petit cours d'apologétique effroyablement abrégé». Encouragé par Christian Beck, il entreprend plus encore qu'avec ses autres correspondants la démonstration sans voile, avec le langage de l'Eglise enseignante, la *révélation* des vérités qui soutiennent son oeuvre. Nul doute qu'il ne pense être parvenu à un terme, et à une nouvelle étape de son entreprise : des drames de *l'Arbre* à *Connaissance du Temps*, et de cet essai à ces lettres, il y a un mouvement intellectuel de dévoilement, et un mouvement personnel d'engagement public. La deuxième phrase de sa lettre est sa profession de foi.

«Je suis en effet intégralement et jusqu'aux racines de mon âme catholique. Rien donc ne saurait me plaire mieux que de voir les lecteurs s'attacher franchement à leur côté religieux, qui en est l'âme même.»[6]

Ce qui nous intéresse le plus n'est pas le contenu scolastique des réponses que fait Claudel en reprenant point par point, en paragraphes numérotés, les incertitudes de Beck : Dieu cause première, Dieu personne, Jésus-Christ Dieu et homme, action des sacrements, nature de la révélation (c'est-à-dire, finalement, les grands chapitres de la théologie chrétienne). Nous préférons laisser pour la grande période des lettres théologiques (lettres à Rivière et à Frizeau, de 1906 à 1909) une présentation de l'apologétique claudélienne. Nous nous contenterons de retenir quelques points d'insistance qui sont directement en rapport avec le comportement spirituel du moment. Le premier est l'affirmation, dans un long préambule, que la foi est une attitude intuitive de tout l'être, une adhésion intime; la formulation intellectuelle, la satisfaction dialectique ne sont que *réponses plus ou moins satisfaisantes*, des *parties superficielles de notre intelligence*. Claudel s'avoue même heureux que Beck ne l'interroge pas sur la Sainte Trinité ou sur la grâce et l'Enfer, le renvoyant pour supplément d'information à sa grande référence du moment : les *Elévations sur les mystères* de Bossuet. La contrepartie de la modestie et presque de l'impossibilité d'une démonstration intellectuelle, est une éloge de l'obscurité :

«J'ajouterai même que, personnellement, j'aime, ou plutôt j'adore l'obscurité pour elle-même, et la préfère toute crue aux explications qui ne s'adressent qu'aux parties superficielles de notre intelligence; je sais que les mystères de la religion contiennent vraiment la vérité et la vie, et j'accepte avec bonheur les ténèbres qui les voilent».[7]

5. Id. p. 6.
6. Id. p. 7.
7. Id. p. 7.

Il vient de dire la même chose à Elémir Bourges. Mais on ne doit pas s'y tromper : l'éloge n'est pas d'une ignorance qui serait désintérêt, méconnaissance, ou refus. A la fin de la lettre, la référence à Rimbaud présente en terme totalement défavorables les «épaisses ténèbres» qui l'entouraient au moment de sa conversion;

> «Mais je songe que j'ai été autrefois dans d'épaisses ténèbres et que ce ne sont pas les livres les plus savants, mais les poèmes de Rimbaud qui m'ont montré les frontières.»[8]

On n'est pas loin de la fameuse distinction entre la connaissance, intellectuelle et décevante, et la co-naissance, intuitive et vivifiante. La théorie de l'eucharistie esquissée dans la lettre glisse constamment vers la contemplation lyrique de l'image autorisée par ce sacrement : la connaissance de Dieu est aussi secrète, intime et obscure que celle que l'on a de la nourriture que l'on absorbe. A plusieurs reprises les images de la digestion, du *contact avec le coeur* servent à faire comprendre ce qu'est la connaissance de Dieu. En termes plus habituels, mais recevant ainsi une sensibilité particulière, Claudel rappelle qu'avant tout débat théologique il faut considérer *l'amour sur lequel je suis fermement assuré, comme sur une base inébranlable*[9].

L'union avec Dieu — union en effet plutôt que connaissance — est encore représentée en des termes qui nous ramènent à la poésie, ceux d'harmonie et de rapport analogique. Si bien qu'on voit s'entremêler des définitions, accompagnées d'un lyrisme de prédication, plus ou moins inspirées de Bossuet comme dans d'autres lettres importantes de cette époque :

> «Du fond de nos entrailles l'esprit s'élance vers lui avec des gémissements inénarrables».
> «L'âme humaine est cela par quoi le corps humain est ce qu'il est et Dieu est cela par quoi le Verbe est Jésus.»[10]

et des recherches d'expression toutes claudéliennes de l'union analogique, fondement de sa mystique comme de sa poésie :

> «Je le compare (Dieu) à cette note fondamentale qu'appelle la musique et qui la supporte précisément parce qu'elle en est absente, du fait de sa différence radicale et génératrice.»
> «C'est (l'amour entre Dieu et l'homme) une comparaison en travail, un reflet qui serait une semence.»

La lettre se termine par le souhait répété que Beck soit assez éclairé par ces explications pour se convertir. Claudel remarque même avec émotion que son correspondant lui a écrit le jour de Noël, anniversaire de sa propre

8. Id. p. 9.
9. Id. p. 8.
10. Id. p. 8.

conversion. Pour un esprit symbolique comme le sien, c'est digne d'attention. Deux ans plus tard c'est dans ce climat — liturgique et personnel — de l'Avent et de Noël qu'il essayera avec le plus de ferveur de convertir Gide. Ainsi se fixent diverses images désignant une nouvelle naissance du sein de la nuit obscure.

Mais les invitations à la conversion restent assez discrètes, si on les compare à ce qu'il a dit à Frizeau. Claudel a bien senti que Beck ne s'est pas vraiment ouvert à lui : il lui répond avec attention et ferveur sur sa propre foi, mais sans l'interpeller. Il propose seulement de prolonger les échanges. Beck répondra en se réclamant de Tolstoï et en invitant Claudel à un congrès d'écrivains en Belgique, manifestation franco-belge assez officielle, semble-t-il. Ce n'est pas précisément avancer dans des débats personnels sur la foi catholique comme pouvait l'entendre Claudel !

A Elémir Bourges, janvier et juin 1905 : *La victoire de l'affirmation acérée*

On a conservé, et publié dans le premier *Cahier Paul Claudel* quelques lettres échangées entre Paul Claudel et Elémir Bourges. Parmi elles, deux de Claudel à Bourges se rattachent à cette période brûlante qui va de la fin du séjour de Fou-Tchéou aux fiançailles de Noël 1905 ou, pour ce qui nous concerne, de la grande lettre à Frizeau (janvier 1904) à la grande lettre à Gide (décembre 1905). Il s'agit d'une lettre de Fou-Tchéou, du 9 janvier 1904, et d'une lettre de Paris, du 23 juin 1905. Elles encadrent une lettre de Bourges du 21 avril 1904. L'unique lettre de Claudel qui la précède, du 22 juillet 1903, n'est utile que pour comprendre comment est née leur amitié. Jacques Petit en fait l'historique complet dans le *Cahier Paul Claudel*[11]. En 1901 Bourges a lu les drames de *l'Arbre* avec admiration et ferveur, devenant sans doute le plus inconditionnel des claudéliens, à une époque où l'on en comptait fort peu. On en comprend la raison si l'on se souvient qu'Elémir Bourges est l'un de ces symbolistes qui ont exploré la métaphysique à l'aide d'un verbe poétique passionné, construisant des systèmes d'explication de l'univers et de la destinée humaine dans une forme dramatique plus ou moins inspirée des grands tragiques, des antiques légendes germaniques ou bretonnes, de Shakespeare. Il est de la parenté de Villiers de l'Isle Adam, de Maeterlinck, de Suarès aussi, bien que celui-ci ne soit pas à proprement parler un dramaturge. D'ailleurs il a aidé Claudel à tirer Suarès de l'oubli, essayant de faire attribuer le prix Goncourt à *Voici l'Homme*. Il était de l'Académie Goncourt. Son roman *Le Crépuscule des Dieux* (1884) met en scène un prince allemand passionné, malheureux, un peu anarchique, wagnérien jusqu'aux

11. pp. 171-184, «Paul Claudel et Elémir Bourges», *Lettres inédites*, présentées par Jacques Petit.

moëlles. Mais sa grande oeuvre est *La Nef*, publiée en 1904 et aussitôt envoyée à Claudel qui lui retourne son jugement dans la deuxième lettre. Ce drame philosophique et mythique met en scène un Prométhée délivré, «déchaîné» qui traverse avec son inquiétude et sa révolte les grands systèmes philosophiques.

On voit bien la parenté d'inspiration qu'il a pu trouver dans *Tête d'Or* et dans *La Ville* : audace de l'entreprise poétique, violence des affrontements de l'homme avec son destin et avec celui des sociétés, image du héros conquérant et destructeur, d'un symbolisme plus métaphysique qu'historique. Jacques Petit cite de lui ces lignes sur *l'Arbre* :

> «C'est ce qu'on a fait de mieux en littérature française depuis les grands livres de Hugo. Ne vous laissez pas rebuter par l'obscurité apparente. Ce n'est pas vrai, dès qu'on regarde un peu fixement, tout s'éclaircit (...) La pièce que je préfère est *Le Repos du Septième jour*, qui est complètement réalisée et qui doit avoir été écrite la dernière. Dans les autres, il y a des trous, des lacunes, des choses pas tout à fait sorties, comme des foetus de mammouth. Mais c'est un fier bonhomme et je suis bien heureux que ça ait paru. Quel dommage qu'il soit à Fou-Tchéou ! En voilà un que je serais heureux de connaître.»[12]

Faute de le rencontrer, il lui écrit à la fin de 1903. Cette lettre (perdue), Claudel la reçoit à peu près en même temps que celle de Gabriel Frizeau. Mais elle n'a pas produit la même réponse. On peut imaginer qu'elle ne contenait aucun appel personnel, aucune demande d'aide spirituelle proprement dite. C'est une preuve de plus que Claudel ne lançait ses appels pressants à la conversion qu'à ceux qui désiraient plus ou moins accomplir une démarche concrète vers une solution religieuse. Avec Bourges il ne s'agit que d'un échange d'idées : *J'ai été bien touché de votre lettre, et suis fier d'avoir pris contact avec un esprit comme le vôtre.*[13]

Suit l'annonce d'un envoi de *Connaissance du Temps*, accompagné d'un intéressant commentaire dont la fin s'élargit au sens de l'ensemble de l'oeuvre. C'est presque dans les mêmes termes qu'il écrivait à Mockel en 1891, sur *Tête d'Or*. Avec la même énergie assurée dans l'affirmation, il se propose la délivrance de l'esclavage déterministe, *l'affreuse machine des Renan et autres scélérats*, la restitution de l'innocence et de *l'ignorance, la bienheureuse certitude que les choses sont vraiment ineffables*. Nous connaissons bien ce Claudel-là. C'est sa pensée originelle, toujours aussi dynamique, toujours redite dans les mêmes termes exprimant le même combat spirituel élémentaire. Mais ce n'est pas le Claudel de 1904, attaché à des conséquences plus complexes et plus actualisées de l'ineffable élémentaire. Bourges donc n'entre pas dans le cercle des intimes en vie spirituelle. Nous dirons dès

12. lettre de Bourges à François Sauves, 11 octobre 1901, citée par Jacques Petit, ibid., p. 171.
13. 9/1/04, p. 174.

maintenant, en anticipant un peu, qu'il n'y entra jamais, bien qu'il devînt un véritable ami de Claudel : ils se verront en 1905 et 1906 et la lettre de Bourges du 29 décembre 1906 montre beaucoup plus de familiarité dans l'admiration. Il est l'un des privilégiés qui ont reçu *Partage de Midi*, qui met le comble à son enthousiasme.

C'est un ami du côté des Berthelot et c'est même sans doute lui qui a suscité l'attention et l'intérêt de Philippe Berthelot pour ce fonctionnaire-poète des consulats de Chine. Comme les Berthelot il appartient à un cercle d'amis solides, de ceux qui l'ont connu et aidé à des moments difficiles, qui le soutiendront dans sa carrière littéraire; ils sont ouverts aux mêmes questions spirituelles, mais à condition de ne pas s'engager sur la réponse à donner à ces questions. Claudel le regrettera. *Tout cela a abouti, dira-t-il au moment de sa mort en 1925, à un homme brûlé, dévoré par le mécontentement et l'inquiétude, et non pas à une position féconde et à une oeuvre efficace*. Mais jamais sans doute Bourges n'a voulu chercher avec Claudel la «position féconde» et celui-ci l'a admis ainsi.

Cela n'empêche pas la lettre du 23 juin 1905, écrite après avoir reçu et lu *la Nef*, de manifester une attention exigeante pour une pensée qui traverse la sienne. Voici de nouveau l'expression ferme de la différence comme avec Jammes mais sur un autre front :

> «Vous vous doutez, cher Bourges, du dissentiment qui me sépare de votre *Déchaîné*. Je suis pour l'autorité légitime, avec tous les Jupiter, contre tous les Prométhée. J'espère donc que la seconde partie de votre apocalypse reclouera sur son rocher le détestable Pandoride.»[14]

Jacques Petit, en présentant ce passage, rappelle l'anarchisme latent du jeune Claudel — il est en effet assez évident dans *La Ville* — et la crainte de Claudel d'être encore interprété dans ce sens. Nous verserons cette déclaration au dossier des idées politiques exprimées dans la correspondance. Pour le moment, il nous paraît surtout intéressant de la relier à l'éloge de certains aspects de l'oeuvre de Bourges, qui vient ensuite. Claudel apprécie que l'action de «délivrance de l'homme» constitue la force dynamique de l'oeuvre, ce qui rappelle la proclamation de la lettre précédente, et surtout que cette délivrance soit liée, dans le système dramatique comme dans le style, à *la victoire de l'affirmation acérée, dévorante, sur le cercle et le prestige de la représentation*[15]. Le jeu d'images est significatif, il appartient au système de représentation mentale le plus consubstantiel à Claudel. Il vient de parler ausi du «point sublime (...) où l'épée vainc la roue». Ces images-ci, toutes sélectionnées dans divers imaginaires antiques, dont bien sûr la Bible, nous renvoient à la même dramatisation absolue de l'homme. Saint Paul lui-même est appelé à l'aide, présentant *une autre épée qui atteint jusqu'à la division*

14. 23/6/05, p. 176.
15. Id. p. 177.

de l'âme et de l'esprit. En face se construit une symbolique du cercle : la roue (de l'artisan, du voyageur) représentant la paix, *le cercle de la représentation* évoquant le spectacle immobile, que l'homme se donne de lui-même dans la philosophie spéculative. Cet imaginaire en liberté dans les lettres est significatif. Quoiqu'il ait tort de célébrer l'esprit d'anarchie, Bourges est sauvé par la violence de parole et d'attitude de son héros qui impose sa solution, comme Tête d'Or surgissant dans le cercle des conseillers de l'empereur. Mais le cercle ici est moins déprécié qu'il n'y paraît. Ce refus de l'anarchie le réhabilite implicitement; et bientôt il va être admis à la dignité de symbole sacré, représentant la perfection de la doctrine et le bienfait de la discipline catholique (déjà présentée à Jammes comme «merveilleusement étroite»).

Ici le cercle n'a pas encore de prestige, il représente l'impasse des sagesses humaines. En revanche, une autre image de fermeture est parée du prestige de l'autorité, à la fin de la lettre, parce qu'elle est impérieuse, et à proprement parler anguleuse. La lettre en effet se termine par une éloge du style de Bourges :

> «... la vertu étonnamment lisible, clariloquente de votre discours. C'est carré comme de l'hébreu, comme du sanscrit, comme des onciales carolingiennes. C'est du beau français bien noir sur le papier.»[16]

Le style «lisible» et «carré», n'est-ce pas celui qui apparaît dans les premières lettres apostoliques que nous avons pu comparer à la grande prédication religieuse ? Et les comparaisons faites avec d'anciennes écritures solennelles et sacrées en révèlent autant de Claudel que de Bourges : la beauté, l'autorité et l'antiquité s'allient ici à la netteté évidente des affirmations du discours. Cette alliance plus ou moins rêvée est peut-être en ce moment l'un des désirs mal formulés de Claudel : que le «mysticisme à l'état sauvage» puisse prendre sans se renier la voix du prédicateur.

Le «catéchumène» Sylvain Pitt

On lit dans une lettre de Claudel à Francis Jammes, écrite en novembre 1905[17]

> «J'ai aussi fait la connaissance d'un exalté nommé Sylvain Pitt, avec qui vous êtes également en relations, je crois. Il ne cesse de me répéter qu'il vit «audacieusement». Je n'ai pas besoin d'en savoir plus long; il n'y a pas deux manières de vivre audacieusement».

Ces réflexions pleines de réticence inaugurent en réalité une relation qui deviendra une amitié fidèle; Claudel sera conquis par la personnalité peu banale de Sylvain Pitt[18].

16. Id. p. 177.
17. Correspondance Claudel-Jammes-Frizeau, p. 70. Lettre sans date.
18. Sur Sylvain Pitt, et sur ses relations avec Claudel, voir D. Jakubec, *Sylvain Pitt ou les avatars de laliberté*, Editions universitaires, Fribourg, 1979, en part. 3e partie, ch. III, et 4e partie,

De huit ans l'aîné de Claudel, Sylvain Pitt était en 1903 précepteur d'enfants dans la famille d'Arthur Fontaine. Claudel l'a connu en même temps que celui-ci, qui avait favorisé la rencontre. C'était un pédagogue vagabond, d'esprit anarchiste, émotif et toujours enthousiaste, qui n'avait pu se plier à aucune discipline : ni celle du Grand Séminaire de Beauvais, qu'il avait quitté en cours d'études, ni celle de l'enseignement public, qui n'avait guère apprécié sa pratique pédagogique peu conformiste, et qui avait fini par le renvoyer après une quinzaine d'années d'enseignement dans divers collèges. Il a vécu alors de tâches auxiliaires d'enseignement. Il était lié en même temps à des initiatives d'éducation populaire : l'«Union pour l'action morale» de Paul Desjardins, et surtout la «Coopération des Idées» de Georges Deherme, où il fut attaché à la première «Université Populaire». Il y fit en particulier des conférences sur Jammes, qu'il connaissait, sur Péguy, enfin sur Claudel, dont Arthur Fontaine lui avait fait connaître vers 1903 *Connaissance de l'Est* et les drames de *L'Arbre*. C'est le lendemain d'une lecture de *Tête d'Or* à l'Université Populaire qu'il va rendre visite à Claudel.

Après un premier mariage, rompu de fait mais sans divorce, il vivait depuis peu de temps avec une «compagne», selon sa propre expression, qu'il épousera légalement en 1913. Telle était sa vie «audacieuse». L'audace, comme on le voit, n'était pas seulement dans une liaison illégitime, mais dans une existence instable, qui semble avoir découragé beaucoup de protecteurs ou de collaborateurs. Cependant Sylvain Pitt avait une générosité pédagogique, un optimisme dans l'acceptation de la demi-misère où il vivait, un enthousiasme pour la poésie, la chanson, le dessin et tous les arts populaires, qui forçaient la sympathie.

C'est donc Arthur Fontaine qui, voyant son enthousiasme pour la poésie de Claudel, l'avait poussé à lui écrire. Celui-ci l'invita aussitôt à le rencontrer. C'est le moment où il a décidé de parler, de dire systématiquement, à tous ceux qui sont attirés par sa poésie, que ce n'est qu'un chemin vers la conversion à la foi catholique. Séjournant pour plusieurs mois à Paris, il cherche des «catéchumènes», à qui il propose de se convertir avec une brusquerie passionnée. La lettre à Frizeau du 16 décembre 1905 fait le point sur cette entreprise d'évangélisation, très dramatiquement vécue : «la grandeur de Dieu éclate mieux par l'insuffisance grotesque des instruments qu'il se choisit. (...) J'ai prié cette année avec une urgence épouvantable, avec des larmes, avec du sang, pour une âme qui m'est terriblement chère. Je n'ai obtenu quoi que ce soit. Mais en même temps je vois se multiplier autour de moi les conversions». Pitt est cité entre Gide et Charles-Louis Philippe, ceux des lettres passionnées de la vigile du 8 décembre.

ch. II. Pour prendre connaissance d'extraits importants de la correspondance entre Claudel et Pitt, se reporter à cet ouvrage. Nous espérons qu'une publication complète permettra un jour de connaître l'ensemble de leurs lettres.

Leur correspondance comprend un premier groupe de lettres, cinq de Pitt et quatre de Claudel, de la fin d'octobre 1905 à mars 1906, au moment du mariage et du départ pour la Chine. Nous y joignons quelques échanges du dernier séjour en Chine : ils ne font que prolonger, par quelques jalons, les premières relations : un simple échange a lieu en août-septembre 1906; deux lettres de Pitt encadrent une lettre de Claudel, réparties sur la première moitié de 1907, mais se répondant étroitement l'une à l'autre et traitant le sujet essentiel des rapports de Pitt avec le catholicisme. Enfin, en février 1909, Pitt se joint à Gide, Jammes, Fontaine, pour demander à Claudel de laisser jouer *la Jeune fille Violaine*. En expliquant les raisons de son refus, celui-ci fait une brève allusion à la situation religieuse de son correspondant.

A partir de 1910 leurs relations deviendront bien plus étroites, et Sylvain Pitt sera non seulement un interlocuteur important, mais un modèle d'esprit poétique qui jouera un certain rôle pour Claudel. Jusque là, il n'y a que cette rencontre de 1905, où le poète s'efforce de transformer en conversion religieuse l'enthousiasme poétique, et ses quelques prolongements épistolaires pendant l'éloignement en Chine.

Sylvain Pitt vivait dans un perpétuel débordement d'émotion, toujours prêt à des confidences qui tranformaient en découvertes émerveillées les épisodes de sa vie personnelle, ses tentatives artistiques, ses activités éducatives. Cette âme lyrique, en rupture avec le catholicisme mais profondément évangélique, aimant la nature et la campagne avec une âme populaire à la manière de Jammes, aimant les anciennes liturgies en connaisseur, comme les anciennes chansons, fut éperdue de reconnaissance pour le «don» que lui faisait Claudel : de sa poésie, puis de son attention, de ses conseils, enfin de son amitié.

Claudel comprit que l'homme qui s'adressait à lui, profondément sensible au «souffle» et à la puissance d'imagination de ses drames, voulait en connaître davantage sur la source d'une telle richesse. Il se mit aussitôt à sa disposition. Mais ce n'était pas du tout pour se mettre au diapason de ses débordements d'émotion. Il fallait répondre à l'«exalté» que sa joie à lui ne se comprenait que dans le cadre de la discipline catholique. Comme pour Gide et pour Philippe, il faut que des lettres précisent ce que la conversation a peut-être mal laissé entendre, et en donnent un ton plus juste. La tâche, avec Pitt, est en principe assez compliquée; on s'aperçoit vite, en le lisant, qu'il est plongé dans une sensibilité de christianisme populaire, et parfois clérical. Quelque chose en lui est toujours situé entre des chants d'église et des figures de prêtres, de religieuses, d'âmes pieuses. Mais il a construit sa vie sur une série de ruptures avec la règle et l'autorité, ruptures qu'il considère comme l'origine d'une libération.

Cependant, est-il utile d'entrer très avant dans la psychologie de Pitt pour comprendre la réponse de Claudel ? La lettre de celui-ci du 13 novembre, puis celle de février 1906, enfin celle qu'il envoie de Chine le 15 mars 1907, ressemblent aux lettres d'*inauguration apostolique* que nous avons trouvées avec les autres correspondants de l'époque. Il se met moins au service de son correspondant qu'au service de Dieu et de l'Eglise, avec une solennité empruntée à l'éloquence sacrée, et une émotion, une *présence* qui viennent de ce qu'il engage sa poésie, sa personne «médiocre et pauvre» et son amitié malhabile dans l'entreprise. Il est certain que si le ton de ces lettres porte, c'est parce qu'il est d'abord l'auteur de *Tête d'Or* et des autres drame, et qu'il surprend en venant les risquer dans une apologie obstinée du catholicisme : *Je ne fais aucun cas du talent d'écrivain que l'on m'attribue parfois, et toute ma fierté est de n'être qu'un catholique, doué d'une certaine énergie d'élocution.* Il oblige fermement le lecteur à faire le lien entre la joie poétique et la certitude catholique, mais sans entrer dans le détail d'une démonstration. Il juxtapose deux appels dont il sait très bien qu'ils sont d'abord vécus comme une contradiction, l'appel de sa poésie qui agit tout seul, et l'appel à la conversion catholique qu'il a le devoir de dresser comme un obstacle devant le premier enthousiasme.

La lettre du 13 novembre, donc, présente la nature catholique de la joie de ses livres, *c'est la vieille joie éternelle que l'étoile annonçait aux Mages*, insistant à la fois sur l'ancienneté de cette foi et sur l'insignifiance de sa propre personne. Celle de février est plus précise encore : *Ne soyez plus un passant, cher ami.* Il faut que Pitt revienne dans la maison, serve l'Eglise qui a besoin de lui, tente de régler sa situation personnelle, «et puis il y a le devoir, et un homme comme vous a le devoir de faire toujours la chose qui lui paraît la plus belle et la plus juste, sinon la plus agréable, comme vous l'avez toujours fait, j'en suis sûr»[19]. Pitt, quelque peu éberlué, troublé par cette espèce d'obligation où il se trouve de reporter son attention sur des formulations et des disciplines qu'il avait rejetées, lui demande quelques explications de doctrine; sans doute ne voit-il pas clairement le lien entre la joie et le devoir. C'est sur cette demande que Claudel rédige cet «Abrégé de toute la doctrine chrétienne» qu'il a envoyé à tous ses correspondants en guise de souvenir de lui avant de repartir pour la Chine. Pitt reçoit un exemplaire en mars; Claudel indique bien que c'est une invitation à débattre des questions religieuses entre eux. Il essaye ainsi de préparer des entretiens épistolaires pour le dernier séjour en Chine. Après les rencontres dramatiques doit venir la longue période des développements dans le temps.

Cependant Pitt, éloigné de Claudel, laisse agir sans hâte les paroles déconcertantes reçues de lui. Celui-ci, ayant reçu seulement une carte postale après un long silence, lui demande d'autres nouvelles : des nouvelles de son évolution religieuse. Il faut encore trois mois pour que Pitt, enfin, envoie un très long bilan, qu'il complètera après la réponse de Claudel. Le retour des souvenirs de son enfance pieuse, son amour des chants liturgiques, la naissance de sa fille, la lecture enthousiaste de *Partage de Midi*, un sentiment général de joie malgré les difficultés de sa vie, s'organisent en lui pour le rapprocher de la foi de Claudel; *Il me semble que tout se compose.* Son «audace», qui continue à désigner implicitement la liberté de sa vie, ne pourrait-elle pas

19. Cité par D. Jakubec.

l'entraîner vers le pari catholique de la soumission ? Du moins fait-il un pas dans cette voie, en citant avec émotion deux vers d'un hymne liturgique de Saint Thomas d'Aquin, donc en référence à la doctrine et à la morale, «Quantum potes, tantum aude»; lequel a soufflé à l'autre cette formule, que Claudel citera à Rivière en 1909, et dont il fera dire par Turelure que c'est la devise des Français[20] ? En tout cas il y a là un terrain commun. Mais pour le geste d'une conversion, il faut encore attendre.

A ces confidences débordantes d'une émotion un peu brouillonne, Claudel répond par des sentences très fermes sur la nécessité de se plier à la discipline de la doctrine, sur la «forme obligatoire» de la Vérité, qui seule peut donner une place, un sens, une nécessité. Mais ce n'est pas tout : la lettre contient une apologie de la persécution dont est victime présentement l'Eglise (il s'agit des suites de la Loi de Séparation). La persécution va regénérer l'Eglise, en l'obligeant à sortir de ses vieilles murailles : il faut se réjouir que le catholicisme soit, par essence, lieu d'affrontement et de sacrifice. Ainsi est présenté à Sylvain Pitt l'image d'un double sacrifice : celui de sa liberté, celui de la tranquillité d'une religion d'entente universelle. C'est pourtant dans ces passages inconfortables que se trouve *grossièrement mais certainement la vérité et la joie.* «Venez donc avec nous», conclut Claudel sans détours, en lui proposant les images sacramentelles du pain qui nourrit et de l'eau qui désaltère. On ne saurait davantage s'opposer à la religiosité généreuse et anarchique de Sylvain Pitt. Celui-ci d'ailleurs n'a-t-il pas besoin, même dans sa vie quotidienne, d'un arrêt et d'un ordre ? Ne peut-on pas lire ce désir dans les confidences que, de lui-même, il est venu faire après un long silence ? Mais la psychologie de Pitt est moins importante que sa demande: à celle-ci comme à toutes celles qui lui sont faites, Claudel répond d'abord par le rappel du dogme comme une exigence incontournable. C'est à Pitt à s'arranger avec cela, non pas à lui. Son seul rôle est de lui faire comprendre que son âme «honnête, enthousiaste, claire» est toute prête à accueillir la joie chrétienne, à condition de ne pas tricher avec l'obéissance à la parole. Il y a eu, en fin de compte, peu d'envois de Claudel à Pitt : on peut les réduire à deux lettres importantes et à l'«Abrégé de toute la doctrine chrétienne». Mais ces envois sont exemplaires de la manière dont Claudel veut prolonger et rectifier l'effet de sa poésie[21].

---

20. à Jacques Rivière, 28/4/09, et *l'Otage*, Acte II, *Théâtre II*, p. 256.

21. A côté de Sylvain Pitt, Claudel cite parmi ses «catéchumènes» un «jeune Roumain». Il s'agit de Charles Tresnea, un ami de Pitt, qui partageait son enthousiasme pour *Tête d'Or*. En 1905 Pitt demande à Claudel d'aller le voir, et il lui en parle ensuite à plusieurs reprises dans ses lettres. Claudel l'adressa à l'abbé Baudrillart et lui écrivit peut-être une ou deux fois en 1906, d'après trois lettres de Tresnea conservées aux archives de la Société Paul Claudel. Tresnea, menacé en 1910 par sa mauvaise santé, mourut au début de 1911, aidé de la sollicitude religieuse de Claudel par l'intermédiaire de Pitt et de Francis Jammes (à Jammes, 26/1/10, février ou mars 1911; de Jammes, 20/3/11; de Pitt, 2/3/11.).

Conclusion

Du début de l'année 1904, lorsqu'il se décidait brusquement à répondre à Frizeau en l'appelant *bien cher frère et ami*, jusqu'à ce mot à Gide de mars 1906 qui commence *par trop tard, cher Gide, adieu*, Claudel a créé soudain et pour la première fois autour de lui une circulation épistolaire abondante, pressante, qui ne manifeste qu'une intention : évangéliser ouvertement un cercle d'amis et de lecteurs. Ce n'est pas un hasard, c'est un acte décisif. Ce n'est pas un épisode sans intérêt pour le lecteur des drames et des poèmes, c'est un prolongement délibéré de l'entreprise littéraire. Dès les premiers commentaires qu'il donnait de *Tête d'Or*, il affirmait que son but d'écrivain n'était pas l'expression poétique pour elle-même ou pour lui; il voulait réveiller l'humanité de sa léthargie religieuse et lui communiquer la certitude qu'il avait eue que la révélation catholique était la seule vraie. Mais il ne pouvait le faire que par la voie qui était la sienne, poétique, lyrique, voire hermétique, qui correspondait exactement à sa propre recherche, dont il donnait le témoignage. Cependant l'entreprise prenait un cours peu conforme à la première intention : l'étrangeté de son expression poétique, son mouvement vers la méditation solitaire, son métier qui l'éloignait au bout du monde, l'isolaient de plus en plus, le conduisaient aux portes du couvent et au silence littéraire.

Là-dessus survint ce à quoi il s'attendait le moins : la connaissance amoureuse d'une femme, l'adultère, le scandale. Si bien qu'en 1904 se rencontrent deux événements dont il n'avait sans doute pas voulu la conjonction, mais qui se sont réunis et interpénétrés dans cette période de 1904 à 1906: le dénouement difficile de l'aventure amoureuse, et l'achèvement d'un traité théorique d'apologétique fondée sur l'expérience poétique, *Connaissance du Temps*. Ce sont ces deux événements, dont l'un est une crise brutale et l'autre un accomplissement, qui ont été à la source de l'entreprise épistolaire. Tandis que la pensée religieuse avait mûri et pouvait mieux se révéler au dehors, la crise personnelle hâtait l'avènement d'une situation nouvelle. Il a fallu rétablir la carrière professionnelle[1], réorganiser la vie privée, et

1. La liaison avec «Ysé» avait fait scandale, et sans l'aide de Berthelot les choses auraient pu tourner mal. cf. *Cahier Paul Claudel 8*.

s'obliger à une véritable naissance sociale. C'est alors que Claudel a commencé à établir des rapports étroits et nécessaires avec les autres. Lui, le solitaire, le trop solitaire, Mesa qui pensait se débrouiller tout seul avec son Dieu, il a compris que sa croyance religieuse, et tout simplement l'équilibre de sa vie, avaient besoin d'une relation avec autrui qui soit de qualité.

Ami ou «zélote» ?

L'importance que représente maintenant pour Claudel ce réseau d'amis transparaît à chaque page de cette correspondance soudain si abondante. En 1903, l'absence de lettres lui était un signe tangible de sa solitude, comme il l'écrivait à Gide :

> «J'écrivais autrefois à mes amis, mais comme jamais je n'obtenais de réponse, je me suis lassé de décharger dans le vide des Epîtres...»[2]

Deux ans plus tard, en France, quand ils commencent à désirer se connaître mieux, il ne peut s'empêcher de lui reprocher discrètement :

> «... et comme vous n'avez jamais répondu à mes lettres ...»[3]

Lorsque dix mois après la «joie infinie» de la lettre de Frizeau il n'obtient aucune autre réaction à sa longue réponse qu'une caisse de vin, il est assez déçu :

> «Oserais-je dire qu'un mot de vous m'aurait fait plus de plaisir encore. Je crains que ma dernière lettre ne vous donne de moi une idée fausse. Je ne suis rien moins qu'un prophète et qu'un prédicateur. Certaines choses profondes mises à part, qui cependant désormais forment un lien entre nous, j'aurais eu grand plaisir à faire mieux votre connaissance.»[4]

Une fois l'amitié établie, il ne cesse de rappeler la joie que lui causent les lettres de Frizeau :

> «Quelle joie m'a causée votre lettre de la Pentecôte dans un moment bien triste pour moi.»[5]
> « Votre lettre, cher ami, m'est arrivée comme le meilleur présent pour mon jour de naissance.»[6]

Et il rappelle la première lettre, celle de 1904 :

> «C'est votre lettre qui est venue me trouver dans la prison dont j'étais captif (...) Vous êtes le premier qui m'ait procuré cette joie si douce à un

2. 7/8/03.
3. 27/9/05.
4. 19/10/04.
5. 14/6/05.
6. 8/8/05.

coeur de solitaire, le sentiment d'être aimé et compris dans ce que l'on a de plus profond.»

Et plus simplement en septembre 1905,

«Je suis toujours heureux de recevoir vos lettres, et que vous me donniez ainsi occasion de causer avec vous.»[7]

«Cela me fait du bien de vous écrire; je suis fort désemparé dans ce sombre village.»[8]

Une fois revu Gide, il lui demande aussitôt :

«Il faudra que nous nous revoyions encore; j'ai beaucoup de choses à vous dire»[9],

et un peu avant son nouveau départ, alors qu'il perçoit les réticences de Gide à adopter son point de vue religieux,

«J'espère que vous me conserverez votre souvenir et votre amitié et me pardonnerez les lettres échauffées que je vous ai écrites il y a quelques semaines.»[10]

Suarès n'est certes pas un ami commode. Pourtant il le rappelle :

«Que devenez-vous et pourquoi n'ai-je plus de vos nouvelles ?»[11]

et s'excuse de son propre silence :

«Oui, je le sens, j'ai des reproches à me faire à votre égard. J'aurais dû vous voir et vous écrire, mais je vis actuellement dans un état de déménagement»[12].

Enfin, au moment de repartir, marié,

«Ecrivez-moi toujours, vos lettres me parviendront. Le mariage ne me fera pas oublier mes amis»[13],

et, de nouveau quelques jours plus tard :

«Ecrivez-moi et je vous écrirai»[14]

Avec des tonalités différentes selon les correspondants, il demande des rencontres, des lettres et l'occasion d'en écrire. Il craint la solitude et les souvenirs, il l'avoue à Suarès :

«J'ai fui toute cette année tant que je l'ai pu la solitude»[15].

7. 6/9/05.
8. 29/9/05.
9. 5/12/05.
10. 9/3/06.
11. 6/12/05.
12. 25/2/06.
13. 7/3/06.
14. 13/3/06.
15. 27/9/05.

Et c'est dans les moments d'amertume qui lui reviennent dans le «sombre village» de Villeneuve, en septembre 1905, qu'il écrit les plus longues lettres de son séjour en France, à Frizeau et à Suarès. Il est soulagé de retrouver Paris en octobre :

«Ce mois de solitude a été pour moi autant que mes forces pouvaient supporter».[16]

Sans doute son intention apologétique et évangélisatrice l'entraîne dans son mouvement vers les autres et lui procure une joie plus profonde et plus austère, une joie de devoir. *Votre première lettre*, écrit-il à Frizeau, *m'a réveillé au sentiment de mon devoir.*[17] Il ne cesse de répéter que ce n'est pas sa parole qui importe, mais la parole divine qu'il transmet. Ainsi à Suarès :

«Je ne vaux pas moins ni plus que la plupart des gens avec qui nous avons commencé à nous entretenir. Un homme tarit l'autre si vite ! Mais je sais que je suis en possession (...) d'une chose inestimable.»[18]
«Oui, je suis votre ami, mais quelle amitié va sans échange et sans communication, et que pourrais-je vous communiquer que la certitude qui m'emplit tout entier, ne laissant place à rien d'autre de vraiment sérieux»[19].

On sait d'ailleurs assez l'aversion de Claudel pour les effusions intimes qui n'ont d'autre but et d'autre satisfaction qu'elles-mêmes. L'égotisme pratique ou philosophique est une attitude satanique, et les lyriques du Moi sont méchamment comparés, dans une lettre à Gide, à *ces affreux petits chiens terriers qui, en posant leurs pattes sur vous, vous communiquent le tremblement qui fait vibrer leur corps misérable*[20]. Claudel ne tient pas à communiquer à ses amis le tremblement de sa misère.

Mais enfin, peut-on faire un partage rigoureux, peut-il le faire lui-même, entre ce qui est «de lui» et ce qui est «de Dieu». Ce qu'il a à dire, ce n'est pas Dieu «en soi», c'est Dieu en lui, Paul Claudel. C'est Dieu présent de la manière la plus éclatante dans l'impossible aventure d'«Ysé», c'est Dieu présent dans sa poésie à lui, c'est Dieu présent dans le plaisir qu'il a à parler de sa foi à des amis qui l'entendent, et peut-être aussi à pérorer sur sa foi, comme le décrit Gide dans son journal :

«il parle intarissablement; la pensée d'autrui n'arrête pas un instant la sienne; le canon ne la détournerait pas. Pour causer avec lui, pour tenter de causer, on est obligé de l'interrompre.»[21]

---

16. 27/9/05.
17. 8/8/05.
18. 22/6/05.
19. 1/2/06.
20. 7/8/03.
21. *Journal* daté du 5 décembre 1905.

Il parle au nom d'un autre, et dans le même mouvement il parle de sa joie et de sa certitude intime à lui, de ce qu'il a «de plus profond» comme il le dit à Frizeau. De là vient cette double attitude dans ses lettres, dire que sa personne et son «pauvre verbiage» comptent peu, et dire qu'il faut le prendre comme il est, qu'il ne peut pas parler et agir autrement :

> «il faut me prendre comme je suis, et un Claudel qui ne serait plus un zélote et un fanatique ne serait plus Claudel.»[22]

Nous ajouterons : un Claudel qui en 1905 et 1906 n'aurait pas eu l'envie irrépressible de sortir de son drame personnel, d'éviter la solitude, de trouver des correspondants qui l'aiment et l'accompagnent, n'aurait pas été non plus un Claudel catéchiste et impétueusement «pêcheur d'âmes». Il n'y a pas d'amour chrétien qui ne soit profondément enraciné dans un comportement bien humain : Claudel lui-même n'a jamais montré autre chose dans ses drames. La foi est une manière de vivre tel qu'on est, non un sytème d'idées: *Ce n'est pas de* vérité *que l'on a besoin, c'est de* réalité, écrit-il à Suarès[23]. Dans ce qu'il vit à cette époque, on ne peut isoler son rôle d'apologiste et de convertisseur ni de la séparation de Fou-Tchéou, ni des relations littéraires, ni du besoin d'amitié. C'est ce dernier aspect que nous avons voulu montrer d'abord. En s'entretenant avec des amis enfin trouvés, il y a une part de lui-même qui se délivre, quoiqu'il s'en défende. Il y a dans le style même de ses lettres une sorte d'abandon à l'affection toute simple, ou à l'enthousiasme naïf, qui ne vont pas sans gaucherie : un peu de mièverie dévote dans *votre lettre m'a bien touché», une lettre de tous points admirables, mon cher frère,* et plus naturelle chez Claudel, une satisfaction sans détours, *j'ai beaucoup d'amis maintenant qui veulent à toute force que je leur parle de religion*[24], pouvant aller jusqu'au mauvais goût, preuve de bonne humeur chez lui :

> «Il me reste mon juif et mon protestant, Suarès et Gide, que je chauffe de mon mieux, mais qui se montrent récalcitrants».[25]

Enfin, comme dernière marque écrite de sa peur de solitude et de son besoin d'amis, nous citerons ce reproche fait à Jammes qui ne se trouvait pas à un rendez-vous dans les Pyrénées; le ton de plaisanterie cache mal la violence de la déception :

> «Jammes, vous êtes proprement un sale lâcheur. J'étais venu en grande partie pour vous dans ces Pyrénées; ce mois est probablement la seule partie de notre vie que nous étions destinés à avoir en commun, et vous allez le passer presque entier avec je ne sais quelle famille dans je ne sais quel Gers.»[26]

---

22. à Gide, 5/12/05.
23. 13/6/05.
24. à Frizeau, févr-mars 1906.
25. 7/1/06.
26. 21/7/05.

Plutôt écrire que parler

Dans cette impatience à rencontrer les autres et à leur parler, les conversations proprement dites ont joué un rôle important. La rencontre de Jammes et de Frizeau dans le Sud-Ouest, dans un climat conjoint de ferveur religieuse et de détente estivale, a donné à ces amitiés leur tour définitif; il fallait voir Suarès pour prendre la mesure de son caractère et de ses détresses. Une fois vu, Gide a été autre chose qu'un écrivain cordialement estimé. Mais ces rencontres n'ont pas pu être fréquentes. Il s'est donc instauré dès le début un style d'amitié proprement épistolaire. C'est d'autant plus important à souligner que ces hommes, et Claudel en particulier, ont l'habitude de penser par écrit. Des relations par lettre prennent nécessairement un tour particulier. Dans une correspondance, la séparation entre deux êtres est évidente, matérielle. Cependant, en même temps, elle est envisagée comme telle, et méthodiquement combattue : on réfléchit à ce qu'on va dire, on lui donne la forme définitive de l'écrit. C'est pourquoi chacun peut remarquer qu'il y a des pensées profondes et intimes qu'on dit mieux par écrit. La lettre, si elle est soutenue par un ardent désir de communiquer, est un miroir plus transparent de certaines pensées plus difficiles. Pour ce qui nous intéresse, le phénomène est net entre Claudel et Gide. Devant Claudel, Gide s'avoue impressionné et agacé; puis vient une lettre qui pénètre profondément son esprit et sa sensibilité. De même, on veut bien croire que parlant à Gide, Claudel l'écoute très mal; il lira beaucoup plus attentivement sa lettre. Voyant Frizeau, Claudel n'ose pas lui parler de son aventure sentimentale; puis, par écrit, il en fait peu à peu la confidence. Il semble qu'il ait quelquefois préféré écrire à Suarès que lui parler :

> «J'ai balancé à me rendre aussitôt auprès de vous, mais nous vivons tous deux par l'esprit et pour l'instant il est beaucoup plus important que nos esprits soient en posture de converser que nos personnes. Que vous dirais-je que je ne puisse mieux vous écrire, une certaine pudeur s'opposant à ce que certaines choses retentissent[27].

Frizeau, avec qui les relations sont beaucoup plus simples, il aurait préféré le revoir. Il ne se console pas d'être obligé de repartir pour la Chine sans le pouvoir. Cependant leur conversation y gagnera une certaine qualité:

> «La Providence n'a pas voulu que nos relations fussent autre chose que la communication pour toujours de ce que deux âmes ont de plus essentiel.»[28]

Donc paradoxalement l'éloignement permet un contact plus intime, surtout lorsqu'on a l'intention de détruire un *mur interposé entre la lumière et*

27. 22/9/05.
28. 10/3/06.

la nuit, comme Claudel l'écrit à Suarès[29]. L'obstacle est de nature spirituelle, c'est un domaine qui demande un certain recul et des arguments affinés. Claudel croit à ce moment-là à l'efficacité d'une solide et longue argumentation dogmatique, et d'une exhortation de prédicateur faite *dans les termes les plus urgents*[30]. Le succès de la longue lettre à Frizeau de janvier 1904 commande toute sa méthode d'évangélisation, si l'on peut dire, pendant deux ans. Quand un ami, un lecteur, fait appel à lui, il est important de donner le grand coup de boutoir épistolaire qui, pense-t-il, emportera la place. C'est l'autre pôle de l'urgence quasi affective de se créer un cercle d'amis; c'est l'urgence de livrer toute la vérité à la fois pour en faire vivre ceux qui font appel à lui. Car la vérité chrétienne peut être envisagée dans son ensemble et doit être, si l'on peut dire, assénée d'un coup. L'illumination de Notre-Dame, le chemin de Damas restent le modèle souvent rappelé, de même que commence à se préciser dans l'imaginaire de Claudel la représentation de l'univers, et surtout de l'univers spirituel, comme un cercle fermé, c'est-à-dire une construction cohérente et compréhensible, perceptible en une fois pour celui qui veut bien vivre près du centre. D'où ce désir d'aller au fond des choses, de «traiter à fond» la question, comme il voudrait constamment le faire avec Suarès.[31]

Ainsi s'explique l'extraordinaire lettre écrite à Gide *dans les termes le plus urgents* en décembre 1906. Il n'y a pas de progression méthodique et patiente pour connaître Dieu. Il est là à chaque instant, et pour donner une idée de sa présence l'âme doit, comme le poète, parler avec urgence et ferveur.

L'Abrégé de toute la doctrine chrétienne

Dans le mouvement par lequel Claudel, partant du foisonnement confus de *Tête d'Or*, en vient à demander à ses lecteurs, en termes précis, d'adhérer à une doctrine précise, il y a comme un noeud par lequel s'établit le passage de l'ancienne à la nouvelle attitude : c'est la rédaction et l'envoi à ses correspondants de *l'Abrégé de toute la doctrine chrétienne*, imprimé par ses soins sur une petite feuille de quatre pages. Nous avons vu qu'il présente ces lignes comme *une feuille de propositions, une table de thèmes à débattre*, un *souvenir* analogue aux images pieuses. Ce ne sont que des manières de s'excuser. Ecrit sur la demande de Sylvain Pitt, l'un de ces admirateurs étonnés de son catholicisme intransigeant, *l'Abrégé* est bien mieux défini quand il dit qu'il a *essayé de résumer l'ensemble de (ses) croyances*. C'est la conclusion d'années d'études de Thomas d'Aquin, de Saint Grégoire, et des ouvrages de doctrine les plus autorisés. Ce ne sont pas des méditations

29. 2/9/05.
30. 16/12/05.
31. 17/6/05 et 25/2/06.

poétiques sur certains développements de la philosophie scolastique, comme *Connaissance du Temps*, c'est un catalogue de définitions qui cherchent à cerner au plus près le noyau de la foi.

On pense, en le lisant, au système de questions et de réponses des anciens catéchismes. Si ce système est ici implicite, il n'en est pas moins présent. En effet Claudel *répond* à une demande. Le premier modèle apparaît non dans la première lettre à Frizeau qui était très continue, mais dans la lettre du 4 février 1904 à Christian Beck, qui avait posé cinq questions précises auxquelles Claudel répond en cinq paragraphes numérotés : Dieu cause première, Dieu personnel, conception athanasienne (c'est-à-dire amour de Dieu pour l'homme), action *ex opere operato* des sacrements, inspiration des Evangiles, à quoi s'ajoute une mise au point sur la «révélation causale», demandée aussi par Beck, c'est-à-dire la révélation de Dieu par une cause extérieure. A une demande plus générale, *l'Abrégé* répond en quatorze paragraphes qui essayent de couvrir le champ de la révélation chrétienne dans un ordre logique : Dieu, *en qui toute puissance est acte*, est révélé naturellement par le mouvement de la création, et surnaturellement par la connaissance des trois personnes, Père, Fils, Esprit; Il est nécessairement bon; mais l'ordre primitif est vicié par les créatures douées de liberté, hommes et anges, qui se complaisent dans leur différence d'avec Dieu; le péché consommé par le premier couple est racheté, grâce à l'Immaculée Conception de Marie, par le sacrifice du Christ sur la croix; nous pouvons bénéficier de ce rachat par notre union à l'Eglise, ses sacrements et son autorité hiérarchique; ainsi pouvons-nous posséder le Royaume des Cieux, la plénitude de la joie, de l'ordre retrouvé, *non pas théoriquement par le seul mouvement de la tête qui écoute, mais pratiquement par le placement de toute notre personne dans son ordre vrai, comme un mot qui est mis à sa place, par l'orientation dans le site, par le service dans le corps.*

Le paragraphe sur le mouvement révélateur de Dieu qui en est la cause résume très vite les pages de *l'Art poétique* sur la connaissance, mais les formules qui définissent le péché comme *différence* sont bien moins profondes que les méditations métaphysiques que Claudel y a conduites, et reprendra, dans diverses lettres, sur ce mystère de la différence, à la fois péché de séparation et moyen de connaître en s'opposant. Cependant il n'y a aucune de ces formules qu'on ne puisse mettre à l'origine de ses explications ultérieures.

Ce qu'il importe de comprendre, c'est ce besoin de tenir et de faire tenir le centre de la révélation, considéré comme centre de la poésie et *a fortiori* comme source de toute règle de vie, par un unique mouvement de compréhension. C'est une sorte d'aide-mémoire à apprendre par coeur, avec quelques effets de cadence qui semblent destinées à la fois à aider la mémorisation et à susciter une émotion secrète, analogue à la joie et à l'amour qui sont proposés. En même temps, cette formulation ne peut être que celle de l'Eglise. Dans la réponse à Christian Beck se trouvait encore un éloge de l'obscurité, *j'adore l'obscurité pour elle-même, et la préfère toute crue aux explications qui ne s'adressent qu'aux parties superficielles de l'intelligence.* En tant qu'individu livré à ses propres forces, il ne peut que communiquer confusément des intuitions. Mais du même coup, s'il veut devenir clair, il ne peut que suivre étroitement la formulation de la tradition catholique. Toute autre serait présomptueuse, suspecte et inefficace. C'est ce qu'il écrit avec une assurance énergique dans le passage d'un article inédit, écrit au même moment, que nous citons plus loin.

Claudel est en train de mettre au point une dialectique de la révélation claire et de la méditation obscure. Mais les rôles sont bien partagés : la clarté vient de l'Eglise de Jésus-Christ, tandis que l'obscurité entoure l'effet de la parole dans le coeur humain.

La parole claire et l'aveu secret

Le premier trait c'est que Claudel soit passé du verbe poétique au discours de relation avec autrui. Lorsqu'il propose et envoie *Connaissance du Temps* à l'ensemble de ses connaissances, il a conscience d'envoyer encore un poème : *je crains que ces pages ne soient pour le moment un peu sibyllines*, écrit-il à Elémir Bourges[32], *je l'ai surtout écrit pour moi, afin de mieux comprendre certaines idées éparses au cours de mes drames.* Ce premier dégagement d'idées ne rencontre pas encore la nécessité d'être clair, qui ne s'impose à Claudel que lorsqu'il répond à une demande actuelle. Les lettres de cette époque au contraire représentent l'intervention du débat, de l'argumentation familière, de l'exhortation à l'action réelle, de la démonstration discursive de la vérité sur des sujets que Claudel présente lui-même comme les plus importants, comme la source de sa vie et de son oeuvre poétique. Il parle en termes clairs, en vue de convaincre des interlocuteurs bien déterminés, se croyant appelé à construire désormais une sorte de grand traité d'apologétique. Il chemine vers l'idée qu'à l'évidence du coeur, qui était jusqu'ici son domaine de poète, correspond une évidence de l'esprit. C'est le résultat d'une évolution qui s'est faite en lui sous l'influence de Thomas d'Aquin et de Bossuet. C'est à celui-ci que, consciemment ou non, il emprunte un style de démonstration solennelle construit sur des symétries oratoires. Nous pourrions appeler cette manière de s'exprimer, c'est-à-dire d'être à autrui, le modèle de prédicateur. C'est une prédication privée, adressée par lettre à ceux qui lui en font la demande, et c'est plus par attitude personnelle que par nécessité de convaincre un auditoire que Claudel écrit, d'une certaine manière et toutes proportions gardées, comme s'il était en chaire. Peut-être, curieusement, est-il plus à l'aise par écrit pour prendre cette attitude que dans les conversations

32. 9/1/04.

privées qu'il a eues avec ses «catéchumènes», où il donnait l'impression de «réciter le catéchisme» en cherchant assez maladroitement à objectiver et à solenniser son propos apostolique. Par écrit il pouvait mieux s'exprimer, et cet espace de prédication est bien un espace de lettres dans les deux sens du mot. La lettre a de commun avec la conversation qu'elle sollicite personnellement quelqu'un; avec tout autre écrit, elle a en commun d'engager à ne présenter que l'essentiel, s'ouvrant plus facilement que la parole à la pensée définie et définitive.

Une fois, Claudel a envisagé de s'engager dans la prédication publique, sous la forme de la polémique[33]. Dans *l'Occident* est parue à la fin de 1905 une profession de foi scientiste et rationaliste du savant et philosophe Jules Soury. Claudel, très lié à *l'Occident* et appréciant son ouverture aux thèses catholiques, estime nécessaire de présenter dans cette revue la thèse contradictoire. Mithouard, directeur de *l'Occident*, préfère une réfutation moins ouvertement catholique présentée par le sculpteur Jean Baffier. On a retrouvé la rédaction inédite de Claudel[34]. L'argumentation anti-scientiste est celle que l'on retrouvera dans les périodes suivantes de la correspondance (en 1905 les lettres apostoliques de Claudel sont persuasives, non polémiques) : réfutation du darwinisme, autorité historique du dogme catholique, défense du culte comme acte de foi des sens et de l'imagination, incertitude de la science sur la nature de l'intelligence. Le ton est courtois et posé, la démonstration intellectuellement approfondie et en cela ce texte rappelle les lettres. Comme dans les lettres aussi, la pression persuasive est donnée par l'ampleur oratoire dès qu'il s'agit non plus de réfuter mais de célébrer :

> «l'Eglise sait ce qu'elle croit, et elle a défini l'objet de ses croyances en termes de la rigueur la plus absolue et de la délicatesse la plus subtile. Ces définitions ne sont pas l'oeuvre d'un penseur isolé, la construction d'un poète ou d'un philosophe. Elles sont sorties des entrailles même de l'humanité, du profond travail de la vérité au sein de l'ignorance et de l'erreur, et après des siècles de disputes et de guerre, elles ont été enfin placées dans la lumière de la confession, formulée dans la fulmination des anathèmes avec une autorité oecuménique...»

Claudel voulait désormais parler de sa foi en termes explicites, l'ouvrir au débat, la démontrer sans le secours de l'expression poétique qui la révèle bien au coeur mais mal à l'esprit. Et quand le désir de manifester «le profond soulèvement du coeur humain», comme il l'écrit un peu plus loin, reprend le dessus, ce sont les vastes démarches de l'éloquence qui véhiculent la pensée. Cependant cette tentative, sans aboutissement, de proclamation publique ne sera reprise que progressivement, à partir de 1910. Claudel pour

---

33. L'affaire est relatée par François Chapon dans le n° 36 du *Bulletin de la Société Paul Claudel.*
34. Publiée dans le même numéro de *Bulletin*, pp. 20 à 22.

le moment ne dévoile l'armature de son catholicisme qu'au cercle très restreint de ceux qui le lui demandent.

En contrepoint vient s'insérer la permanence du style des symboles secrets. C'est le style du grand lyrisme claudélien qui affleure soudain en métaphores de cercle et d'épées, de remâchement et d'enfouissement, et donnant d'autant plus l'impression d'une soudaine vibration secrète qu'elles sont isolées dans un contexte prosaïque. Un tel langage est pour Claudel intrinsèque au langage de la foi : que serait celle-ci sans l'expression de l'enthousiasme et du désir, et d'autre part sans l'expression du caractère instinctif et obscur de la relation à Dieu ? La «bienheureuse obscurité» et l'apologie de l'«ignorance» ne désignent jamais le désintérêt, mais au contraire la science inépuisable de la connaissance intuitive. Celle-ci a son côté enthousiaste, et son côté d'expérience de la mort et de la souffrance. Nous avons vu s'ébaucher les images de Job, de la sombre caverne, de la digestion douloureuse, surtout avec Suarès et avec Jammes. Nous avons vu combien pour lui, la conversion non seulement était mais devait être une rupture, une «petite mort»[35], l'acceptation d'une contradiction ou d'un paradoxe. Là apparaît clairement la disposition fondamentalement dramatique de son esprit. C'est sans doute pour cela qu'il a résisté si bien à la crise de Fou-Tchéou, en tirant aussitôt l'un de ses plus beaux drames, et la résolution d'approfondir intellectuellement et de dire sa foi : l'existence de Dieu est *formulée dans la fulmination.*

Ainsi apparaissent les deux conséquences de la crise de Fou-Tchéou : d'une part la résolution active de fuir la solitude, d'être chrétien avec autrui et au grand jour, de «militer» comme on dira plus tard, à la place qui est la sienne, en s'expliquant ouvertement, en exhortant avec assurance; d'autre part l'aveu de la faute qui va de pair avec la découverte de l'enracinement de l'action de Dieu dans les comportements les plus intimes : sentiment tellement pressant, tellement urgent, que Claudel n'a pu le mettre en harmonie avec lui-même qu'en écrivant *Partage de Midi*, entreprise secrète, entreprise de la caverne, qui s'est soudain trouvée en contradiction avec l'entreprise d'évangélisation. Les deux attitudes de la pénitence chrétienne, l'aveu dans l'humilité et le ferme propos suivi d'effet, n'ont pu se concilier facilement.

La nouvelle naissance de décembre 1905

La relation entre tous ces éléments, nous la trouvons explicitement dans les lettres à Frizeau et à Jammes du 1er au 16 décembre 1905. Nous avons vu, à propos de Gide, que la première quinzaine de décembre est comme le

35. «Toute conversion est une petite mort, et il est dur de se résigner à mourir» (à Frizeau, 16/12/05).

noeud de cette période; tout s'y concentre : achèvement de *Partage de Midi*[36], lecture du premier poème chrétien (aux yeux de Claudel) du «nouveau» Jammes par André Gide, devant Arthur Fontaine et Adrien Mithouard (c'est-à-dire *l'Occident* et l'étroit milieu parisien favorable à Claudel), conversation avec Gide et lettre «urgente», lettre à Charles-Louis Philippe, lettre à Suarès pour le relancer après leur conversation de novembre, veillée de l'Immaculée Conception à Notre-Dame-des-Victoires dans l'attente du vote de la Loi de Séparation, et dans les semaines qui suivent, fiançailles qui sont, dit-il à Frizeau, le fruit de ses prières à la Vierge Marie. Comme le montre André Vachon, depuis l'expérience mystique de Notre-Dame à Noël 1886 Claudel est particulièrement porté à revivre comme expérience symbolique d'une nouvelle naissance la période sombre de la fin de l'automne, enrichie de la méditation dans une église perçue comme un sein maternel, et de la prière liturgique consacrée, fin novembre et début décembre, à la mort, la fin du monde et l'espoir d'un salut. En ce dernier mois de 1905 on a l'impression qu'il vit dans la réalité cette fusion symbolique de la fin et du commencement, du noir et de la lumière. Dans *ces moments graves de la messe et de la prière où le coeur est le plus ouvert*[37], il lui semble que la poésie et la foi, le péché passé et les «catéchumènes» présents, la tendresse pour Jammes et Frizeau et l'attente des persécutions prennent en lui et autour de lui leur place définitive. En ce qui concerne la relation entre *Partage de Midi* et l'évangélisation des corrrespondants, voici la réflexion la plus explicite, adressée à Frizeau le 16 décembre dans une lettre qui parle aussi de la lecture du «nouveau Jammes» et de l'espoir de conversion de Gide (nous avons déjà cité le début) :

> «J'ai d'autres catéchumènes que je m'efforce d'évangéliser de mon mieux : Charles-Louis Philippe, un nommé Sylvain Pitt, un jeune roumain... Je suis stupéfait et surtout profondément effrayé et humilié de la confiance qu'ils me témoignent. Mais la grandeur de Dieu éclate mieux par l'insuffisance grotesque des instruments qu'il se choisit. Enfin, je fais ce que je puis, c'est à Dieu de faire le reste. J'ai prié cette année avec une urgence épouvantable, avec des larmes, avec du sang, pour une âme qui m'est terriblement chère. Je n'ai obtenu quoi que ce soit. Mais en même temps, j'ai vu se multiplier autour de moi les conversions, la vôtre, celles de Jammes, d'autres peut-être que je suis avec mon coeur toutes tremblantes et hésitantes. (...) La parole est comme une semence dont on ne sait pas au juste ce qui naîtra, ni où.»

Pour garder cette image évangélique du semeur, Claudel commence maintenant à semer à gestes larges et bien visibles la parole dont il s'estime dépositaire. Il cherche ainsi à prendre sa place définitive, réalisant ce qu'il expliquait à Gide, le 7 août 1903, de manière encore très théorique :

> «Aucun homme n'est grand par lui-même, mais par l'accord plus ou moins riche, plus ou moins explicatif, qu'il est capable de fournir en «se produisant» à ce qui l'entoure».

---

36. annoncé à Frizeau le 15 novembre comme imminent.
37. à Jammes, 2/12/05.

Deuxième partie

Le développement des campagnes

Chapitre 1

Une seconde partie de la vie

«Cette année qui vient de s'écouler a été importante pour moi. Ç'a été vraiment ce Partage de Midi qui fait le titre d'un drame que vous recevrez prochainement. J'entre dans une seconde partie de la vie dont un chrétien peut envisager sans terreur et, mieux, avec joie, le domaine solennel et nouveau.

La mort ne fait pas tout l'ouvrage de notre libération. je vois devant moi tout un travail de détachement subtil, de connaissance discrète, d'ironie triomphante et supérieure.»[1]

Ces phrases, dont les trois dernières définissent assez bien l'état d'esprit qui préside aux Cinq Grandes Odes, ont été écrites de Pékin, un mois après l'arrivée en Chine. Claudel s'était embarqué avec sa femme le 18 mars 1906, trois jours après son mariage célébré dans l'intimité[2]. Ce troisième départ, cette troisième installation, ne ressemblent pas aux deux précédents. Le nouveau marié (à trente-huit ans, on n'ose dire «jeune marié») est bien décidé à reprendre tout autrement une existence tourmentée et instable depuis longtemps : Soutenu par Philippe Berthelot, il repart pour la Chine avec d'intéressantes promesses d'avancement; après une présentation due à l'abbé Baudrillart, des fiançailles affectueuses et dévotes, il entre par son mariage dans une grande et pieuse famille lyonnaise[3]. Malgré la hâte et la discrétion du mariage, on ne peut rêver meilleur établissement pour le fils d'un petit fonctionnaire de l'enregistrement, promu dans une assez modeste carrière consulaire.

Par ailleurs une carrière littéraire s'ébauche de nouveau : par Gide, Jammes, Fontaine, Mithouard, il voit s'ouvrir devant lui des revues et des cercles peu étendus mais bien placés, attentifs aux nouveaux courants de pensée et d'art. Il y a un groupe de lecteurs de l'Ode *Les Muses* et de *Partage de Midi* qui

---

1. à Arthur Fontaine, 6/6/06.
2. à cause d'une deuil récent dans sa belle-famille, et parce que l'ordre de départ du Ministère l'avait obligé à précipiter la cérémonie.
3. Reine Sainte Marie-Perrin était la fille de l'architecte de la basilique de Fourvières. Voir Louis Chaigne, Vie de Paul Claudel, p. 95.

sont prêts à lui assurer une renommée de grand poète contemporain[4]. C'est un auteur heureux qui écrit à son éditeur, Mithouard, le 24 novembre 1906, pour le remercier de l'édition de *Partage de Midi*, annoncer qu'il travaille aux Odes, et qu'il a plaisir à «manier toutes ces bonnes grosses choses bien réelles» de l'administration de Tientsin[5].

Enfin, en ce qui concerne son action apostolique, il est le directeur spirituel de Frizeau et de Jammes, le confident des recherches religieuses de Gide, de Suarès, et secondairement d'Arthur Fontaine. L'image qu'il donne de sa foi et de sa vie personnelle est désormais assurée, sereine, équilibrée : aux yeux de Gide l'inquiet et de Suarès le tourmenté, il est une figure presque déjà trop parfaite, et inaccessible, de bonheur intérieur.

Un homme qui avait connu Dieu dans le drame et le conflit fait son entrée dans l'Eglise de tout le monde. Un mariage de sagesse, quelques amis, une honnête profession et une certaine célébrité littéraire[6], ce n'est pas le développement d'un destin d'exception ni un exemple exaltant. Etablissons plutôt que ce printemps de 1906 apporte comme en dot au nouveau marié un capital de certitudes qui sont d'ordre divers, mais qui se tiennent pourtant entre elles, qui forment une chaîne à peu près continue, depuis la certitude du catholicisme, en passant par la certitude que l'épisode d'«Ysé» est terminé et qu'il a pour longtemps quelques amis reliés par des choses essentielles. Qu'on relise la *Ballade* datée de 1906[7], qui exprime l'état d'esprit du troisième départ pour la Chine : *Nous ne reviendrons plus vers vous*, dit le refrain. Deux adieux assez brusques, à la «mère» et aux «amis», encadrent un adieu beaucoup plus bouleversé à la femme qui a eu de lui un enfant *qui donnera le nom de père à un autre*. Mais il faut tourner la page :

> «les choses qui ne peuvent être autrement ne valent pas une larme de nous».

En écho, la deuxième Ode, qui célèbre ce troisième retour en Chine, proclame dans sa conclusion :

> «Et maintenant de nouveau après le cours d'une année, (...)
> Je sais que la lutte est finie. Je sais que la tempête est finie !
> Il y a eu le passé, mais il n'est plus».[8]

---

4. Voir dans BSPC 24 les circonstances de publication de Partage de Midi, et p. 3 la liste des destinataires de l'oeuvre. Donnant le 11 mai 1909 à Chapon (BSPC 36, p. 28) la liste des personnes à qui envoyer l'Hymne du Saint Sacrement, il précise : *tout d'abord naturellement Gide, Suarès, Jammes et Frizeau.* Au début de 1909, Claudel étant encore en Chine, Gide, Rivière, Suarès, Fontaine le presseront de faire représenter La jeune fille Violaine, estimant le moment venu de le faire connaître au grand public. Il refusera pour diverses raisons - cf. la Correspondance avec Gide, p. 97, et BSPC 36, p. 29.
5. BSPC 24, p. 6.
6. Le Cardonnel et Vellay, dans leur enquête sur *La Littérature Contemporaine* (Mercure de France, 1905), ont interrogé Claudel (p. 170).
7. *Oeuvre poétique*, Bibliothèque de la Pléïade, p. 426.
8. *Oeuvre poétique*, id., p. 246.

Sans doute ces poèmes expriment-ils, par leur insistance un peu crispée à dire que tout est fini, et par de soudains retours sur une pénitence bouleversée, que l'âme de Claudel restera à jamais labourée par ces cinq dernières années. De plus, un christianisme vécu sur le mode du drame ne va pas se transformer par miracle en une foi paisible de dévot quiétiste. Mais, avec un peu de recul, Claudel sera proprement stupéfait de la facilité avec laquelle se sont résolues les contradictions et les impasses où il se débattait. Il lui paraît à peine croyable de ne pas souffrir davantage des séquelles de la crise qu'il a traversée. Il le dira en 1908 à son nouvel ami Massignon, en termes de spiritualité chrétienne, c'est-à-dire de péché et de grâce :

> «Car moi aussi j'ai grandement péché et cela après ma conversion et cela pendant plusieurs années. Moi aussi j'ai éprouvé ce sentiment d'épouvante en voyant tout le monde frappé autour de moi, et moi seul épargné, accablé de nombreux bienfaits, auxquels je ne réponds, hélas, que par de nouvelles ingratitudes... Pourquoi cette conduite de Dieu à notre égard ?»[9]

Cette période sera donc celle de la sérénité enfin obtenue. Or l'étape importante de ce troisième départ pour la Chine a été préparé par les inaugurations de correspondances que relate la première partie de ce livre, puis par les prolongements qui se mettent en place dans le courant de 1905 et au début de 1906. Après le «coup sourd», l'«irruption» de l'exhortation brusque et pressante, plusieurs correspondances se sont engagées dans des échanges réguliers. Ce sont ces échanges que va examiner cette seconde partie.

Claudel, en 1905, ne s'est pas comporté comme un expert en foi chrétienne qui attendrait les consultations. Il était demandeur, lui aussi. Il lui fallait, impérativement, sortir de l'isolement qui l'avait conduit à deux impasses, celle du monastère sans attrait et celle de l'amour interdit. Il fallait pour cela rencontrer d'autres hommes, mais sur un terrain où puisse jouer le seul désir qui ait contribué à grandir en lui : régénérer et répandre la croyance catholique, dont l'évidence ne l'avait pas quitté.

Il n'a jamais pensé que sa poésie suffirait à la tâche. C'était d'ailleurs contraire à l'essence même du message chrétien que de penser pouvoir le transmettre par de la poésie de théâtre. mais ce dont il s'aperçoit, c'est que la relation qu'il incarne entre cette poésie et le catholicisme, que celui-ci paraisse attirant ou rebutant, produit chez quelques personnes une sorte de réaction d'inquiétude; ils le questionnent, non seulement sur lui, mais sur eux-mêmes, car parler du catholicisme n'est pas une chose indifférente pour un Français cultivé du début du vingtième siècle.

Il veut alors renforcer et prolonger l'effet de cette espèce de contradiction, non en l'atténuant, mais l'avivant. Il veut parler du catholicisme dans

---

9. à Massignon, p. 66, 25/4/09.

la vérité de son dogme et de ses commandements à ceux qui ont aimé *Tête d'Or* et *Connaissance de l'Est*. C'est là que Claudel a trouvé un chemin de vérité pour accéder aux autres et pour, du même coup, résoudre ses propres difficultés. Rencontrer des lecteurs, trouver des amis, convertir des âmes, peut-être ces trois actes sont-ils complémentaires. Mais c'est au prix de certaines exigences pas toujours commodes à concilier, aussi bien chez lui que chez les destinataires. *Mes lettres*, écrira-t-il plus tard à Sylvain Pitt, *prennent souvent un ton qui n'est pas du goût de tout le monde*. L'entreprise en tout cas a besoin de durée. Ce sont les premiers prolongements dans le temps, le passage du choc des premières lettres aux relations greffées sur la continuité, qui vont assurer qu'il y a bien eu un changement existentiel.

Les correspondances proprement dites ont donc commencé dans le courant de 1905 pour Frizeau, Jammes et Suarès, au début de 1906 pour Gide. Claudel était encore en France, il s'appuyait sur elles pour liquider son passé immédiat, tout en finissant d'écrire *Partage de Midi*. Puis en Chine il a éprouvé leur solidité, vu la fidélité réciproque se transformer en amitié, connu et exprimé le désir de faire converser les coeurs par-delà les distances continentales, malgré les délais d'acheminement qui sont de presque deux mois. C'est alors que les campagnes épistolaires vont donner une marque définitive à cette «seconde partie de la vie».

Après les coups d'envoi qui méritaient une étude particulière, les correspondances véritablement constituées en démarches suivies ne comptent pas moins de 148 lettres écrites par Claudel jusqu'en août 1909, date où il a définitivement quitté la Chine. Frizeau en a reçu 29, Jammes 28, Suarès 50. Avec ces trois-là la correspondance de la première année compte pour plus de la moitié du total. Gide, venu plus tardivement, n'a reçu que 7 lettres jusqu'au départ en Chine (sans compter les quelques échanges antérieurs à décembre 1905), et 20 ensuite. Enfin à ce total il faut ajouter un nouveau venu d'importance en 1907, Jacques Rivière, qui recevra de Chine 14 lettres. Les six lettre envoyées à Massignon à partir de 1908 ne forment pas encore un ensemble significatif. Elles seront étudiées avec celles de la période suivante.

Les profils des cinq correspondances principales ne sont donc pas semblables : avec Frizeau, Jammes et Suarès les choses les plus importantes seront dites au moment de la rédaction de *Partage de Midi*, tandis que de leur côté ces correspondants sont encore mal remis d'avoir rencontré l'urgence claudélienne. Les relations avec Gide sont plus étales, plus amicalement sereines, comme vont le devenir les échanges avec Frizeau et Jammes, tandis que le pathétique se condensera de 1907 à 1909 autour des appels tourmentés de Jacques Rivière.

Quinze lettres à Gabriel Frizeau : explications de la foi

Les quinze lettres adressées à Frizeau jusqu'au dernier départ pour la Chine le confirment : la «bienheureuse ignorance» dont se réclame Claudel n'est pas la foi du charbonnier. Et bien que l'affectueuse fraternité de croyants qui s'établit entre eux ne se soit pas dépourvue d'une certaine fadeur dévote, de cette humilité de scapulaire et de chapelet que Claudel exigeait du postulant, celui-ci se nourrit et veut nourrir son ami de modèles religieux plus vigoureux. Recevant de Frizeau une image de Notre-Dame, *charmante avec sa fleur et son petit soulier de bateau*[1], il lui copie en retour des passages de St Grégoire et «quelques autres» déjà notés dans son cahier. La lecture de ce cahier, devenu le *Journal,* montre une vision plus grave et plus profonde des choses chrétiennes. Claudel est impatient d'explorer le mystère. La démarche est vitale pour lui, il a besoin non pas d'expliquer mais de voir, avec les yeux de l'esprit, à l'intérieur de sa foi. Comme Frizeau lui demande, semble-t-il, la même chose, s'étant intéressé à *Connaissance du Temps* et désirant passer de la poésie claudélienne à la croyance totale, les lettres qui lui sont adressées sont le témoignage direct de la manière qu'a Claudel de penser sa foi, cette espèce de figure élémentaire de croyance qui commande beaucoup de choses dans ses oeuvres.

Une oeuvre-mère théologique

L'approfondissement de la croyance est donc un mouvement, une action impatiente. Lorsqu'il annonce, en septembre 1905, la cessation provisoire de ses recherches théoriques, Claudel écrit «j'attends de sentir en moi d'autres inquiétudes à guérir»[2]. Si donc l'ensemble du dogme apparaît, de l'extérieur, comme une certitude immuable pour celui qui vit, à l'intérieur il est une interpellation qui inquiète, et à laquelle on ne répond pas si facile-

1. 13/08/05.
2. 6/9/05.

ment. Claudel en réalité est toujours en train de se débattre avec quelque aspect du dogme. Et s'il s'acharne, c'est parce qu'il estime que ces grandes falaises infranchissables pour la raison sont celles mêmes du destin de l'homme. Pour le moment, ce qui le préoccupe, ce n'est autre chose que le mystère même de la mort, la terrible contradiction entre tout que nous pouvons imaginer de la mort et la certitude chrétienne de résurrection et de survie; c'est l'objet du cinquième chapitre de son *Traité de la Co-naissance*, et ce qui nous paraît une spéculation hasardeuse est pour lui l'approche d'une certitude :

> «J'espère avoir montré comment on pouvait dire que la connaissance même sensible restait en l'âme séparée.»[3]
> «Mon dernier ouvrage m'a soulagé d'un grand doute qui ne me laissait pas de repos depuis longtemps sur l'état de notre connaissance après la mort. Il me semble que je puis maintenant m'en faire une idée telle quelle et cela m'adoucit l'angoisse du *dies tremenda*..»[4]

La vérité que Claudel répète le plus fermement, à savoir la domination de la matière par l'esprit, la permanence de l'esprit avant, pendant et après la vie corporelle, est en même temps ce qu'il cherche à éclairer avec le plus d'acharnement. La certitude entraîne l'action et la bataille de la pensée, non son repos. Le problème de la réalité spirituelle l'assiège, le pousse à d'ambitieux projets concernant l'âme humaine, *rapport répétitif entre l'unité de la créature et l'unité du créateur*[5], le corps mystique du Christ, l'Eucharistie, les «corps glorieux», la réalité des événements historico-mytiques de la Bible. Une cause de l'urgence de cette préoccupation, c'est que la connaissance sensible, la matière, réalités dont Claudel perçoit la vigueur, la présence, la richesse de joie, sont étroitement impliquées dans cette question. Les rapports entre la matière et l'esprit, la signification du récit de la création dans la Bible, la naissance progressive de la matière à l'esprit, tous problèmes pour lesquels il esquisse à Frizeau une théorie, sont pour lui des «inquiétudes», au sens qu'il ne peut pas supporter de douter là-dessus, parce que tout son existence y est engagée. Toute sa poésie par exemple serait anéantie, elle ne serait plus qu'un amusement puéril, s'il n'y avait aucun rapport entre les choses sensibles, l'esprit humain, et Dieu.

C'est pourquoi il scrute de si près la relation établie par le récit biblique, poussant son imagination le plus loin possible dans ce sens :

> «Considérez la matière travaillée par un affouillement par exemple ou par le feu, et vous la voyez ébaucher toutes les formes séminales et animales. Comme un pauvre animal qui essaye de comprendre la voix humaine, comme tous les tons humains se retrouvent dans le discours

3. 19/10/04.
4. 6/9/05.
5. 8/8/05.

des animaux, ainsi au sein des calcaires et des granits on trouve une idée, une ébauche naïve et touchante des formations supérieures. Chacune des paroles de Dieu est comme une Annonciation qui vient féconder le sein de l'«aride», de cette femme stérile dont parlent si souvent les Ecritures; une parole qui fait vie de la vie, et non point de la mort, jusqu'à ce qu'enfin la terre même, l'Adam de terre rouge, finisse par ouvrir les yeux et par proférer une parole, par regarder et par reconnaître son Créateur; que travaillée par l'esprit, elle finisse par allumer l'homme sous le commandement de son Dieu.»[6]

Une telle vision est pour Claudel la garantie du sens de son existence et de son art. L'intérêt est de voir dans ces lettres à Frizeau la révélation faite soudainement à autrui, plus partiellement mais plus spontanément que dans l'*Art poétique*, de cette certitude à la fois inébranlable et constamment réinterrogée : l'existence première et dernière de l'esprit. C'est maintenant pour lui une préoccupation capitale que cette élucidation métaphysique; projet secret, intime, malaisé à expliquer :

«Voilà des choses que je n'oserais jamais dire à un autre qu'à vous !»[7]

Mais il est temps de présenter au dehors, sous un aspect méthodique, des réflexions qui n'apparaissaient encore que comme des intuitions indicibles, une vérité confusément perçue par lui et désignée aux autres par l'oeuvre dramatique et lyrique. Claudel veut maintenant s'avancer sans protection sur le terrain métaphysique et théologique. Ce désir sera plusieurs fois abandonné et repris dans la période qui s'ouvre, parallèlement aux grandes campagnes épistolaires; il procède de la même intention : aller aux autres *réels*, sur un terrain *réel*, car le rapport de l'homme avec la doctrine catholique concerne la réalité de l'existence.

Nous laisserons aux théologiens le soin de juger de la qualité de la méthode claudélienne[8]. Ce qui importe ici, c'est d'abord ce désir d'attaquer de front les «mystères» comme celui de la survie après la mort, qu'au vingtième siècle les croyants les plus assurés abordent avec circonspection, ou laissent évasivement dans le vague. C'est ensuite la certitude de pouvoir et savoir employer les instruments de la raison. Il ne s'agit de rien de moins que de compléter Thomas d'Aquin. On comprend que Claudel hésite encore à formuler cette ambition. Mais elle existe. La poésie ne suffit plus :

«Je me suis efforcé d'éclairer pour moi certains points de la doctrine admirable de Saint Thomas d'Aquin (...) La doctrine du grand Saint sur

6. 6/9/05. L'Idée et les images de ce passage, médiation poétique sur la relation entre Dieu et la matière, sont amplifiés dans *La légende de Prakriti* (1932), *Oeuvre en prose*, pp. 944-969.

7. 20/7/05.

8. Pour le thomisme de Claudel, cf. E. Friche, *Etudes claudéliennes*, Editions des Portes de France, Porrentruy, 1943, 3è partie. Pour son exégèse biblique et la réticence qu'elle rencontre chez les exégètes actuels, cf. Pierre Claudel, *Paul Claudel*, Bloud et Gay 1965, p. 50.

> la connaissance purement intelligible ne me satisfaisait pas, et j'espère avoir montré comment on pouvait dire que la connaissance même sensible restait en l'âme séparée»[9]
>
> «Ce livre[10] n'a pas simplement un caractère de tentative comme la *Connaissance du temps*. C'est une oeuvre didactique et complète, celle aussi où je me suis élevé le plus haut, non point étourdiment et sans savoir comment sur les ailes de l'inspiration, mais par les forces naturelles de l'esprit. Le sentier est difficile, je crois cependant qu'il est accessible à chacun.»[11]

Il n'épuise pas le sujet, annonce des développements futurs, reconnaît qu'il a laissé dans l'édifice *ces* «corbeaux» *qui attendent les constructions futures*, mais ce qu'il dit est sûr, beaucoup plus sûr que ses expressions purement poétiques qui sont inspirées *étourdiment et sans savoir comment*. Son Ode *Les Muses*, il l'appelle, comme en s'excusant, *ma dernière élucubration*[12]. Rien de tel pour les formules de ses lettres. Elles sont reliées de trop près à cet «Abrégé de la doctrine chrétienne» qu'il a envoyé à tous ses correspondants avant de repartir pour la Chine.

Tout ce qui se situe à l'intérieur de ce schéma est sûr. Cela nous amène à retrouver, dans les lettres à Frizeau écrites en 1905 et 1906, la même image de la fermeture féconde qui imprégnait de manière diffuse la première lettre. Ce noyau théologique qui lui est si intime n'est qu'un condensé, abstraitement présenté, de l'amour divin au centre duquel il se trouve. Cette vision engendre des images analogiques à divers niveaux. On trouve dans une lettre celle, chargée d'émotion pour lui, de l'Eglise Notre-Dame de Paris, premier cercle qui l'a enfermé pour l'engendrer à la vie chrétienne :

> «Vous ne doutez pas que mon église soit Notre-Dame, la vieille mère vénérable dans le sein de qui j'ai été conçu une seconde fois. C'est mélangé à ses ténèbres que j'ai reçu l'étincelle séminale et la respiration essentielle. Elle a été pour moi l'asile, la chaire, la maison, le docteur et la nourrice.»[13]

Il y a aussi l'image plus intellectuelle de ses livres de doctrine enfantant son oeuvre future :

> «C'est une oeuvre mère, un livre que je sens plein de livres.»[14]

Nous avons dit que chronologiquement Claudel est allé des formulations confuses et intuitives de sa foi dans ses premiers drames, aux définitions explicites de cette période de prédication. Mais à présent, il peut,

---

9. 19/10/04.
10. *Traité de la Co-naissance*, 2e partie de l'*Art poétique*.
11. 20/7/05.
12. à Jammes, 3/5/05.
13. 15/11/05.
14. 20/7/05.

pour la suite de son oeuvre, imaginer une chaîne génératrice inverse : une oeuvre doctrinale située à la source créatrice, et qui engendrerait les futurs poèmes et les futurs drames. Avec l'aide de la *Somme* de Thomas d'Aquin il a terminé sa démarche d'induction, et possède la cause première à partir de laquelle vont pouvoir s'enchaîner les déductions.

Ebauches du «cercle»

Certainement nous simplifions beaucoup sa représentation en la formulant ainsi; mais il est incontestable qu'il donne maintenant à sa pensée l'allure d'une géométrie bien orientée : non linéaire certes, car le tout est déjà présent et n'engendrera que de nouvelles parties de lui-même, mais concentrique. Cette curieuse géométrie n'a d'autre but que de concilier l'immuable perfection divine et l'incroyable variété des manifestations de la vie, jusqu'aux joies et aux drames qu'elle engendre, qui causent à Claudel un perpétuel bouleversement. Toujours, dans ses explications, revient la double idée d'une certitude fixe à l'intérieur de laquelle rien n'est immobile, tout se rencontre, s'affronte, s'approfondit.

La lettre du 6 septembre 1905 qui est le premier témoin de l'exégèse claudélienne, est toute tendue sur cette figure contradictoire. L'Ecriture prend place dans un dessein précis dont l'Eglise est le porte-parole : *L'Eglise nous oblige à croire* que des faits spirituels indiscutables se sont passés dans l'histoire du monde, avec des conséquences que nous voyons encore; mais c'est avec ardeur que Claudel tire dans la direction qu'il aime. Aussi fait-il ses délices des récits mythiques qui entraînent son imagination analogique — et ce n'est pas par hasard que l'exemple qu'il donne renvoie encore à l'image du cercle fermé et générateur :

> «N'est-il pas admirable de songer à ce beau travail du charpentier Noë, à cette arche bien calfatée, pareille aux industries de fécondation des fleurs aquatiques, à une capsule séminale ?»[15]

A l'intérieur du cercle, à condition d'être mu par une inquiétude amoureuse et non par la plate suffisance des professeurs «compilateurs», les découvertes sont inépuisables. Le chrétien qui lit l'Ecriture, le poète qui interroge les images du monde, sont des imitateurs et même des collaborateurs de Dieu créateur. Dans tous les domaines à explorer ainsi *la création est fermée, elle n'est point finie*[16]. Sur une demande d'éclaircissement de Frizeau, Claudel s'est lancé avec enthousiasme dans une ébauche de présentation du premier livre de la Bible, parce que c'est le plus difficile, donc le plus riche, le plus prometteur de découvertes, et parce qu'il forme avec le

15. 6/9/05.
16. 6/9/05.

dernier, l'Apocalypse, dont il se rapproche, les deux clés d'ouverture et de fermeture du cercle. Il se contente ici de citer l'Apocalypse. On sait que plus tard il l'«interrogera» à loisir. La Genèse et l'Apocalypse, c'est-à-dire l'alpha et l'omega de la certitude, sont en même temps les plus indéchiffrables amoncellements d'idées et d'images à explorer. Claudel y voit la plus féconde tension qui puisse nourrir sa foi.

Figure de la paix chrétienne

Ainsi dévoile-t-il pour Frizeau, et pour lui seul, les bases de sa croyance. Nous verrons qu'avec Jammes, Suarès et Gide il se tient plus loin du centre, ayant affaire à des hommes qu'il estime incapables encore d'accueillir la doctrine entière et abrupte, et la révélation écrite de sens difficile. L'intuition qu'il a eue à l'appel de Frizeau, que cet homme était en train de refaire son propre chemin, s'est révélée en partie exacte. Avec lui il pouvait tout de suite aller à l'essentiel, simplement en disant fortement ce qui pour lui était l'essentiel. Il en a été justifié par le retour de Frizeau à la foi catholique, apprenant d'abord par Jammes combien sa première lettre l'avait bouleversé, puis trouvant à son retour en France un croyant et pratiquant assuré. Frizeau alors lui confirme combien cette lettre l'avait intimement remué, et avait complété l'effet de sa poésie :

> «cette joie de vous avoir chez moi comme un parent, comme un frère aîné; pas un jour n'est passé depuis votre lettre (et bien avant) sans que j'aie pensé à vous. C'est si puissant que je n'ai jamais su comment le dire, même pour vous remercier.»[17]

C'est la facilité de leurs rapports, l'amitié simple qui désormais les relie, qui produit ces confidences, non sur la vie mais sur la pensée et la croyance. Frizeau n'est plus à convertir, et les lettres qui lui sont adressées n'ont plus l'insistance, la pression, la secrète tonalité d'émotion dramatique de la première, et de celles que reçoivent Suarès et Gide. Il n'y a plus à mener de combat contre un autre, combat sans joie et souvent décevant, mais seulement à montrer quelques aspects de ce débat intérieur de chacun avec la joie chrétienne, débat inépuisable et encore tendu mais qui ne cesse d'engendrer un sentiment de plénitude et de satisfaction.

Tout cela rend la correspondance avec Frizeau assez décevante en tant qu'oeuvre à publier, en tant que spectacle portant en lui-même son dynamisme dramatique. Il n'y a plus rien à conquérir, plus rien à attendre. Il semble d'ailleurs que Claudel lui-même s'en soit rendu compte. Apprenant en France que Frizeau est définitivement converti, il l'en félicite en ces termes qui marquent aussi une sorte de déception :

---

17. de Frizeau, 9/6/05.

«mais qu'ai-je maintenant à vous dire ?»[18]

Heureusement Frizeau a encore besoin de lui, simplement comme nourriture courante, si l'on peut dire, et avec une immense joie, et fierté intérieure, d'avoir comme ami celui qu'il admirait naguère de si loin. La capacité d'admiration et de reconnaissance de Frizeau pour Claudel est infinie et constamment renouvelée; toute la qualité de cette admiration est dans sa sincérité, et dans la modestie qui l'accompagne. Frizeau a une fois cette belle formule :

«Pour moi, dans ce drame que nous vivons où vous êtes le Protagoniste, je suis comme le choeur antique dans le décor vivant.»[19]

Il renvoie exactement à Claudel sa pensée, accompagnée d'une preuve enthousiaste de son efficacité. Tout ce que lui donne cet ami intimidant lui est, pour reprendre ses termes, forte nourriture, bonheur, trésor, ravissement. Dirons-nous que nous sommes déçus ? Sans nul doute on préfère plus ou moins consciemment voir s'affronter des personnalités; et surtout Frizeau n'est pas un écrivain. Son enthousiasme est un peu gauche, monotone et conventionnel dans ses exclamations.

Mais pour l'histoire de la pensée et de l'attitude de Claudel cet homme a une grande importance. D'abord parce qu'il est l'un de ceux qui lui ont fait découvrir l'amitié, même si cette amitié n'est pas entièrement détendue, évoluant toujours dans un climat de ferveur dévote, dévotion chrétienne et dévotion... pour Claudel :

«Mon esprit est tellement lié au développement du vôtre !»[20]

Ensuite parce qu'il est la clé exacte qui permet à Claudel d'ouvrir sur l'extérieur certaines parties importantes de sa vie intérieure. Frizeau le lui écrit :

«Merci de partager fraternellement avec moi ce trésor que vous avez amassé dans votre coeur et votre génie.»[21]

Enfin Frizeau va représenter pour Claudel un modèle d'homme auquel il aspirera confusément à ressembler, pour sortir de la crise qu'il vient de traverser. Nous avons vu que Jammes le peignait comme un de ces viticulteurs girondins *devenus bourgeois, solidement nourris, carrés, posés, conservateurs par essence, ils possèdent, comme leurs vins, une solide étoffe.*[22]. Frizeau dépassait le genre évoqué par ce portrait, grâce à un grand appétit de culture, une finesse et une ouverture artistique rarissimes dans son milieu, «le seul

18. 14/6/05.
19. de Frizeau, 23/10/05.
20. de Frizeau, 2/9/05.
21. de Frizeau «mecredi», sept 05.
22. cf. plus haut, p. 160.

juste de Sodome», disait son ami et protégé André Lhote[23]. Extrêmement disponible, aimable et discret envers les écrivains et les artistes qu'il aimait, il était autre chose qu'un mécène de province naïf ou fat. Mais enfin il n'avait rien d'un inquiet. Ni son christianisme ni son amour de l'art moderne ne semblent l'avoir rendu honteux ou gêné de son état, selon le schéma, plus ou moins mauriacien, vulgarisé et partout appliqué depuis. Son exigence philosophique et religieuse est indéniable, mais une fois satisfaite par son retour à la foi et les vigoureuses assurances de Claudel, elle ne se développe que dans le cercle intime de ses lassitudes physiques et morales, de sa vie familiale, de la contradiction entre certaines de ses admirations. Les colères de Claudel l'effarouchent, par exemple sur le salon de 1905 :

> «Vous me parlez avec bien du mépris de Salon d'Automne (...) l'on m'affirmait que de tous les Salons ce furent les plus intéressants (celui de l'an dernier notamment). Cela est bien triste»[24].

D'ailleurs Claudel réserve en général à d'autres qu'à lui ses accès de rage. Il aimait les artistes, mais non leurs batailles, leur offrant plutôt, selon leur témoignage unanime, l'égalité d'âme qui leur manquait *Si l'intelligence tend à l'équilibre, écrit encore Francis Jammes, je ne sais pas d'homme plus intelligent*. Aussi bien par ses admirations artistiques que par sa foi, sa famille, et semble-t-il sa situation sociale, Frizeau peut être qualifié de «satisfait» à condition d'enlever au mot toute valeur péjorative.

Or, Claudel est pour une part de lui-même en recherche d'un équilibre et d'une satisfaction. Nous ne parlons pas de sa foi, dont la «monstruosité», comme il dit, est loin d'être reposante. Nous parlons d'un besoin d'existence équilibrée, d'honorabilité bourgeoise, qui lui a fait fuir les artistes parisiens pour s'engager dans une carrière de fonctionnaire administrateur, qui lui a fait aimer le paisible Mallarmé, apprécier Pottecher retournant faire du théâtre dans sa famille de notables vosgiens. Il est assez fier de l'amitié récente de Berthelot, de Francqui, du «bout du ruban» dont il est décoré[25]. Mais jusqu'à présent il n'arrivait guère à concilier ce besoin d'équilibre avec l'exubérance de son inspiration et l'altérité radicale de sa foi, dans le monde qu'il fréquentait. D'autre part, il vient de vivre une aventure qui a balayé toute respectabilité...

Or, voici que le premier qui vient à son oeuvre et à sa foi avec une âme ouverte et naïve est un bourgeois aisé, respectable, un époux aimant, un père affectueux, bientôt un bon chrétien pratiquant, un homme sans problème et pourtant intérieurement sensible, exigeant pour lui-même, croyant en la force spirituelle de l'art. Ce modèle est le premier et le plus attachant d'un

---

23. cité par André Blanchet, introduction à la Correspondance, p. 17.
24. de Frizeau, 23/10/05.
25. à Suarès, 29/6/05.

milieu de tradition bourgeoise et chrétienne où Claudel entrera bientôt en épousant Reine Sainte-Marie Perrin; il connaîtra de l'intérieur les défauts de ce milieu[26] mais aussi les qualités qui correspondent à son besoin de certitude. Frizeau alors n'est plus le disciple un peu effacé, mais un maître sans le savoir. C'est en lui écrivant qu'il parle d'un équilibre intérieur retrouvé :

> «après cette longue crise de quatre ans, je me sens débordant de force et d'idées, il me semble que j'ai dix-huit ans et que ma vie vient tout juste de commencer.»[27]

En annonçant son mariage, c'est aussi à Frizeau qu'il avoue son rêve de vie calme :

> «J'ai eu à ce moment pour la première fois une espèce de vue de la fin de ma vie, et de ces heures où le soleil sans avoir perdu de sa chaleur a perdu de son venin. Je suis arrivé au tournant et j'ai vu le reste de la route fuir droit jusqu'aux portes éternelles.»[28]

Cet ami récent est entouré d'une sorte d'*aura* apaisante. Et plus précisément et profondément Claudel reconnaît le rôle discret mais certain du modèle de Frizeau et de son épouse dans le chemin qui l'a conduit de la rupture avec «Ysé» à ses fiançailles et à son mariage : *Puisse le ciel mettre autant d'union, d'amour et de sincérité dans la famille que je vais fonder que dans la vôtre.*[29] Pouvoir dire avec abandon, avec une affection toute simple, ces phrases d'apparence bien banale, c'est une joie nouvelle pour Claudel. Avec le recul on voit naître autour de Frizeau, dans le contraste entre les «choses essentielles» qui les lient, qui sont l'immense et tumultueuse poésie qui les a fait se rencontrer, et la douceur facile et honorable de leurs relations, une source d'énergie nouvelle dans l'inspiration claudélienne : la volonté d'incorporer à sa vision universelle la sainteté paisible, la paix familiale, l'amour de fidélité, béni et heureux.

26. cf. Louis Chaigne, *Vie de Paul Claudel*, p. 95.
27. 19/10/05.
28. 28/12/05.
29. 7/1/06.

Chapitre 3

Dix sept lettres à Francis Jammes, entre Orthez et Villeneuve

D'avril 1905 à mars 1906, il reste 17 lettres de Claudel à Jammes (les réponses de Jammes ont disparu). On peut y suivre la naissance et l'affermissement de leur amitié, dominée par deux événements importants : leur rencontre dans le Sud-Ouest à deux reprises, début juillet et fin août, et l'audition par Claudel de *l'Eglise habillée de feuilles*, lu par Gide, chez Arthur Fontaine le 30 novembre 1905. Le premier événement est placé sous le signe de la dévotion chrétienne, de Frizeau, de la mère de Jammes et de Lourdes; le second sous le signe de la vie littéraire et de la tentative de convertir Gide. Entre les deux, se situe ce que nous appellerons le signe de Villeneuve, car c'est dans les moments de solitude dans la maison familiale de Villeneuve, à l'automne, que Claudel est le plus violemment accablé, voire déprimé, par les conséquences de sa mésaventure sentimentale et de ses derniers développements. Tout n'est pas en réalité, aussi nettement polarisé sur ces trois moments; mais nous pouvons regrouper autour d'eux les principaux mouvements de pensée qui circulent dans ces dix-sept lettres. Le retour définitif de Jammes à la foi catholique est l'un des ressorts de leur correspondance désormais. Nous avons vu les entretiens sur les poèmes de Jammes devenir des entretiens sur le christianisme. Désormais c'est ce second aspect qui va l'emporter. Les lettres préparent, puis commentent une participation au pèlerinage national de Lourdes, dans la deuxième quinzaine d'août. Il est question ensuite du cadeau «de parrain » fait par Claudel à Jammes de *l'Année liturgique* de Dom Guéranger, puis de prières au moment des fiançailles de Claudel dans l'hiver qui suit. En partant pour la Chine sans pouvoir le revoir, il écrit à son ami : «Je vous laisse avec Dieu». Nous ne ferons pas le compte de toutes ces invitations à la piété, mais nous essayons tout de même d'en tirer quelques conclusions qui nous paraissent intéressantes pour la connaissance de Claudel et du Claudel poète.

Une foi sans théologie

La première remarque, c'est que le sujet religieux, entre Claudel et Jammes, est limité à de brèves exhortations à la prière ou à la fidélité, appuyées sur des figures populaires comme le Curé d'Ars et François d'Assise, sur la dévotion à la Vierge et surtout à celle de Lourdes. Lourdes, proche d'Orthez, était bien connu de Jammes qui y avait plusieurs fois accompagné sa mère. On peut même dire que c'est Jammes qui a initié Claudel au «fait» de Lourdes, plutôt que le contraire : religion de pèlerinage, qui est faite de gestes publics et d'adhésion populaire. Elle oblige à la simplicité du coeur et humilie quelque peu l'esprit. Tel est le climat des relations entre le nouveau converti et son «parrain». Les sujets religieux, entre eux, ont quelque chose de concret, de positif. Ici, Claudel ne se livre à aucune de ces démonstrations apologétiques, à aucun de ces approfondissements théologiques, qui allongent tant les lettres envoyées à Frizeau, à Suarès et à Gide. Claudel sait qu'il n'a pas affaire à un esprit philosophique, mais plutôt à un pauvre de Dieu spirituellement parlant, très attaché à la simplicité un peu nonchalante de sa pensée, de sa vie, de sa poésie. Jammes s'est converti tel qu'il était. Ce moment de leur rencontre à Orthez et dans la région, qui a tant compté pour eux par la suite, n'a sans aucun doute pas été rempli de longues et ferventes conversations sur la foi. Dans *les Caprices du Poète* Jammes, s'il analyse avec émotion les grands traits psychologiques de son retour à l'Eglise, dit simplement *Claudel et le plus paternel des bénédictins m'instruisirent*; mais rien n'indique que Jammes ait cherché, avec l'aide de l'auteur du *Traité de la Co-naissance*, à se construire un système de croyance; dans le récit de sa conversion écrit en 1913[1] il présente *la plus piètre, la plus obscure des conversions* comme une humble démarche qui pouvait être prise pour de la faiblesse :

> «Vous savez, mon cher père spirituel, et vous, mon frère qui avez débarqué de Chine durant ces grands jours de chaleur blanche de la Fête-Dieu, vous savez que je suis devenu fort; vous savez que lorsque tant de faibles criaient à ma diminution, je continuais ma tâche sans me troubler.»

En 1900, Jammes avait été peu attiré par les déclaration définitives de Claudel sur sa foi catholique. Il semble que leur rencontre spirituelle de 1905 ait été au contraire d'autant plus profonde qu'elle s'est effectuée grâce à des actes, des attitudes concrètes qui ont d'elles-mêmes produit l'accord qu'ils cherchaient : le fait que Claudel ait fait le voyage d'Orthez, des lectures des poèmes de Jammes, de longues promenades à pied, la présence généreuse et attentive de Jammes à la vie, aux actes d'Orthez, qui a tant édifié Claudel[2], les

1. cité dans la *Correspondance*, p. 372.
2. article de 1912 sur Jammes, *Oeuvres en prose*, Bibl. de la Pléïade, p. 543.

gestes du pèlerinage, les gestes et paroles essentiels des sacrements auxquels revenait Jammes. Selon leurs souvenirs respectifs ces rencontres pyrénéennes furent gaies, actives, détendues, comme Jammes savait l'être avec ses amis, malgré des causes secrètes de souffrance sentimentale. Après de tels prémisses Claudel fut décontenancé quand Jammes remit un peu légèrement, à son avis, un rendez-vous qu'ils avaient pris à Eaux-Chaudes, il avait renoncé à revoir son tuteur spirituel pour je ne sais quelle famille dans *je ne sais quel Gers*[3], Jammes put s'excuser mais il n'en restait pas moins, écrivait Claudel à Frizeau, *une chèvre, et qui dit chèvre dit caprice, tout mené par le souffle et l'impulsion*[4]. Une autre remarque se rattache à cette détente survenue maintenant dans leurs échanges. Une fois que Jammes a montré, par des gestes qui l'engageaient, la solidité de sa foi, Claudel ne cherche plus à l'avertir du caractère abrupt et «séparé» du catholicisme; on peut penser qu'il estime que son rôle d'introducteur au christianisme est terminé, que Jammes étant peu accessible aux grandes investigations intellectuelles il n'y a guère lieu de lui parler doctrine. Au contraire c'est lui qui découvre auprès de Jammes une forme de foi plus populaire, peu exigeante en idées et en démonstrations, et pourtant courageusement humble, plus prédicante que celle des théologiens par ses gestes essentiels. On peut avancer que la foi simple du culte des saints et des dévotions naïves, qui va se développer peu à peu dans l'univers poétique de Claudel jusqu'à la figure de Rodrigue accrochant à ses haubans les «feuilles de saints» qu'il peignait, Claudel l'a découverte et pratiquée dans ses relations spirituelles avec des hommes comme Jammes.

Cette attitude a quelque chose d'anti-poétique, nous voulons dire que toute cette dévotion et ces paroles de piété si prosaïques, si décevantes pour le critique qui cherche dans la correspondance entre Claudel, Jammes et Frizeau un style de grand poète et n'y trouve que des récitations de chapelets, se veulent délibérément le reflet d'autre chose que de la poésie, et marquent de la méfiance pour les illusions que peut créer l'esthétisme. Mais en même temps elles obligent le poète chrétien à chercher un autre art, qui intègre la naïveté et le prosaïsme. Claudel a été à la recherche du prosaïsme à divers moments de sa carrière poétique. Il a admiré dans ce domaine la réussite de Jammes. Nous insistons encore sur le sens dans lequel se font les influences, entre ces deux hommes. Claudel a donné à Jammes la secousse brusque dont il avait besoin pour aller jusqu'au bout de son christianisme, et lui donnera ensuite le soutien d'une autorité discrète et amicale. Mais Jammes a donné à Claudel beaucoup plus : la rencontre féconde d'une manière détendue, accueillante, quotidienne, d'être chrétien et d'être poète : attitude qu'il lui semblera de plus en plus nécessaire d'incorporer à la sienne.

---

3. 21/7/05 cf. p. 95.
4. 8/8/05.

Le «jammisme» converti

Nous avons parlé d'un deuxième rôle dans les relations entre les deux hommes, cette année-là. Il s'agit d'une reprise de la lecture des poèmes de Jammes par Claudel, qui a culminé avec l'audition de *L'Eglise habillée de feuilles* chez Fontaine à la fin de novembre. On sait que Claudel a reçu de Jammes deux livres, en octobre, qu'il avait déjà «écoutés» sans doute à Orthez. On peut penser qu'il s'agit de *Tristesses*, et de *Le Poète et sa femme*, qui rejoindront *L'Eglise habillée de feuilles* et quelques autres dans le recueil *Clairières dans le Ciel* en 1906[5].

Le jugement sur ces deux livres nous ramène à la joie naturelle que livrent les poèmes de Jammes, mais cette fois sans réticence. Ce qui est singulier, c'est que Claudel n'ait pas relevé dans ces poèmes l'écho des graves crises sentimentales que traversait Jammes, et qui laissent une forte marque de lassitude et de souffrance d'un coeur blessé, mais la joie triomphante des choses de la campagne qui y reste toujours, et presque, pourrait-on dire, malgré Jammes, ou du moins malgré son abattement présent :

> «Et je vous vois en même temps comme une grosse bête à miel bourdonnante dans la maison sombre et creuse avec le monde sacré tout autour qui n'en peut plus de silence, et d'or, et de son propre jus, comme une jeune mère qui a mal aux seins — plein d'industries inexplicables et divines. La nature est si belle qu'il fallait bien qu'il y eût quelqu'un à la fin pour parler avec des paroles dont le sens est consécutif à leur goût, comme l'ivresse au vin.»[6]

Claudel tire Jammes vers la joie, une joie «sacrée», «divine», et marquée d'un caractère de trop-plein, d'excès, d'ivresse. C'est la joie des *Grandes Odes*, jamais paisible, toujours du feu et de l'ébranlement.

La lettre écrite après la lecture de *l'Eglise habillée de feuilles* est d'un enthousiasme beaucoup plus explicite, mais d'un lyrisme moins dense, moins expressif pour qui attend de Claudel une charge poétique secrètement explosive. Il cherche sans doute ici à établir trop clairement et trop rapidement l'effet de la conversion de Jammes sur sa poésie, et semble arriver à cette constatation, qu'il a suffi que Jammes fasse le geste de sa conversion, s'y engage devant témoins par le retour aux sacrements, pour qu'aussitôt Claudel puisse porter au crédit de la foi la plus authentique des attitudes poétiques devant lesquelles il était naguère assez réticent, lorsqu'elles se prétendaient chrétiennes. Il suffit, en fin de compte, de savoir par une référence extérieure au poème que ce poème peut symboliser un sens religieux, pour que ce sens religieux apparaisse avec évidence. C'est le non-poétique, la vie réelle et l'attitude d'engagement à Dieu qui garantissent la

---

5. Cf. R. Mallet, Francis Jammes, sa vie…, p. 225-7.
6. 14/10/05.

dimension sacrée du poétique, la désignation symbolique du sacré. Claudel n'a cessé de dire cela de diverses manières, et la relation qu'il établit, par ses entreprises de correspondance, entre le poétique et la foi réelle, est la principale de ses manières :

«Quel fils vous avez rendu à notre vieille mère Eglise ! J'admirais ce que vous-même ne pouvez peut-être bien voir, l'usage que Dieu a commencé à faire de vous et l'art avec lequel il sait se servir de cet artiste. C'est tout l'ancien Jammes qui a pris une grandeur, une vie, et une dignité nouvelles parce que derrière lui se trouvent les régions éternelles. Par exemple *Par la flamme qui cuit le souper noir du pauvre* : voilà un vers de l'ancien Jammes; oui, mais il est employé à propos de la Pentecôte, ce qui lui donne un caractère nouveau de gravité et de mansuétude.»[7]

Quinze jours plus tard, relatant à Frizeau la soirée chez les Fontaine, il décrit exactement la même chose :

«Nous avons un nouveau Jammes, et l'ancien subsiste essentiellement avec derrière lui un autre paysage qui donne toute leur valeur aux «figures», non plus le petit monde plat à deux dimensions des poètes incroyants du dernier siècle, mais l'univers réel et complet, visible et invisible comme dit le Credo. Par exemple : *Par la flamme qui cuit le souper noir du pauvre.*

Voilà un vers de l'ancien Jammes : oui, mais c'est dit à propos de la Pentecôte.»[8]

En réalité, derrière une sorte de position de principe qui commence à pouvoir être justifiée, Claudel continue à résister à certains aspects de la poétique de Jammes :

«J'aurais bien voulu qu'il renonçât aux dernières traces du goût décadent, comme les «cantiques bleus» etc. Mais vous savez qu'on ne peut rien dire à un poète.»[9]

Mais ce n'est plus la peine de mettre cette réticence au centre de ses jugements, il peut maintenant se livrer à l'émotion «un peu trop tendre» de Jammes. Arthur Fontaine rapporte qu'il a pleuré à cette lecture publique. Cette lettre montre bien qu'il n'a pas pleuré seulement à cause de la poésie de Jammes, mais à cause de la rencontre de cette poésie et d'un geste chrétien; rencontre certainement conflictuelle («quand je pense à tout ce que Dieu exige d'un coeur où il est entré de gré ou de force», écrivait-il le 24 octobre 1904) mais féconde :

«Je vois votre livre comme un rond-point d'où divergent de toutes parts les grandes avenues que vous allez parcourir.»[10]

7. 1/12/05.
8. 16/12/05.
9. 6/9/05.
10. 1/12/05.

Claudel donc reste extrêmement intéressé par l'expérience poétique de Francis Jammes. Il lui a écrit après la comparaison que nous avons citée avec une «grosse abeille bourdonnante» :

> «J'ai amassé des remarques sur votre vers et votre rhétorique, mais je n'en dis rien, sachant que vous méprisez les questions techniques.»

Il voudrait trouver là certains accents à incorporer à son propre univers. Mais il n'y a plus lieu maintenant de parrainer Jammes dans les conflits avec Dieu et les humiliations avec les hommes que sa foi catholique va certainement lui procurer, si elle est authentique. N'est-il pas maintenant majeur dans sa foi ? Ainsi s'explique la disparition des rappels au sacrifice, au «feu» et à la «forge».

Communauté de souffrances

Au demeurant, il n'est pas besoin de se rendre délibérément vers un lieu de sacrifice. Car le sacrifice vient à eux, sous la forme de la souffrance affective. Voici en effet le troisième aspect de leurs relations : ils s'aperçoivent qu'ils sont sur un pied d'égalité par des échecs analogues vis-à-vis de l'amour d'une femme. Ainsi, pour Claudel, celui qu'il considérait avec un peu de méfiance, du haut de ses combats intérieurs, va se révéler un frère en humiliation. C'est lui qu'il va le plus faire entrer dans la confidence de la réalité qui a tant modifié sa conception encore bien théorique du sacrifice.

Jusqu'en 1905 Claudel ne connaissait de Jammes que le poète, et encore, du poète, n'avait-il retenu que le chant des joies naturelles : *Je vous croyais un homme heureux et si bien fait pour jouir des belles et bonnes choses de ce monde...* Il continuera à le penser et à le dire, que ce soit dans la lettre du 14 octobre que nous avons citée, ou, vingt et trente ans plus tard, dans ses différents «saluts à Francis Jammes»

> «Et miracle ! voici que dans un coin de France il nous est né un poète parfaitement content de son sort.»[11]

Il avait pourtant relevé dans *l'Angélus* et *Clara d'Ellébeuse* le «pathétique des humbles choses», mais c'est plutôt pour reprocher à Jammes de glisser sur les souffrances, de leur retirer leur caractère de scandale irréductible, de les noyer dans une vertueuse effusion à la Rousseau, ou de se croire quitte avec un «pourquoi cela ?» vaguement sceptique qui ne l'empêchait pas de batifoler vers d'autres plaisirs.

Or il avait lu de Jammes, en 1904, *j'ai tellement souffert depuis quelques mois* et il a appris en 1905 les échecs de ce perpétuel prétendant et demi-fiancé; celle qu'il appelait «Mamore», qu'il avait le plus aimée, n'avait pas osé

11. article cité, *Oeuvres en prose*, p. 541.

enfreindre, en 1904, l'interdiction paternelle pour le suivre. Cette jeune fille étant très pieuse, et envisageant même très romantiquement d'entrer au couvent, Jammes avait reçu de plein fouet le conflit de la foi telle qu'il l'entendait, où la piété filiale complétait l'amour de la nature et la simplicité de coeur, avec l'amour tel qu'il l'entendait aussi, où la chasteté n'a de sens que si elle s'épanouit un jour en communion des sens. L'entente est impossible, il ne reste que la détresse d'un coeur humilié et l'espoir amer d'une foi chrétienne où le croyant, *privé de tout espoir humain, embrasserait sur son coeur la foi avec le même amour dont il vous eût tenue.* Cette phrase est d'une «Méditation sur la Foi» publiée par Le Gaulois du 9 octobre 1904 et dédiée à «une jeune fille» qui n'est autre que la fiancée perdue[12]. Jammes entrevoit un salut dans la foi, mais ce salut ne peut passer que par l'acceptation définitive de l'échec amoureux — qui sera à peine obtenue au moment de la conversion de 1905, comme en fait foi une allusion discrète de Claudel à Madame Jammes après sa visite. Croire, c'est d'abord mourir :

«Mon amie, le seul banquet de fiançailles où l'homme se rassasie pleinement, c'est celui de la Mort et de la Foi»[13]

Claudel, lorsqu'il lui envoyait son image peu engageante du chrétien broyé par le malheur comme Job, et persécuté jusque par Dieu, n'en savait pas tant et pensait surtout à lui-même. On imagine alors son émotion, au fur et à mesure qu'il apprenait la détresse de Jammes. C'était plus qu'une compassion pour un ami qui faisait appel à lui, plus que l'aide d'un chrétien qui ne pouvait prêcher le passage par la mortification sans montrer qu'il la partageait. Ces éléments y sont mais il y a davantage une ressemblance, une affinité : Jammes est poète, comme Claudel. Ils ont le même âge, ils sont tous les deux des célibataires de près de quarante ans, conscients d'être arrivés à une étape décisive. Jammes vient de souffrir par une femme à qui il avait tenté de faire comprendre sa vision poétique de l'existence, et l'on sait, par *Partage de Midi* que Claudel-Mesa avait investi follement, dans son aventure avec Ysé, tout son univers personnel; enfin, et c'est peut-être le principal, Jammes dans sa détresse ne cesse pas de posséder, dans son jardin d'Orthez,le pouvoir de regarder le monde avec des yeux innocents et d'exiger de lui une nourriture quotidienne pour son enthousiasme. Claudel ne cessera pas de le lui répéter.

C'est pourquoi ses lettre comportent ce mélange d'abandon joyeux, de bonne humeur, et d'intimité très profonde :

«J'ai reçu une lettre sévère et bien appliquée du P. Caillava, à qui j'avais écrit. Cela m'a fait du bien. C'est assez de pleurnicheries. Mais quoi ? Combien de temps mon courage va-t-il durer ?»[14]

12. R. Mallet, op. cit. pp. 229-230.
13. Cité par R. Mallet, ibid.
14. 19/9/05.

démuni et trop désemparé pour pouvoir me passer de la vôtre. C'est avec beaucoup de peine que je me suis passé même de votre présence.»[19]

Enfin, c'est Jammes qui a la confidence du scrupule de Claudel au sujet de *Partage de Midi*[20]. Il craint du P. Caillava une réponse négative, un conseil de ne pas publier un drame qui ferait scandale, et il espère sans doute de Jammes une compréhension de poète : celui-ci connaît le besoin d'un poète de transposer dans une oeuvre les déchirements d'une passion. Sa *Clara d'Ellebeuse*, son *Adélaïde d'Etremont*, ont des visages empruntés à la réalité. Mais plus encore *Le Poète et sa femme*, publié dans l'été 1905 représente très directement la dernière déception. Rappelons que ce long poème se présente sous une forme dramatique, chose rare chez Jammes. C'est encore se rapprocher de Claudel, qui tiendra plus tard *le Poète et sa femme* pour le chef-d'oeuvre de Jammes :

> «C'est pendant cette période que Jammes écrit quelques-uns de ses plus beaux poèmes, en particulier ce chef-d'oeuvre qu'est *Le Poète et sa femme*.»[21]

Telle était l'image de Jammes dans laquelle Claudel mettait beaucoup de lui-même : un homme en crise, mais une crise positive, tournée vers le salut; un baptême dans la souffrance, d'où émerge une sérénité encore menacée.

---

19. 15/8/05.
20. 19/9/05.
21. cité dans la *Correspondance*, p. 370.

Chapitre 4

Lettres de Chine à Frizeau et Jammes : *Je sais que vous êtes en Dieu avec moi*

Le départ en Chine de mars 1906 ne se fera-t-il qu'avec Frizeau et Jammes comme compagnons de pensée et de vie spirituelle ? Eux seuls sont les véritables amis de Claudel, parce qu'ils ont partagé avec lui non seulement la «faim de Dieu» et la nostalgie d'une perfection, mais la découverte de la nourriture qui leur manquait dans la foi et les pratiques catholiques. Ce ne sont pas seulement des idées, des recherches ou des solutions théoriques qu'ils ont mises en commun dans leurs lettres et leurs conversations, ce sont des gestes qu'ils ont accomplis ensemble ou parallèlement, ce sont des attitudes prises devant leurs amis, leur famille, et dans leur rôle social. Il y a eu en 1905 les merveilleux moments du retour à la foi catholique de Gabriel Frizeau, puis de Francis Jammes, doublés de la naissance d'une amitié à trois, totale et sûre, plus fervente et approfondie avec Frizeau, plus épisodique mais gaie et affectueuse avec Jammes. Modèle de plénitude dans l'expérience de la relation à autrui. A cette époque du moins les deux correspondants du Sud-Ouest vont faire figure de modèles dans l'esprit de Claudel. Sans qu'ils soient nommés, c'est leur démarche qui est proposée à Gide et à Suarès, qui le sera à Rivière. Chrétiens assurés parce que fortifiés par des épreuves et des doutes, croyants de même nature, confidents qui donnent et reçoivent efficacement les idées et les sentiments parce que tout est garanti par cette grâce de l'Eglise, aussi objectivement concrète et efficace pour Claudel que la garantie d'une banque : ils peuvent être appelés des frères dans les moments d'effusion, et au moins des amis complets.

La première lettre envoyée à Frizeau, de Chine, est assez tardive : 30 septembre 1906. Claudel est à Tien-Tsin depuis juillet, il a été très occupé par son installation domestique et professionnelle. Mais avec Frizeau, malgré l'éloignement et le retard, il y a toujours quelque chose d'efficace et de profond à dire. L'attaque chaleureuse de cette lettre introduit l'expression d'une intimité de pensée, rendue possible par la possession commune de la même clef, et peut-être plus complète encore du fait de l'éloignement, car *où la matière ne sert point vaut et va la parole subtile — Qui est moi-même avec une intelligence éternelle*[1]. Ces lignes expriment ce qu'est pour Claudel la plénitude mystique dans la relation sociale, plénitude qui ne se démentira pas et qui sera l'une des composantes du «cercle» de bonheur spirituel dans lequel Claudel pensera se mouvoir dans les années qui viennent :

> «Bien cher ami, comment ai-je pu rester si longtemps sans vous écrire et sans recevoir de vos nouvelles ? Croyez du moins que je passe rarement un jour sans penser à vous, et sans sentir avec moi votre présence et votre amitié. Peut-être simplement cet éloignement ne fait-il que nous mettre au point, de sorte qu'il ne reste plus de nous que l'âme seule, comme d'une étoile sa lumière. Pourtant écrivez-moi, et dites-moi ce que vous faites et pensez. Je sais que vous êtes en Dieu avec moi, quel mal peut-il nous arriver désormais ? Qu'il vous donne son esprit, et dans un corps vigoureux une âme joyeuse et tonnante !»

Que dire de plus des relations entre Claudel et Frizeau ? Entre eux il ne s'engage aucune *action*, c'est-à-dire que Frizeau n'offre aucune résistance, aucune occasion de reproche ou de persuasion, aucun de ces désaccords qui déclenchent des évolutions fécondes. Les lettres de Frizeau sont des commentaires admiratifs de la pensée et de l'oeuvre de Claudel. Il aime que celui-ci s'explique sur son oeuvre, annonce ses projets, commente ses lectures, et souvent Claudel devance ses demandes, prenant plaisir à se confier à cet ami fidèle et profond. Si bien que les lettres à Frizeau nous offriront une riche matière pour présenter la pensée de Claudel mais en elle-même, sans Frizeau, qui n'est qu'une sorte de miroir. L'histoire de leurs relations ne prendra quelque consistance qu'au moment de la «Coopérative de prières», à partir de 1911.

L'étonnante amitié qui s'est nouée entre Claudel et Jammes est sans doute l'événement le plus important de l'année 1905. Elle donne à Claudel l'une de ses plus profondes satisfactions, l'entrée d'un poète sauvage et libre dans le rigoureux cercle de l'orthodoxie catholique. Il attendait beaucoup, semble-t-il, de cette rencontre paradoxale, et beaucoup plus simplement il aimait l'amitié un peu anarchique et humoristique du poète d'Orthez. C'est Jammes qui aura la première lettre importante écrite de Chine, dès l'arrivée à Pékin. Claudel s'y montre détendu, disert. A son admiration chaleureuse pour *Pensée des Jardins*, aux souvenirs des heures passées ensemble l'année précédente, il ajoute un paragraphe sur les toits de Pékin, digne de *Connaissance de l'Est*. Cette très longue lettre du 10 juin 1906 est un moment d'abandon au côté heureux des choses, de jubilation souriante dans l'expression. Elle est faite pour Jammes, elle est du climat de Jammes, lettre proprement poétique comme on aimerait en lire beaucoup. En voici quelques extraits, mais toute la lettre est de la même veine :

1. *Deuxième Ode*, fin. *Oeuvre poétique*, p. 247.

«Je suis dans un salon aux persiennes fermées à cause de ce vent embrasé et sablonneux de Mongolie qui souffle depuis deux jours; il est tapissé de papier doré et rempli de meubles «modern style» fabriqués à Tientsin et tels que l'on voit bien que l'on est dans un endroit drôle. (...) Voici la muraille où je me promène tous les jours. On ne voit au-dessus de la verdure que les toits merveilleux de la Cité impériale, les grands toits brillants de porcelaine jaune, tels que d'un temple merveilleux habité par les génies».

C'est à ce moment que Claudel écrit dans sa deuxième *Ode* :

«Or maintenant, près d'un palais couleur de souci dans les arbres aux toits nombreux ombrageant un trône pourri, J'habite d'un vieux empire le décombre principal.»[2]

Et avant même l'arrivée du bateau qui l'emmène en Chine, il envoie à Jammes une lettre[3] où apparaît déjà cette bonne humeur poétique, un peu naïve, qu'il ne montre, à cette époque, qu'avec lui :

«Cher Jammes, et me voilà donc reparti pour ce qu'une jeune fille de mes amies appelle les «pays de carte», pour bien en indiquer le caractère peu sérieux. Autant habiter un cottage de cuivre rouge dans la corne mystérieuse de la lune. Mais Dieu, quelle belle lumière !»

Mais qu'on ne s'y trompe pas : cet abandon joyeusement poétique a été rendu possible par le retour de Jammes au catholicisme. La lettre inédite que nous venons de citer parle ensuite de la vocation de Charles de Foucauld et du climat d'austérité et de charité de son mariage dans une chapelle d'hôpital à Lyon. De la manière la plus réelle, la plus indiscutable, la confession catholique est pour Claudel une *clé* pour s'ouvrir à autrui, et pour l'accepter en retour tel qu'il est. Il ne peut véritablement *correspondre* qu'avec un autre catholique, au sens où deux esprits cherchent à se reconnaître, s'apprécier, se complaire, sans réticence ni sévérité. *Un catholique n'a pas d'alliés, il ne peut avoir que des frères*, écrira-t-il rudement à Ruyters en 1907[4]. L'amitié est parfaite lorsqu'elle se prolonge dans le domaine surnaturel des relations avec Dieu, c'est-à-dire en fraternité catholique. Claudel ébauche une fois une théologie de l'amitié; un jour que Frizeau lui parle du «jeune Léger», le futur Saint John-Perse, et des autres jeunes amitiés qui l'entourent, il répond en plaçant brusquement la chose, selon son habitude, sur le registre le plus ouvertement «prédicant» :

«L'oubli du Christ a eu cet effet, en nous séparant de Dieu, de diminuer l'intensité et la tendresse des rapports qui peuvent exister entre les âmes, — parce que nous ne pouvons communier que dans son coeur. C'est là le sens de ce mot si profond : Celui qui ne rassemble pas avec

---

2. *Deuxième Ode*, op. cit., p. 235.
3. Inédite. Archives de la Société Paul Claudel, 27 mars 1906, «Mer rouge».
4. Cité dans la *Correspondance* Claudel-Gide, p. 271.

moi, dissipe. Le criterium de la vérité catholique est en tout de *rassembler*, de réunir en une forme vivante, unie par le lien intense et brûlant de la charité, tandis que l'erreur et le schisme déchire et tue.»[5]

Cependant la belle lettre de juin 1906 n'aura pas de suite équivalente. Elle est plutôt un écho de l'année passée, et un témoignage de ce que les relations entre Claudel et Jammes *peuvent* être, dans certain climat de bonheur poétique que Claudel recherche auprès de Jammes, mais qui a besoin d'occasions favorables. Ce seront surtout, comme nous l'avons souvent remarqué, les envois de poèmes de Jammes qui fourniront l'occasion : ainsi par exemple un jugement sur *Alexandre de Ruchenfleur* :

«Beau livre couleur de lait et de fleur de bourrache. (...)
J'ai été ravie de ces courts poèmes découpés comme des fleurs ou des papillons».

Leurs lettres en fin de compte sont peu nombreuses : celle de Jammes sont toutes perdues, et de Claudel nous n'avons que 9 lettres : 3 de juillet à octobre 1906, 2 en 907, 2 en 1908, 2 en 1909 jusqu'au retour en France. Quelques-unes sont perdues, deux ou trois sans doute, au moment du mariage manqué de Jammes en 1906, puis de son véritable mariage en 1907, d'après des allusions faites à Frizeau. C'est celui-ci qui est le principal confident des longs et difficiles projets de mariage, et qui en fait le récit à Claudel. Quant à la lettre du 27 juin 1909, elle appartient déjà à la période suivante : lecture de la *N.R.F.*, importance du climat de Villeneuve-sur-Fère pour les futures drames, *l'Otage* et *l'Annonce faite à Marie*.

5. à Frizeau, 3/2/07.

Chapitre 5

Trente-six lettres à André Suarès : l'accompagnement pathétique

Après la rencontre qui a motivé la longue lettre du 13 juin 1905, Claudel et Suarès ne se sont pas revus jusqu'en novembre. Une autre rencontre eut lieu chez Claudel à la fin de décembre, mais celle qui avait été prévue chez Mithouard au début de mars ne put se réaliser et après son mariage précipité Claudel repartit en Chine sans avoir revu son correspondant.

Il leur aurait été facile de se rencontrer davantage, Suarès habitant Meudon et Claudel ayant beaucoup résidé à Paris. Mais Suarès se dérobait, plus ou moins explicitement : ses troubles nerveux, une vie affective tourmentée, et la misère quasi sordide où il vivait rendaient compliqués tous ses rapports avec autrui. En revanche leur correspondance est la plus abondante de cette période : sur 75 lettres, 22 sont écrites à Suarès de juin à mars, les réponses de celui-ci étant un peu plus nombreuses. C'est surtout une correspondance très serrée, comme on dit d'un combat qu'il est très serré : chaque lettre suscite une réponse longue et fiévreuse. Bien plus : la correspondance épistolaire est ici justifiée comme le seul moyen d'échange quand on veut se tenir à hauteur de l'essentiel. C'est ici que l'*espace épistolaire* est irremplaçable.

Et Suarès donne à leurs échanges une tonalité pathétique. Il a trouvé en Claudel un écrivain de même hauteur d'idéal, et un confident exigeant qui en l'agressant quelque peu l'invite aux aveux, aux justifications, aux plaintes. Très vite il s'attache à lui comme à un espoir confus.

Dans la «caverne»

Le mouvement qui a conduit Claudel à approfondir ses relations avec Suarès, à l'accompagner et à le soutenir quand il s'est rendu compte de sa détresse, à entrer dans ses tourments psychologiques et littéraires pour essayer de le sauver — et pas seulement au sens théologique — révèle un autre Claudel. Suarès apparaît comme le révélateur de cette part de lui qui n'est visible que dans les figures amères et souffrantes de ses drames. En dehors des transpositions poétiques, il n'aime pas donner l'impression de remâcher des plaintes. On a assez vu, et il a souvent dit lui-même, qu'il n'a pas un tempérament à se complaire dans l'introspection pathétique.

Dans ses lettres, à cause de l'intention apostolique qui les anime, la pensée s'élève au-dessus du cas personnel et n'en tient compte que pour provoquer une voie de salut. Mais l'entreprise épistolaire tentée avec Suarès l'entraîne beaucoup plus loin en lui-même. Nous avons dit, à propos de la lettre du 13 juin, qu'il est impossible d'aider Suarès, si tourmenté, sans regarder en soi d'autres tourments qui paraissent soudain analogues. Le climat est sombre et amer : allusions au psaume sur la vallée de larmes, à Job. La résistance même de son correspondant à accomplir un geste positif l'oblige à rester dans le remâchement du malheur et du péché. Leurs relations sont comme entourées d'une atmosphère de pénitence : méditation sans complaisance sur le malheur. Pour reprendre l'image de Suarès qui parle un jour de sa demeure comme d'une «sombre caverne», nous dirons qu'avec lui Claudel séjourne dans la caverne, où il a le loisir de constater ses propres profondeurs obscures, ses limites, ses esclavages, tandis qu'il essaye de délivrer le prisonnier. Il a connu lui aussi l'expérience de la solitude, des crises d'abandon moral; et il sait bien maintenant par où il est le plus en sympathie : c'est par l'éprouvante détresse affective qu'il connaît depuis le départ d'«Ysé».

S'il ne s'était pas senti lui-même proche du malheur et peut-être du naufrage, jamais il n'aurait ainsi noué des relations aussi profondes avec Suarès, et jamais il n'aurait osé lui proposer son propre remède. Il n'est pas le médecin, il est plutôt le malade voisin, qui tire son autorité d'une communauté de sort. Car ce n'est pas du haut de la bonne santé qu'on peut laisser entendre au malade que son épreuve est voulue par la Providence. Le bienfait providentiel tiré du malheur n'est pas seulement pour Suarès; il aide aussi Claudel à méditer, en relation avec autrui, sur son épuisement moral. Les lettres à Suarès contiennent beaucoup de confidences sur le «péché» avec Ysé, et tout ce qui s'y rattache : la honte de ce qui est arrivé, et plus généralement la nausée de solitude, l'amertume éprouvée presque physiquement. Ainsi, après la lettre du 13 juin :

> «Ne me croyez pas un prédicant, ni un apôtre, hélas !»[1]
> «Il y a eu bien des moments dans une vie où j'ai senti terriblement quelle chose c'est que de ne pas être un saint et d'être même tout le contraire.»[2]
> «Il est saisissant de voir cette action de Dieu dans ses affaires personnelles. C'est une grande consolation dans mon affreuse douleur et dans mon dénuement actuel.»[3]

1. 17/6/05.
2. 22/6/05.
3. 29/8/05.

«Vous et moi nous aurions pu dire comme Isaïe : «j'ai été seul dans le pressoir, j'ai foulé le raisin dans mon délire et personne n'était avec moi.»[4]
«Un homme horriblement souillé, les entrailles encore pleines du poison le plus noir.»[5]
«Il y a une telle force de paralysie dans la main d'une femme ! Moi-même qui savais ce que je savais, la vue de l'enfer sous mes pas ne m'aurait pas séparé de cette ennemie !»[6]
«Ah, que j'ai compris amèrement, profondément, tout ce que vous dites de la femme. Certains de ces cris de torture, il me semblait qu'ils sortaient de mon coeur même.»[7]

Et voici la méditation dans la caverne :

«J'ai fui toute cette année tant que j'ai pu la solitude, errant de tous côtés comme un chien sans maître, mais j'ai fini par retrouver dans cette sombre campagne le terrible tête-à-tête. Ah ! que les journées où l'on souffre sont longues ! Tous les matins l'on se réveille avec la même pensée et le combat dure jusqu'au soir avec des alternatives de souffrance aiguë et de morne résignation, heureux quand d'horribles rêves n'occupent point la nuit. Il ne s'agit point de l'affreuse chair, mais l'on pense à mille choses aimables et tendres, à un regard, à un tour de tête, à un certain ton de voix que l'on dirait qu'on entend résonner, et puis l'on revoit l'un après l'autre tous les détails de l'histoire épouvantable, son écriture sur l'enveloppe des lettres qu'elle me renvoyait. Alors il arrive que l'on n'en peut plus et que l'on tombe à genoux et que l'on dit à Dieu comme le prophète Elie : Prenez-moi, mon Dieu, car je ne suis pas meilleur que mes pères. (...) Et enfin au plus profond de la prière, quelle paix d'arriver à se mépriser complètement, radicalement, de voir que l'on ne vaut rien, et que l'on est entre les mains de son Rédempteur comme une pauvre chose sanglante et broyée !»[8]
«Aujourd'hui je ne me sens pas suffisamment pur. J'étais seul hier dans ma maison de campagne avec la nuit pleine d'horreur et de misère au dehors. Et c'était juste l'anniversaire de cette affreuse nuit de la Sexagésime à Foutchéou, il y a un an. Je songeais en récitant mon chapelet au Christ venant sur la terre par un acte ineffable de sa tendresse, à Jésus suant le sang, flagellé, couronné d'épines.»[9]

Il est remarquable que ce soit Suarès qui reçoive la confidence de ce dernier grand retour de souffrance morale, de cette insomnie tourmentée, moins d'un mois avant le mariage et le départ pour la Chine. La lettre associe l'aveu de cette humiliante «impureté» et le remords de n'avoir pu converser

4. 2/9/05.
5. 22/9/05.
6. Ibid.
7. 3/1/06.
8. 27/9/05.
9. 25/2/06.

avec Suarès depuis longtemps. De toutes sortes de manières celui-ci est pour Claudel comme le pôle où se rassemblent ses insuffisances, ses humiliations, l'image du salut difficile qui passe par l'agonie de Jésus-Christ.

Suarès n'est pas le seul confident du «remâchement» de Fou-Tchéou, mais nous pensons pouvoir dire qu'il est la principale occasion de l'aveu de ce «péché», de cette «confession» au sens de l'aveu accompagné de contrition. Les autres correspondants, pourtant, sont aussi mis dans la confidence: Claudel leur donne trop de lui-même pour pouvoir leur cacher l'écharde dans sa chair au moment où il les invite à des pensées et des gestes d'humiliante pénitence. En regroupant ici ce qu'il dit sur ce sujet dans ses lettres à divers correspondants, nous pensons pouvoir donner une image assez complète de ce côté sombre de lui-même, de ces stations dans la caverne, moments d'amertume, de vacillement du coeur, dont il ne peut sortir qu'en écrivant d'un trait *Partage de Midi* :

> «Vous savez que je fais un drame qui n'est autre que l'histoire un peu arrrangée de mon aventure. Il faut que je l'écrive, j'en suis possédé depuis des années, et cela me sort par toutes les pores.»[10]

Quand au terme même de «caverne», on le trouve dans une lettre à Frizeau :

> «J'ai quelque hâte de me retrouver à Paris, où je serai le 20 octobre, dans une caverne moins farouche.»[11]

La caverne, c'est la maison de Villeneuve-sur-Fère, lieu de séjour solitaire et de travail littéraire en septembre 1905, et de quelques courts séjours plus utilitaires mais où Claudel est toujours saisi par une sorte d'angoisse de solitude et de claustration :

> «Je suis fort désemparé dans ce sombre village où c'est à peine si l'on peut dire qu'il y a une prêtre et une église. On y travaille bien, mais dans cette solitude la dure bataille avec soi-même se fait sans trève et sans refuge : tous les coups portent.»[12]

C'est dans les lettres écrites à Villeneuve que viennent le plus spontanément les méditations sur la déréliction de l'âme et les aveux sur le drame encore pesant. Lieu symbolique : dans l'imaginaire claudélien, dans ce lieu secret où les images fixent et organisent les troubles affectifs, il y a une caverne partout transportée.

A Jammes, dès son retour de Chine, il avoue se trouver «à une heure de trouble et de tristesse», et dans l'humiliation[13]. A la Pentecôte 1905, il est à Villeneuve, *dans un moment bien triste pour moi*, dit-il à Frizeau. Puis pour

10. à Jammes, 19/9/05.
11. à Frizeau, 29/9/05.
12. à Jammes, 3/5/05.
13. à Frizeau, 8/8/05.

celui-ci les confidences sont plus précises : *Je viens de beaucoup souffrir*, et surtout de Villeneuve en septembre, lorsqu'il lui annonce le travail *d'un drame purement humain* :

> «Vous ne connaissez pas le détail des événements qui ont rempli ces quatre années. Je regrette de ne pas vous les avoir racontés à Bordeaux, j'y aurais gagné votre compassion de frère, votre aide de chrétien...»[14]

Suit le rappel de la coïncidence entre la dernière lettre de l'abbé Vuillaume et le dénouement de la crise, «de quelle manière vraiment affreuse !» :

> «Me voici de retour à Villeneuve (...)
> «Oui, cher ami, au cours de ces quatre années j'ai bu un bouillon vraiment épouvantable, d'où c'est un vrai miracle que j'aie pu sortir sans glisser, corps ou âme ou tous deux (...) Je me guéris lentement, très lentement, d'une atroce blessure, et la pensée du mal que j'ai fait à d'autres et que je ne puis réparer, du mal que j'ai fait par ma très grande faute, est amère à supporter. (...) Les uns sont touchés dans leur corps, les autres dans leur volonté orgueilleuse.»[15]

Aveu, humiliation, pénitence : il ne faut pas oublier d'attribuer à Claudel cette attitude-là pendant l'année 1905 qui est aussi celle de la prédication ouverte. Mais tandis qu'avec Frizeau et Jammes le bonheur positif d'avancer ensemble dans la voie catholique l'emporte sur les méditations pénitentielles, Suarès apparaît comme le lieu de fixation de l'amertume et de la conscience des obstacles.

Il ne faut pas se résigner à la douleur

Il faut pourtant sortir de la caverne, c'est-à-dire, concernant Suarès, de ses introspections obsessionnelles. Claudel n'est pas attiré par la psychologie, on sent que l'analyse d'un caractère lui coûte, et il sait trop bien qu'on risque, à ce jeu, d'enfermer un peu plus Suarès dans la conscience désespérée de ses malheurs. Les quelques sondages discrets qu'il fait dans sa pensée et sa vie intime sont toujours présentés dans une perspective de salut, c'est-à-dire de preuve qu'il y a à la fois une disposition à l'apaisement et une attente de Dieu :

> «Hélas ! cher ami, ce n'est point la foi qui vous marque, vous en avez plus que les trois quart des catholiques. Ce n'est point la foi qui importe à cette étape où vous en êtes, c'est le désir et vous auriez beau nier que vous l'avez que je ne vous croirais pas. Vous avez configuré en vous un tel vide que c'est comme si Dieu déjà en avait pris la mesure.»[16]

---

14. à Frizeau, 6/9/05.
15. à Frizeau, 29/9/05.
16. 22/9/05.

Ce qu'il craindrait aussi, essayant d'analyser l'âme de Suarès, c'est de prendre devant lui une attitude de supériorité et d'autorité, de paraître avoir prise sur lui en le connaissant trop, de créer un rapport de dépendance, qui est peut-être inconsciemment désiré par Suarès à des moments où il se jette littéralement dans les bras de l'ami le plus fort et le plus sûr. «Je suis un étranger», écrit un jour Claudel, *et n'ai aucun droit sur vous*[17]. Il s'efforce donc de rester auprès de Suarès, tout en évitant à la fois de le dominer et de se laisser dominer par lui. Il n'est pas commode de se livrer à un mouvement de compassion chrétienne qui soit *juste*, qui soit approprié en même temps à leurs besoins humains et à la découverte de Dieu. D'une part, il craint de ne pas être assez proche :

«Je ne connais pas la souffrance physique, et j'ai peur, bien portant, que mes consolations aient l'air pour vous de dérision cruelle.»[18]

D'autre part, il veut que sa charité soit efficace et libère Suarès de lui-même. Autant par tempérament personnel que par la confiance en son «remède», il refuse de s'attarder à déplorer et explorer son malheur aussi bien que celui de Suarès. Que lui reste-t-il, sinon répéter, lettre après lettre, qu'il ne connaît qu'un remède et qu'il est toujours prêt à le donner. Il ne croit pas opportun, il n'ose pas en parler longuement. Il peut seulement faire comprendre qu'il en vit, sans jamais aller très loin dans l'explication :

«Il n'entre pas dans ma pensée d'engager avec vous une discussion apologétique, à moins que vous ne m'y invitiez. Vous avez très bien compris mon sentiment. Je vous ai vu seul et affligé, j'ai naïvement cherché à vous faire part du seul remède que je connaisse. Il ne faut pas se résigner à la douleur. Je me suis hasardé à vous parler de cette clef merveilleuse qui ouvre toutes les portes et qu'on appelle la prière. Ne voyez-là aucune entreprise indiscrète sur votre for intime.»[19]

«Mais je sais que je suis en possession, comme plusieurs millions de chrétiens d'ailleurs, d'une chose inestimable, et je n'ai pas voulu vous cacher la douleur que j'ai ressentie, lorsque cette fois encore j'ai vu écarter sans examen le remède que je vous apportais naïvement.»[20]

«Je suis comme quelqu'un qui vous appelle avec angoisse à travers un mur interposé sachant que la lumière est avec lui et que la nuit est de l'autre côté.»[21]

«Qu'attendre de moi que ces paroles de fanatique.»[22]

«Ce n'est pas une violence que je veux vous faire, c'est une consolation que je vous propose.»[23]

17. 22/6/05.
18. 22/9/05.
19. 17/6/05.
20. 22/6/05.
21. 2/9/05.
22. Ibid.
23. 22/9/05.

On pourrait multiplier les citations. Nous sommes là dans le mouvement principal de la «prédication» de Claudel à Suarès, qui justement n'est pas une prédication mais un geste d'entraînement, pressant et encourageant d'abord, puis désolé d'être sans effet, et pathétique parce que Claudel ne sait plus comment faire, et reste à mi-chemin entre le malheur de Suarès qu'il partage par certains côtés, et la certitude d'un sens heureux de l'existence dont il a besoin plus que jamais. C'est le passage de l'un à l'autre que Suarès ne peut pas faire, c'est sur ce passage que reste Claudel, dans une situation d'esprit très inconfortable, décourageante, car il voit bien que l'image d'un homme qui désire vous aider, mais qui ne peut rien faire d'autre que de montrer ce désir, de se montrer lui-même dans une sorte de bonne volonté impuissante, cette image ne sera pas très efficace. S'il ne peut pas communiquer à Suarès le bonheur qu'il possède, s'il ne voit en lui aucune guérison, à quoi bon ? Suarès a beau lui assurer et lui répéter que le seul geste de compassion, de compréhension et d'encouragement est en soi une valeur, un présent comme il en a rarement reçu, Claudel souffre véritablement de l'insuffisance de cette valeur-là. De même qu'il écrivait *il ne faut pas se résigner à la douleur*, il pourrait ajouter, pour lui, qu'il ne faut pas se résigner à la compassion. Il s'est ouvert, «toute pudeur de côté»[24], de sa croyance, de son désir de voir Suarès croire, de la passion qui a failli l'emporter; il accepte tout ce que la compagnie de Suarès peut avoir de difficile, il fait le don de lui-même avec une sorte de véhémence :

> «Voilà, je vous donne ma vie simplement parce que je vous aime et que je vous préfère à moi.»[25]

Mais que signifient concrètement ces paroles ? Claudel ne peut ni ne veut donner autre chose qu'une part assez restreinte de lui-même. Il lui offre, certes, une amitié attentive, quelques visites à la «caverne» de cet homme insociable, son aide pratique pour essayer de le tirer de son isolement et de sa misère matérielle. Avec gentillesse et bon sens il apaise les colères de Suarès envers Gaston Deschamps et *l'Occident*, il l'encourage à se prêter aux commentaires de Francis de Miomandre, à aller dîner chez Mithouard. Il cherche un éditeur, il propose même une aide financière. Mais quoi ? Maurice Pottecher n'est-il pas plus actif et plus efficace pour aider Suarès ? Peu importent, en fin de compte, les gestes d'entr'aide s'ils ne conduisent pas celui-ci à reconnaître son propre désir de Dieu.

Ce que Claudel veut proposer de lui, c'est l'exemple d'un mouvement de l'âme, efficace justement parce qu'il est difficile. Si seulement Suarès pouvait être entraîné par une image de lui plus abrupte, provocante et contradictoire, il serait plus disposé à comprendre la richesse inépuisable de Dieu. C'est ainsi que dans la longue lettre du 22 septembre 1905, que nous

24. 13/6/05.
25. 22/9/05.

avons souvent citée, il donne de lui un portrait contrasté, en paradoxes et reliefs baroques :

> «Mais Dieu a permis (un miracle) bien plus grand pour vous : c'est celui d'un homme dur, violent, peu aimable, peu affectueux, foncièrement païen, follement épris de joie et de plaisir, qui vous dit qu'il n'y a de vérité que dans le reniement de tout ce qu'il aime, c'est un homme de lettres qui cautionne une religion dont le premier mot est le mépris de soi-même, c'est un homme horriblement souillé, les entrailles encore brûlantes du poison le plus noir, qui vous parle de noces virginales et de ce silence qui est au-dessus de la parole».

Claudel ne se présente pas seul. Il se présente en train de combattre avec son Dieu. Ainsi s'éloigne-t-il d'une relation avec Suarès qui ne serait qu'un accord dans la constatation pathétique de leurs malheurs. Il n'est d'ailleurs pas homme à se jeter avec passion dans une amitié. Il ne le ferait que s'il avait une garantie objective que ce n'est pas pour lui, par pour la satisfaction équivoque de la compassion, qu'il le fait. Ainsi devons-nous comprendre ce soudain regret de n'être pas prêtre, qu'il exprime avec émotion dans une lettre de septembre 1905. Seule la prêtrise, c'est-à-dire l'investissement officiel de l'autorité divine, permet de s'abandonner au partage des coeurs :

> «Cher ami, que ne suis-je un prêtre, comme je devrais sans doute l'être, au lieu du misérable écrivain bon à rien que je suis, pour vous prendre dans mes bras,pour recevoir votre pauvre coeur, et pour vous donner le mien, qui est plein de l'amour et de la gloire de Dieu, et de la joie de Dieu qui est au-dessus de tout sens !»[26]

Indiscutablement, il y a là un coup d'arrêt donné à la compassion *unidimensionnelle*, sans référence à Dieu, de laquelle Suarès semble par moments s'exalter. Et puisque la qualité des paroles a beaucoup d'importance pour ces deux esprits poétiques, on peut dire que Claudel refuse aussi le simple échange d'effusions épistolaires, sincères certes mais idéalisées : cette image émouvante mais bien sûr symbolique de Claudel prenant Suarès dans ses bras, ne peut pas être celle de l'écrivain, mais seulement celle du prêtre.

Telles sont les limites, dont on peut toujours voir les deux dimensions étroitement corrélatives : la dimension en quelque sorte théorique, en ce sens qu'un mouvement d'amour qui ne conduit pas à Dieu est sans valeur. Et la dimension pratique, qui vient de la psychologie propre de Claudel : il a besoin de la joie du coeur et de la plénitude de l'esprit, et éprouve une sorte de répulsion à demeurer dans le manque, l'absence, l'inquiétude. Il ne faudrait pas que l'angoisse, voire le nihilisme de Suarès, deviennent contagieux. Suarès accueille avec une telle ferveur le partage de la souffrance ! Il y a quelque chose de noir et d'enveloppant dans la joie même qu'il éprouve:

26. de Suarès, 9/7/05.

«J'ai donc à qui parler, à qui m'ouvrir de tout un monde que je ne pouvais ouvrir à personne, puisqu'en effet je devais le fermer à tout autre que vous. Je vous ai, — et vous m'avez. Qui vous saisira, corps et âme, comme je fais ? — J'ai une douleur et une joie pour vous. J'ai même une compassion de vos souffrances que nul ne peut connaître, à moins de les avoir éprouvées. Je sens une tendresse pour vos crimes, ou vos péchés comme vous les appelez, qui vient des entrailles de la complicité. Je sais que vous avez besoin de moi, ou que vous l'aurez — ou alors je ne sais rien. Tous les deux, nous avons vécu dans une telle solitude, un tel désert a mûri pour nous le mirages de la passion, qu'à la vérité nul, que je sache, ne peut commémorer tendrement, comme l'un de nous pour l'autre, les transes de ce voyage aux Contrées brûlantes (...) Et vous aurez besoin de moi, mon Claudel, je vous le dis. Le grand mystère de la maladie vous sera révélé»[27].

Se livrer à une telle amitié, c'est une petite mort, moins dramatique et complète que la mort vécue dans la passion ou dans certaines souffrances immenses, mais réelle pourtant pour Claudel, éprouvante. Comme il le fait comprendre, offrir son affection profonde, c'est offrir un peu de sa foi : *Il est bien vrai que plus on aime, plus on a de mort*. C'est pour ajouter aussitôt :

«mais pour un chrétien c'est là une pensée consolante. Plus on aime, plus on a d'amour à donner».

C'est inviter encore une fois à poursuivre le chemin vers Dieu, qui est au-delà des morts la plénitude de l'amour. Mais Suarès n'est pas disposé à suivre ce chemin-là, comme le croyait Claudel.

Il coûte à ce dernier de ne pas pouvoir s'expliquer à fond, en termes clairs et définitifs, à lui qui désire toujours présenter toute la doctrine d'un coup comme un mouvement parfait. Il voudrait du moins placer le débat au niveau des idées, dont nous savons qu'il est pour lui non une spéculation sereine mais le seul véritable champ de bataille. Mais Suarès se dérobe :

«Je ne suis pas bon thomiste comme vous, et je le regrette. (...) J'ai su autrefois quelque chose d'Aristote. (...) Mais je suis bien loin de tout cela; et l'extrême distraction de ma mémoire aidant, il arrive que je ne me rappelle rien de ce que j'ai su le mieux. (...) N'êtes-vous pas d'avis que l'outrecuidance est l'odeur même des philosophes. (...) J'ai la nausée de cette odeur-là»[28].

Sans doute Claudel se résoudrait à ne pouvoir établir pour Suarès la différence entre les bons et les mauvais philosophes. Mais c'est à partir d'une activité de l'esprit qui leur paraît beaucoup plus riche et profonde, la création littéraire, que va se manifester leur différence irréductible dans l'attitude religieuse.

---

27. de Suarès, 23/9/05.
28. de Suarès, 9/7/05.

L'ascendance israélite que je vous attribue

Une sorte d'incident dans leurs relations va indirectement leur révéler plus clairement la distance qui continue de les séparer. A la fin de l'année 1905, Suarès confie le manuscrit de son livre *Voici l'Homme* à Claudel qui s'est proposé pour tenter de trouver un éditeur. Claudel en a lu au moins des passages. Or il trouve dans ce livre, méditation poétique en prose oraculaire, d'abord un éloignement de l'état d'esprit d'écrasement douloureux de *Sur la mort de mon frère*, et surtout une attitude comparable à celle des prophètes bibliques, des psalmistes, du livre de Job : c'est l'interpellation de Dieu, la sommation faite par l'homme au maître de l'univers de répondre sur la scandaleuse évidence du malheur. Attitude dramatique, seul drame essentiel, consubstantiel à chaque fibre de l'homme, et seul drame que Claudel ait jamais voulu représenter, que cette revendication, ce *grief* rageur dont il aimait le modèle dans les grands «antiques», Eschyle, les auteurs bibliques, par opposition à l'humanisme platonicien :

> «Que vous êtes antique, mon cher Suarès, et que votre livre vient de loin! Je comprends maintenant votre position à l'égard de ce que les vieux textes apostoliques appellent «les Grecs» et de tout l'art de divertissement. En compulsant ces feuillets criblés des lignes de votre écriture acérée, jaculatoire, cunéiforme, il me semblait compulser le dossier de la vieille cause humaine jusqu'aux pièces fondamentales, jusqu'à ces runes que le grand lépreux souhaitait de voir gravées sur la paroi d'un roc et sur des lames de plomb. Pour un grand coeur qui connaît toute l'étendue de son droit et de sa *créance*, la situation n'a pas changé (...). Ça n'est plus le long regard du vieux Roi, c'est une espèce de quête ailée, désespérée, un oiseau de feu vrombissant comme un colibri, impuissant à se poser nulle part»[29].

Claudel est pris d'une exaltation poétique, au sens le plus prophétique et oraculaire du terme, à l'idée que Suarès, moins désespéré et impuissant qu'il ne le disait, se hausse au niveau de ce grand lyrisme de la vision qu'ils avaient pressenti comme étant leur passion commune, et le fasse dans la perspective qui est la sienne : car réclamer à voix haute à Dieu le bonheur qu'on estime dû à l'homme, c'est déjà se proclamer croyant, comme étaient croyants les Juifs de la Bible qui ne faisaient rien d'autre qu'*attendre* la réponse de Dieu; il continue un peu plus loin dans la même lettre :

> «Suarès, on ne dit pas en vain des paroles comme celles-ci : «l'humanité n'est pas naturelle à l'homme». Ce que vous avez écrit est écrit. Vous avez dressé de vos propres mains contre vous un témoin irrécusable. Tout ce qui pouvait être cherché, vous l'avez exploré, toutes les retraites les plus profondes de l'art et de la passion. Que vous le vouliez ou non, vous êtes maintenant *convaincu*. La situation reste la même : c'est toujours l'homme en face de son Dieu».

29. 3/1/06.

Nous avons déjà vu que Claudel essaye, dans sa correspondance de ces deux années, de passer du plan de la recherche poétique de Dieu au plan de l'action du chrétien, et nous le voyons répondre aux admirateurs de sa poésie dans un langage prosaïque et quotidien, nous le voyons accompagner Suarès dans ses angoisses quotidiennes et ses difficultés de malades des nerfs. Mais comme il est tout de suite plus à l'aise, mieux chez lui, devant une oeuvre poétique qui présente des affinités avec la sienne !

Et c'est en réponse à l'écriture poétique de Suarès qu'il se risque, bien imprudemment, à partir des images librement suscitées en lui par la lecture du texte, à redescendre dans l'homme Suarès, et à imaginer une explication raciale qui vienne au secours de son argumentation (il s'agit de prouver que Suarès a avoué son besoin de Dieu) :

> «Pour moi votre cas est spécialement tragique du fait de l'ascendance israélite que je vous attribue à tort ou à raison. Les juifs ont sur Dieu un droit non seulement naturel du fait qu'ils sont ses créatures, mais en quelque sorte juridique du fait d'actes et d'écritures en bonne et due forme. «Les volontés de Dieu sont sans repentir». Les juifs sont une race choisie et ils le resteront jusqu'à la fin des siècles. Dieu leur a remis entre les mains un titre sur lui, un «chirographe» comme dit Saint Paul, et le monde ne finira que lorsqu'il l'auront rendu volontairement».

Une comparaison, pour Claudel, est toujours bonne à prendre, et même si le point de départ est douteux, «à tort ou à raison», elle peut engendrer des vérités. Mais on ne touche pas impunément à la représentation qu'un sujet se fait de son origine. Suarès s'empresse d'expliquer clairement à Claudel que son ascendance juive n'est pas de celles dont il aime à se réclamer. Les juifs pour lui, ce n'est pas le peuple élu, c'est une part très réelle de son enfance et de sa parenté, où il n'a rencontré que mesquinerie et incompréhension.

Il rappelle ce qu'il a dit ailleurs : l'ascendance dont il se réclame est l'ascendance celtique et océanique, plus l'ascendance spirituelle gréco-latine. En conséquence :

> «J'ai honte de vous le dire : je sens, depuis que je vis, une partialité affreuse contre la race choisie, qui a osé faire le noir refus de son élection. Pour moi, les juifs sont morts le premier soir de Noël. (...) Un Israélite sur cent mille a Dieu, le sert et l'adore : il est chrétien et aveugle, il ne le sait pas. Les Juifs juivants sont des morts insolents; et plus ils sont contents de vivre, plus ils sont cadavres. Je n'en connais, je n'en vois pas un seul. Leur odeur de sépulcre est ce que je hais le plus au monde»[30].

En raison, ce jugement pourrait être le point de départ d'un attachement à Jésus-Christ, puisqu'il démontre qu'un Juif croyant ne peut être que chrétien. Mais, comme Suarès refuse l'ascendance, il ne parle que pour les autres et se

30. de Suarès, 9/7/05.

limite à un règlement de compte plein de rancune. Il regrette son origine, avec agressivité. En voulant lui révéler à lui-même sa disposition à dialoguer avec Dieu, Claudel n'a fait qu'aviver une plaie honteuse et irritante :

> «Quelle confiance ne faut-il pas que j'aie en vous, pour vous initier à l'un des sentiments les plus cruels de ma vie, où je dois mettre une pudeur farouche, et dont l'excès est la juste mesure ?»

Mais Claudel ne pense pas que son rôle soit d'épouser les tourments les plus enfouis de Suarès, de replonger avec lui dans une personnalité prisonnière d'elle-même. Dans la lettre suivante, écrite immédiatement en réponse, il continue de voir dans *Voici l'Homme* une attitude d'attente de Dieu, *d'Avent*, essentiellement dynamique bien que sa conclusion provisoire soit le *Tout est vanité* de l'*Ecclésiaste* et de l'*Imitation* :

> «Votre livre est à peine un livre, mais un *acte*, au sens juridique du terme, une occupation de lieu, une attitude, la plus grande attitude humaine»[31].

Le nihilisme de ce livre n'étant pas un scepticisme blasé ou suicidaire, mais une revendication faite au nom de la condition humaine, Claudel pense que l'étape suivante est proche :

> «Pensez-vous réellement, Suarès, que s'il y avait en ce monde une source de joie autre que Dieu seul, elle nous aurait échappé ?»

Brusquant les choses, il assure que Suarès «n'échappera pas» à Dieu, et il lui donne l'adresse et les heures de rendez-vous de son confesseur. Plus discret sur la judaïté de Suarès, il la cite pourtant encore en tête des forces qui constituent le camp adverse que la grâce de Dieu vient investir, dans la vision dramatique qu'il se fait de cette conversion en trains de s'accomplir :

> «Un Juif, un artiste, un amant, un homme d'esprit, un homme d'action aussi, et cependant la grâce de Dieu est la plus forte».

Nous ne dirons certes pas que cette question de la judaïté de Suarès est l'obstacle qui a soudain fait échouer une conversion qui allait s'accomplir. Son refus est beaucoup plus général, et permanent. Mais il va revenir, à deux lettres de là, sur cette question, qui semble avoir cristallisé le refus sur un point concret et chargé d'affectivité : sorte d'exemple clair par lequel il montre qu'il veut rester maître de son originalité :

> «Pourquoi vous arrêtez-vous à l'une de mes origines, quand toute ma vie en est la négation, et que souvent, loin d'en sentir l'attache dans le combat perpétuel que je mène, je rougis au contraire de la rompre avec fureur et d'éprouver au plus secret de moi-même un instinct de vengeance et de colère ? (...)
> Je ne puis ni ne veux rien dire contre les Juifs : je les invite uniquement à ne plus judaïser. Je les convie à cesser d'être. Je les écarte à tout jamais

31. 7/1/06, ainsi que les deux passages suivants.

de moi, s'ils judaïsent. Et en fait je n'en vois pas. Je n'en connais pas un seul. Il serait absurde qu'on voulût se forcer à les aimer, ou à en être. Il serait inouï que je n'eusse pas le choix de moi-même en moi (...)»[32].

La démarche vers Dieu par la judaïté est donc refusée, de même qu'est refusée parallèlement, dans la même lettre, une profession de foi catholique qui serait factice, faute de preuves solides :

> «Ma raison repousse ce que mon coeur accepte. Il m'est impossible de dire : *Je crois et je sais*. L'enfant récite le *Credo* sans savoir ce qu'il dit. *Credo*, pour l'homme, est la plus grande affaire. Je ne puis croire uniquement parce que j'aurais du bonheur à croire.»

On s'aperçoit vite que dès que Claudel touche certains points fondamentaux, il trouve une volonté beaucoup plus grande qu'il ne pensait. Au milieu de ses tourments Suarès a déjà son idéal, le rêve de ce qu'il voudrait être :

> «Je suis terriblement païen, mon pauvre Claudel. Que me demander de plus, je suis un nihiliste qui déteste le néant (...); un Romain, un Grec, un Celte, ce que vous voudrez.»[33]

Suarès sans Dieu

Nous voici arrivés au premier refus clair de Suarès. Autant il a demandé à Claudel lettre après lettre et sur un ton pathétique, de rester auprès de lui pour l'empêcher de sombrer en tant qu'écrivain, penseur, homme social (car Claudel pourrait être l'*ami fort* par excellence), autant il rejette fortement tout entraînement de sa personnalité poétique, dont il craint le naufrage, dans une direction qu'elle ne pourrait entièrement assumer.

Son attitude religieuse vient de loin, et nous voudrions maintenant remonter dans l'histoire de la pensée de Suarès pour l'éclairer. Comme pour Jammes, nous pensons que la connaissance du Suarès «religieux» est nécessaire pour comprendre à la fois l'accueil et la résistance qu'a rencontrés Claudel. Notre souhait est que notre étude contribue ainsi, pour ces quelques écrivains rencontrés, à une sorte d'histoire religieuse du vingtième siècle littéraire.

A première vue, Suarès est un esprit imprégné de sentiment religieux. Une grande part de sa réflexion et surtout de son lyrisme, s'exprime en des termes qui sont ceux de la tradition spirituelle du christianisme. Les mots «Dieu», «divin», «âme», «vie de l'esprit», reviennent constamment sous sa plume. Il se présente constamment comme une âme à la recherche de Dieu, dans des expressions lyriques qui traduisent la violence passionnée de cet

32. de Suarès, 30/1/06.
33. Id.

effort. Ainsi lit-on dans les *Airs* une paraphrase du psaume *De profundis* :

«Au bord du gouffre,
Je t'appelle, je crie et je te dis : «Je veux !»
Seigneur Amour, tu me dois tout si tu le peux :
Car je pleure et je souffre.»[34]

Il existe en lui une préoccupation qui est fondamentalement de nature mystique, le besoin brûlant d'une divinité à la fois transcendante et intimement ressentie. Il la recherche avec une exaspération maladive et anarchique, poussant à son extrême la manière poético-mystique du symbolisme fin de siècle, dans les attitudes les plus convulsées d'une certaine tradition mystique chrétienne; il connut, entre la fin de l'Ecole Normale et son retour à Paris, de 1893 à 1898, une période de prostration, de «désert» pendant laquelle il ébauchait des drames pleins de croix et de résurrections, écrivait un *François d'Assise*[35], parlait de «Mon divin ami son Altesse Jésus»[36], de l'«immolation» de Tolstoï[37].

Cependant on ne peut longtemps s'y tromper. Le contexte personnel n'est pas proprement chrétien, et Suarès ne met pas les mêmes notions sous les mêmes mots. En premier lieu, il n'a eu dans son enfance aucune éducation chrétienne, étant de famille juive. Encore, s'il avait eu une véritable formation hébraïque, aurait-il pu rencontrer la source historique du christianisme, comme Claudel se l'est imaginé; mais le judaïsme de sa famille se réduisait à quelques pratiques traditionnelles, accompagnées d'une religiosité d'imprégnation culturelle, encore plus vague que celle de beaucoup de catholiques. Et surtout, Suarès a trop énergiquement répudié ses attaches juives pour surmonter l'impression de renfermé que lui laissait ce qu'il avait connu. De ce côté, aucune révélation n'est passée :

«Je hais les rabbins, Je hais les sépulcres blanchis. Je suis descendu là-dedans. J'en suis sorti. Aveugle qui y reste.»[38]

A vingt ans, Suarès est loin pourtant de répudier l'attitude religieuse en tant que telle. Aucun attrait, chez lui, pour le rationalisme ou le réalisme. Bien au contraire, ce qu'il désire c'est de se trouver sa propre religion, n'imaginant de raisons de vivre que spirituelles. Baignant en cela dans l'atmosphère symboliste, il se crée un panthéon où voisinent comme deux divinités de la passion, Wagner et Jésus-Christ. Il y ajoutera Ibsen, Tolstoï. Sa première oeuvre littéraire s'intitule «Pélerins d'Emmaüs», tandis qu'il écrit à Romain Rolland, à la suite d'une présentation de ses maîtres en art, que *Wagner seul,*

34. cité par Marcel Dietschy, Le cas André Suarès, La Baconnière, Neuchatel, 1967, p. 57.
35. M. Dietschy, ibid. p. 57.
36. Ibid., p. 45.
37. Liger I, 272. Voir p. 49, n. 1.
38. *Voici l'Homme*, cité par Liger, ibid. : tome I, p. 51.

l'éternel et unique, est complet dans son complet[39]. Il est à la recherche d'un spiritualisme total, englobant toutes les expériences spirituelles de l'humanité : non qu'elles existent en elles-mêmes, formant une sorte d'esprit transcendant dans l'histoire; elles n'existent qu'en tant que vivantes dans la conscience individuelle de celui qui les connaît, les pratique. Dieu n'est rien d'autre que la conscience que j'ai de vouloir une victoire de l'esprit. Et la victoire de l'esprit est très vite identifiée, par Suarès, et pour toujours, à la victoire de la beauté artistique. Ainsi, à condition d'entendre «Dieu» par «art, beauté», pourra-t-on parler d'une «religion» de Suarès qui est religion de l'art, mais qui présente avec la mystique chrétienne de constantes analogies. Un texte cité par Marcel Dietschy montre très bien, dans un contexte de mysticisme exaspéré, le glissement d'une mystique chrétienne à une mystique de l'art qui en garde la même passion d'adoration :

> «Je suis comme un extatique d'Assise devant Jésus : je ne veux plus ni de la terre, ni de moi. Pour un peu j'aurais des stigmates. C'est trop beau. Je suis dans mon infini d'adoration et de joie désespérée et fou de la beauté. Je n'en peux plus.»[40]

Comme dans la tradition chrétienne classique, cette attitude religieuse oscille entre un mysticisme volontariste à la manière de Loyola, et un dolorisme qui accepte ou peut-être recherche la souffrance comme une voie nécessaire. Non le Dieu chrétien, mais la création artistique, exigent de la part de l'artiste une ascèse sans faille : refus du monde, labeur acharné, souffrance, pauvreté. et le but poursuivi, la fin dernière qui suscite une telle «Passion», n'est autre qu'une recréation de l'homme spirituel, et du monde perçu par lui, une résurrection sous la forme régénérée de l'harmonie, de l'éclat tragique et de l'exaltation lyrique.

Ainsi Suarès rencontre-t-il constamment le christianisme, comme une méthode de vie et d'espérance voisine de la science, et à qui il emprunte, partiellement, de nombreuses valeurs : le spiritualisme philosophique sous sa forme la plus antimatérialiste et la plus individualiste, et en même temps une émotivité rude, sans complaisance romantique. Ainsi peut s'expliquer son attirance pour Pascal et sa construction tendue de la conscience individuelle entre les extrêmes de la raison, du coeur et du doute. Du christianisme, et plus particulièrement du catholicisme latin et tridentin, il a toujours reconnu que c'était la seule religion digne de ce nom, à cause des réussites mystiques qu'a permises son exigeante discipline, à cause de la valeur donnée à la souffrance, et à cause de la valeur donnée à l'art. Dans ce cadre la musique, la peinture, la littérature sont mis au service d'un projet spirituel. C'est la fécondité spirituelle qui a permis la fécondité artistique de l'Occident.

---

39. lettre de Suarès à Romain Rolland, 7/9/08, *Cahier Romain Rolland 5*, p. 121.
40. Marcel Dietschy, *Le cas André Suarès*, p. 45.

Si bien que l'attitude de Suarès vis-à-vis de l'institution catholique est assez paradoxale : d'un côté il apprécie sa fermeté spirituelle, son souci de soutenir la discipline intérieure des fidèles, son appel constant à la perfection individuelle — toutes valeurs plus ou moins issues de la Contre-Réforme, à laquelle se sent apparenté le «condottiere» qui parcourt en tous sens l'Italie. A côté d'elle les Protestants n'existent pas, n'ont aucune consistance. Quant aux Juifs ses ancêtres, ils ne sont que la survivance ridiculement obstinée d'un passé sans intérêt. L'Eglise catholique, c'est dans la pensée occidentale une valeur de référence, un pôle à partir duquel bon gré, mal gré, s'orientent les esprits. Il est bon qu'elle soit là.

Mais d'un autre côté, l'Eglise manifeste pour Suarès une suffisance insupportable à vouloir détenir la vérité, et à vouloir y conduire les hommes. Elle s'estime dépositaire d'une révélation, qui est à la fois historique et vérité transcendante alors que Suarès est fermé à toute dimension historique des choses, et professe un nihilisme total en dehors du désir intuitif de croyance de l'individu. A propos de la mort du père de Suarès, Christian Liger rappelle que sous la plume de son fils «jamais, dans aucune correspondance, il n'est fait allusion à Dieu qu'il irait rejoindre, à une âme qui s'évaderait, purifiée, à un esprit saint.»[41] Il est inacceptable qu'une autorité quelconque veuille présenter une transcendance spirituelle comme une réalité quasi matérielle; d'une part on voit dans l'Eglise des hommes personnellement inintelligents, sans idéal artistique, médiocres, oser affirmer la supériorité de leur croyance; d'autre part l'Eglise prétend tirer des conclusions pratiques de sa croyance, exiger de ses fidèles une attitude morale ou politique. Les violents pamphlets de Suarès contre la Papauté tournent autour de ces deux reproches. On y retrouve les mêmes refus farouches que vis-à-vis d'autrui et de la société en général : refus de tout accord, et même de tout contact qui ne serait pas autorisé par une exaltation du Moi, une acceptation bouleversée de tout l'être; refus de tout ce qui n'est pas harmonie immédiate, fusion musicale, car sans réponse spontanée du coeur les choses n'existent pas, à proprement parler, tout n'est que mort.

De même, Suarès n'éprouve aucun intérêt pour une pratique chrétienne, ni pour une action, à long terme de justice ou de charité : tout investissement à long terme dans l'action réfléchie, dans la modestie méthodique, le rebute. Christian Liger rapporte que dans les premiers temps de sa «retraite» à Marseille, le jeune Suarès faisait des aumônes massives et pathétiques à de pauvres gens qu'il rencontrait pleurant ou infirmes. Evidemment, il se rendit bien vite compte qu'on exploitait sa sensibilité, et cessa. En revanche, il a toujours apprécié avec effusion l'attitude générale de charité, d'attention affectueuse à autrui, de don de soi, de beaucoup de chrétiens fervents qu'il a connus, et il considère cette qualité comme l'une des

41. Ibid., t. I, p. 559.

valeurs fondamentales du catholicisme. Il aimait que cette charité des autres — dont il a souvent bénéficié, ayant choisi l'existence du mendiant plutôt que celle du bienfaiteur — soit soutenue par une ferme doctrine et une lumière spirituelle. Mais là encore, il lui suffisait que la valeur fût près de lui comme une balise rassurante. C'est ainsi que dans son enfance il avait connu le catholicisme : non une ascendance dont il eût gardé un peu du sang, ou une autorité morale qu'il aurait pris l'habitude de respecter, mais, selon l'enquête de Christian Liger ici encore[42], quelques personnalités qui, au hasard des événements, lui ont donné le signe d'un ailleurs, d'un foyer spirituel qu'il n'était pas question pour lui d'approcher de près, mais il ne pouvait ignorer l'existence : une religieuse soignante, un prêtre précepteur, plus tard la mère et la soeur de son ami Romain Rolland. D'un séjour assez singulier chez les Bénédictins en 1897 il a gardé, en même temps qu'une méfiance envers certains prosélytes catholiques, une très haute estime pour la piété et la charité des moines. Rappelons enfin, pour clore le dossier, que son ami Pottecher est, quoique sans agressivité, un anticlérical déclaré, et sur un autre plan que la conversion au catholicisme du vieux Brunetière sur son lit d'agonie lui a inspiré une profonde répulsion.

Ainsi Suarès va-t-il dès 1906 établir à travers les protestations de son «coeur» désireux de croire et les effusions de sa reconnaissance envers Claudel, un positivisme de croyance qui ne se démentira jamais. Non positivisme objectif fondé sur des certitudes universellement vérifiables, mais positivisme subjectif; Suarès ne croit qu'en ce qu'il ressent, que ce soit comme malheur ou comme joie, comme crainte ou comme désir :

> «Sentir pour créer, sentir pour être. Le sentiment est la foi. Sentir assez pour croire.»[43]

«Sentir», c'est découvrir en lui une «coïncidence» entre tout ce qui peut fonder une certitude. Or cette coïncidence ne se produit pas au sujet de la foi catholique :

> «Vous ne voyez pas, dites-vous, ce qui me sépare de la foi : — rien en effet, — rien que l'adhésion irrésistible, l'assentiment juste qui fait coïncider la raison au centre où toute la passion du coeur tombe et gravite (...) Il ne suffit pas de se donner : il faut être pris.»[44]

Il n'y a pas de tempérament moins dramatique que celui de cet angoissé. Pour Claudel il faut avancer, et pour cela détruire ou ignorer certaines parts de soi, combattre, faire un geste qui anticipe sur la certitude, agir en un mot. Suarès, esprit tragique, attend de recevoir la délivrance comme on reçoit le malheur : une certitude par laquelle on «est pris» passivement. Le malheur qui vous écrase est une réalité positive. Le bonheur promis devrait l'être autant :

42. Tome I, pp. 56-7.
43. *Carnets* de 1906.
44. de Suarès, 15/6/05.

«Je me suis fait, ou plutôt il s'est fait en moi une immense et terrible certitude de douleur. Pensez-y, mon très cher. Il serait divin qu'on me persuade : il y faut donc un Dieu.»[45]

Vous me découragez, cher Claudel, si je vous décourage.

En attendant, Suarès se nourrit des certitudes qui s'imposent : pas seulement la douleur, mais l'amour d'une femme, la poésie, la musique. Dans ce que lui offre Claudel, il y a diverses certitudes : la ressemblance de leur solitude, leur commun idéalisme poétique, et le mouvement d'amitié et de compassion qui va bien au-delà de cette ressemblance idéale : les visites de Claudel, son désir sincère de l'aider, l'attention qu'il porte à ses confidences et à ses oeuvres; une présence, qui est le résultat d'une affinité élective:

«Je vous dirai ce qui me touche le plus dans notre rencontre. Pour la première fois, la littérature me rend plus proche d'un homme de mon temps; jusqu'ici, ce que je fais m'éloigne des autres; et ce qu'ils font les éloigne de moi.»[46]

«J'ai donc à qui parler, à qui m'ouvrir de tout un monde que je ne pouvais ouvrir à personne.»[47]

Quant à la joie que lui apporte Claudel, il lui suffit de la savoir et de la voir présente près de lui pour en éprouver un bienfait, par contagion si l'on peut dire. Claudel lui rend une possibilité de joie, par le truchement de cette ressemblance sur laquelle il insiste tant. Le rapport entre souffrance et joie doit être le même chez eux deux :

«Je n'ai depuis longtemps connu que vous pour savoir, clair comme midi, quelle profonde joie dort au fond de ma tristesse.»[48]

«Il est incroyable combien je sais gré à un homme d'être heureux.»[49]

Mais cette joie a-t-elle besoin d'une qualification chrétienne ? La réponse de Suarès est celle-ci : il a besoin que Claudel ait la foi, c'est une garantie de la solidité de ses dons, de l'intérêt et de la chaleur de sa présence:

«Cet entretien, le plus haut qui soit entre deux hommes, et même le seul qu'il vaille la peine de reprendre, ne sera jamais épuisé tant que vous avez la foi.»[50]

«Il m'est doux pourtant de penser que la consolation qui m'est refusée vous est acquise.»[51]

45. Id.
46. de Suarès, 23/6/05.
47. de Suarès, 23/9/05.
48. de Suarès, 7/8/05.
49. de Suarès, 14/9/05.
50. de Suarès, 23/6/05.
51. de Suarès, 30/8/05.

Car Suarès n'éprouve pas, n'éprouvera jamais cette consolation de la foi, il n'en ressent pas l'évidence, et le dira de plus en plus nettement à Claudel. Pourquoi ne pas recevoir de lui cette chaleur communicative, même s'il n'a pas accès à la source ? Toute la réponse de Suarès sera de demander à Claudel, avec discrétion et émotion à la fois, de rester présent auprès de lui avec la même compréhension et la même compassion, mais sans lui en vouloir de ne pas croire au dogme chrétien :

> «Assurez-moi que notre tendresse, à tous deux, n'est pas à la merci de notre seule rencontre dans l'église où vous priez en fidèle, et où je cherche seulement la révélation des prières sans la trouver. Vous me ferez plus léger d'une lourde inquiétude.»[52]

«Je veux que vous le sachiez, vous ne pouvez me guérir; mais vous me consolez. Il y a un certain accord entre nous, qui fait retentir la plus douce note.»[53]

Aller plus loin n'est donc pas possible. Suarès a très bien compris qu'il lui faudrait sortir de lui-même. Or, il s'est fait très tôt une fierté de son originalité, puis de ses malheurs qu'il a perçus comme le comble, l'excès de son destin d'originalité. Et la seule consolation qu'il imagine est une inversion tangible, même physiquement parlant, du malheur en bonheur. Se déclarant païen et gréco-romain, il rêve d'un bonheur d'équilibre des facultés du corps et de l'esprit, qui serait le contraire de ce qu'il connaît. Mais trouver une valeur dynamique et positive à l'humilité judéo-chrétienne, cela lui paraît hors de question, au moins pour lui. Telle est l'interprétation que l'on peut donner de son attitude, dont les détours sont assez confus, mais dont le résultat, vis-à-vis de Claudel est net : le Dieu de Claudel ne lui *parle* pas, il ne le sent pas présent en lui. C'est seulement Claudel qui lui parle en tant que croyant, Claudel vivant de sa foi qui le rassure et l'exalte, lui présentant l'exemple d'une *inversion* du malheur au bonheur à laquelle il rêve, mais qui ne lui est pas donnée. C'est ainsi qu'il parle d'eux en termes antithétiques ou symétriques, l'un possédant ce que l'autre ne possède pas, ou possède autrement :

> «Comme je suis mon orage et mon trouble, vous êtes votre repos et votre certitude.»[54]
>
> «Quant à vos raisons de croire, (...) je vous les ferai dire aussi souvent que je pourrai — aussi souvent peut-être que vous me ferez faire de la musique.»[55]
>
> «Vous êtes passionné du Dieu que vous avez, comme j'ai la passion du Dieu que je n'ai pas, et sans doute que je ne puis avoir.»[56]

52. de Suarès, 14/9/05.
53. de Suarès, 23/9/05.
54. de Suarès, 17/6/05.
55. de Suarès, 17/6/05.
56. de Suarès, 30/8/05.

Chacun a son destin, sa «musique» à communiquer, sa passion, et le passage de l'un à l'autre n'est pas plus possible que l'échange des destins. La communication ne peut se faire qu'au niveau de ressemblances partielles. Mais une croyance globale et profondément vécue ne peut pas se donner. Celle de Claudel, toute de joie, ne correspond pas à la vie de Suarès, qui n'a connu que le malheur :

«Je sens mes maux; je ne sens pas l'amour qui les procure (...) Dieu s'y prend mal avec moi. En vérité, ses touches invisibles sur mon âme, pourquoi ne sont-elles jamais que blessures sur blessures ?»[57]

Pour que la croyance chrétienne s'inscrive vraiment dans sa vie, il faudrait à Suarès un miracle, c'est-à-dire une soudaine certitude d'un trait tout ce que sa vie lui a enseigné :

«Je vous le dis avec toute la force de ma nature : rien ne compte pour nous qu'un miracle personnel. Il nous faut une révélation qui nous soit propre. Vous l'avez eue.»[58]

Il est assez vain de souhaiter un tel miracle. On voit que le malentendu porte assez précisément sur cette notion de miracle. Claudel parle beaucoup de miracle à Suarès : voudrait-il, en lui parlant avec enthousiasme des guérisons de Lourdes, lui faire espérer sa conversion comme un miracle qui le convaincrait sans retour possible ? Il le laisse entendre en lui écrivant de Lourdes[59]. Mais toute l'expérience de Claudel lui enseigne que ce miracle-là englobe des réalités dans la durée; ce n'est qu'après coup que le croyant reconnaît la main de Dieu. Finalement, avant de partir en Chine, au moment où il sent que Suarès lui échappe, il préfère qu'il renonce à cette idée de miracle qui a été mal comprise :

«Vous demandez à Dieu un miracle, or le miracle, bien loin d'être seul à témoigner de la grâce, est plutôt contraire à ses voies ordinaires qui sont douces et insensibles.»[60]

Suarès est bien loin de cette conception : la foi de Claudel continue à lui paraître aussi admirable qu'inaccessible, et par honnêteté vis-à-vis de lui-même comme vis-à-vis de son ami, force lui est de reconnaître qu'il n'a reçu, et ne recevra sans doute jamais, aucune illumination convaincante. La longue lettre du 30 janvier 1906 est sur ce sujet une mise au point explicite, et attristée : Claudel ne veut pas le prendre tel qu'il est, mais peut-il être autrement ?

«En venant à ma rencontre, vous m'avez ravitaillé d'espérance fraîche; vous ne m'avez pas tiré du désert; mais il a cessé d'être une prison.

57. de Suarès, 30/8/05.
58. de Suarès, 14/9/05.
59. 29/8/05.
60. 7/3/06.

Je vous dois donc beaucoup. Et voici que, ne pouvant vous donner que mon coeur et l'immense tendresse qu'il porte à ce qu'il aime, vous ne voulez pas me prendre pour ce que je suis.
(...)
Vous me découragez, cher Claudel, si je vous décourage : je désespère alors d'être jamais compris (...) Je vous prends comme vous êtes. Prenez-moi comme je suis.
(...)
J'aime votre foi autant que celui qui la partage. Et plus encore, parce qu'elle est la vôtre. Je la vois comme une terre promise où je sais que vous êtes, où je ne suis pas sûr d'entrer, où parfois je pense n'entrer jamais.»

Si Suarès parle d'espérance, c'est que Claudel est près de lui comme une sorte de référence, de phare lointain qui rassure plutôt qu'il ne guide. Il est bon que l'humanité possède de tels massifs de certitude. Il le dit quelques semaines plus tard :

«C'est une joie pour moi de vous parler : de parler à un homme qui parle à son Dieu. En somme, vous êtes le seul homme en qui j'aie vu la foi telle je l'entends.»[61]

Et la dernière lettre importante de Suarès sur ce sujet avant le départ en Chine donne lucidement et pathétiquement la mesure de la différence d'attention qui les sépare, qui fait que leurs chemins se sont seulement croisés, et vont diverger :

«Vous comptiez me mener à l'arche de toutes consolations. Et moi j'espérais vous retenir dans l'effroyable solitude où désormais je reste plus que seul. (...) Vous ne faites plus assez cas, moins Dieu, de ce qui me restait en vous.»[62]

La tragédie et le drame

C'est vrai. Il y a dans Claudel une sorte de dureté qui vient d'une difficulté à compatir sans agir, à comprendre sans juger (entendons juger non au sens moral habituel, mais au sens biblique de situer en référence à Dieu). Il termine cette première période de leurs relations avec la quasi-certitude que Suarès ne sera jamais chrétien. Il lui garde son amitié, mais il pense qu'une certaine sorte de relations n'existera pas entre eux : ils ne feront pas de chemin ensemble.

En espérant convertir Suarès, il s'est sans doute attaqué, malgré quelques apparences, à un esprit trop différent du sien. Leurs critères de certitude ne sont pas les mêmes : paradoxalement Claudel, bâti avec stabilité,

61. de Suarès, 23/2/06.
62. de Suarès, 26/2/06.

les découvre dans une relation conflictuelle avec Dieu, tandis que Suarès pétri d'angoisse les attend d'une expérience d'harmonie et d'équilibre. Chez Claudel, le conflit est producteur de stabilité; chez Suarès, l'immobilité engendre l'angoisse : «Je suis la tragédie», écrit-il pour lui-même en ce moment dans ses *Carnets*. Mais il refuse le drame claudélien.

Dans les mêmes *Carnets*, Suarès fait le point d'un an de relations serrées avec Claudel :

«C'est le seul homme fort que j'aie trouvé dans le monde. Le seul qui me comprît (...) Et pourtant il me tourmente. Il me fait des injures secrètes. Il ne lui suffit pas que j'eusse été bon catholique en 1300 : il voudrait que je le fusse aujourd'hui. L'Eglise nous sépare, cette Eglise que j'aime et que j'admire.»[63]

L'Eglise, et la part catholique de Claudel, est à la fois rejetée comme séparatrice, et aimée comme force. Suarès rêve d'une force près de lui qui serait chaleur pour le coeur, don d'enthousiasme, mais non cette cruelle exigence de tout ce qui est *froid* et repoussant pour lui : dogme abstrait, gestes concrets et humbles de foi et de charité. Claudel veut l'obliger à lier l'un à l'autre; quand il en a la certitude, son refus est violent au moins pour lui-même, dans les *Carnets* :

«Ce Claudel. Comme il m'a déçu. Et j'aurai toujours un faible pour lui. Il est venu à moi. Je me suis longtemps gardé; et quand je vais à lui, il se retire. Trop de coeur pour trop de foi. La partie n'est pas égale. La foi parle pour une abstraction. Le coeur se donne. La foi s'explique. Je ne chercherai plus à sortir de ma solitude. Cette école sera la dernière. Je suis dégoûté des expériences. Je coupe court à celle-ci. Il n'aura plus un mot de moi.»[64]

C'est écrit quelques jours avant le départ de Claudel en Chine. Or celui-ci n'est pas loin de manifester la même intention de rompre. En 1905, il a voulu sortir de lui-même, et faire sortir de lui-même sa foi pour lui donner plus d'assise et de stabilité; il s'est essayé avec Suarès aux voies de la charité: compassion, compréhension d'un homme tourmenté. Il croyait y avoir quelque expérience, venant de connaître lui aussi des tourments. Mais sa santé morale, appuyée à la fois sur sa santé physique et sa santé métaphysique, reprend le dessus au fur et mesure qu'il accomplit la plus dynamique, la plus efficace des «pénitences» : propager la foi. Et Suarès, attaché à ses malheurs comme on finit par choyer une plaie inguérissable, demeure justement là où Claudel ne veut pas rester, dans la «caverne» de la détresse morale où l'on attend sans trop y croire l'impossible miracle :

«Je suis donc dans la caverne avec la criante blessure de la vie au flanc.»[65]

63. *Carnets* de 1906, p. 162.
64. *Carnets*, 15 mars 1906.
65. de Suarès, 6/2/06.

L'amitié de Suarès est un difficile exercice de charité. Claudel reçoit de lui, certes, une reconnaissance et une tendresse parfois bouleversantes, mais comme venant d'en bas, d'un pauvre à un riche qui donne. Il ne reçoit rien de positivement agréable, rien d'apaisant, rien de profondément réjouissant, sans doute parce qu'il exige trop :

> «Pauvre ami, depuis huit mois vous êtes ma souffrance et mon tourment. Je comprends ce que dit Saint Paul quand il parle de ces âmes qu'il a engendrées. Je me dessèche à vous parler de la lumière et vous vous obstinez à fermer les yeux.»[66]

Claudel a beaucoup investi dans cette amitié. Il espérait pouvoir sauver Suarès par le même mouvement qui le ramenait à la surface après sa propre détresse. Mais Suarès ne se laisse pas entraîner et Claudel, tout en se reprochant ses illusions, souffre de perdre là quelque chose de lui-même.

Claudel donc, marié dans le milieu catholique le plus traditionnel, navigue vers la Chine, laissant Suarès comme un don quichotte famélique de la passion littéraire. Ils pensent plus ou moins l'un et l'autre que «l'expérience» aboutit à une impasse, et que même si leurs relations se poursuivent par quelques lettres échangées par dessus la moitié de la terre, elle n'aura plus rien de l'ardeur de cette première année.

Suarès insiste

Claudel admet en partant pour la Chine que le salut de Suarès ne passera pas par lui. Il peut s'ensuivre une rupture, mais pour Claudel les démarches les plus importantes ne sont-elles pas faites de ruptures ? Il écrit à son correspondant :

> «Voilà notre entretien interrompu. De part et d'autre d'ailleurs nous sentions qu'il n'y avait plus rien à dire. J'en garde pour ma part une impression de mélancolie. C'est toujours une chose grave de laisser passer la grâce de Dieu sans en profiter. Mais point d'amertume en ce jour de notre séparation. Ecrivez-moi et je vous écrirai.»[67]

Tout n'est pas interrompu, et dès l'arrivée en Chine il demande par télégramme à Suarès de lui envoyer des nouvelles. Mais il faut faire sentir que quelque chose a échoué, puisqu'il y avait quelque chose de précis à faire.

Or, nous voyons que la correspondance entre Suarès et Claudel est, de mars 1906 au début de 1908, la plus fournie de part et d'autre, et plus encore de la part de Suarès. Il apparaît avec évidence que celui-ci a besoin de Claudel, et que la lettre ambiguë de mars 1906 a provoqué en lui une inquiétude féconde. Ce Claudel à la fois proche et inaccessible lui est un

---

66. 28/1/06.
67. à Suarès, 13/3/06.

confident flatteur, encourageant, mais rassurant aussi. Il accepte ses confidences, et finit toujours par lui répondre. Jusqu'en janvier 1908, Claudel ne reçoit pas moins de 23 lettres de Suarès, et lui répond 14 fois. Relation souvent tendue, en ce sens qu'on devine que Claudel est un peu agacé par les plaintes, les découragements pathétiques, les questions toujours relancées, jamais résolues de son correspondant. Mais en même temps une part de lui-même est très engagée, là, dans un échange de plaintes et de reproches qui lui paraît l'état normal des relations de l'homme avec son destin, et avec Dieu. Il ne lui déplaît sans doute pas que leurs relations — qui sont en même temps amicales et généreuses — prennent cette allure de provocations réciproques. Il laisse Suarès l'obséder de deux, trois, quatre lettres, jusqu'à ce que, saisi d'une sorte d'agacement, il lui réponde avec une violence contenue, refusant de rester sur le plan des difficultés personnelles ou des doutes de la raison devant la foi, bousculant son univers compliqué et plaintif avec quelques affirmations brutales :

> «Voici devant moi vos deux lettres de 3 et 7 janvier et je veux y répondre sur-le-champ, car j'ai à coeur de me justifier des reproches que vous m'adressez. Et cependant vous avez raison : vous n'avez pas tiré de moi tout ce que je devais vous donner; si je vous aimais comme il le faut, sans doute vous seriez déjà sauvé. Quant à attendre de moi une amitié purement humaine, non, Suarès, vous le savez. Tout ce qu'il y a en moi et qui n'est pas Dieu en qui j'ai mis toute ma pensée et tout mon coeur, ne vaut pas la peine que je le donne. Je ne sais plus ce que les gens appellent la beauté, et ce qu'on appelle l'art est pour moi moins que rien. Dieu seul est vivant et je le loue de n'avoir point permis d'être à ces choses qui n'existent pas.
> (...)
> Si vous voulez Dieu et la vérité catholique, en dehors de laquelle je ne pense point et ne suis point, prouvez-le par l'acte. Ou si vous n'attendez pas Dieu de moi, qu'en attendriez-vous ? (...) Il ne faut pas mourir, il faut absolument vivre».[68]
> «Voici déjà quatre lettres que je reçois de vous sans y avoir fait de réponse. (...) Le fait est que, les sujets religieux une fois mis de côté qui jusqu'ici ont fait l'unique objet de notre correspondance, je ne sais plus réellement quoi dire.
> (...)
> Vous vous plaignez souvent dans vos lettres que je ne vous comprends pas et cela est vrai. Vous avez été une amère déception pour moi. (...) Mais il me faut admettre maintenant que cet état violent n'est pas une étape de votre avancement spirituel mais une assiette définitive de votre volonté où vous vous établissez avec une espèce de satisfaction.
> (...)
> Ne m'en veuillez pas de ce mouvement d'irritation, mais voici trois ans que je fais le siège de votre âme...»[69]

68. 3/3/07.
69. 8/11/07.

«Avouez aussi qu'un peu d'irritation (dans le sens physiologique) était explicable. Voilà un homme dont je fais le siège depuis trois ans, dont les livres ne sont faits que de sentiments religieux, et qui n'admet Dieu dans ses livres que pour l'exclure de son esprit. (...) Cela ne signifie pas que «je vous déteste». L'amitié est le contraire de la complaisance; c'est un sentiment actif et militant...»[70]

Cette brusquerie n'est pas une «stratégie», c'est un ressort naturel de la personnalité de Claudel. Il y a une image qui apparaît très spontanément quand on lit leur correspondance, c'est celle d'un malade plein d'angoisse qui s'accroche au médecin qui a la patience de l'écouter. Or le médecin est agacé par les obsessions morbides de son interlocuteur; il pense que c'est son devoir d'essayer de le guérir, mais il est assez irrité et vaguement inquiet lorsqu'il retrouve ce malade qui le «colle». Suarès lui-même, très conscient de son état, lui écrit : *J'effraie, je ne plais pas. Il n'y a pas en moi un atome pour plaire. Même vos amis ne m'aiment pas.* La morbidité est ressentie comme contagieuse par l'homme en bonne santé. Or qui plus que Claudel a désiré la santé de l'esprit ? N'oublions pas l'ombre de sa soeur Camille qui le hante, lamentable épave mentale bientôt recluse à l'asile. On peut rappeler aussi sa répulsion pour les «poètes maudits» dont Verlaine et Villiers de l'Isle-Adam sont pour lui les tristes exemples. Toutes ces angoisses confuses reparaissent un jour qu'il essaye de défendre Suarès aux yeux de Gide :

«C'est un malade et un prisonnier qui publie son journal. (...) Suarès est une des victimes de cette abominable idole de l'Art à qui tant de pauvres gens ont sacrifié leur vie».[71]

C'est un coeur profondément malade et souffrant, dira-t-il aussi à Rivière, ajoutant, sur le même thème,

«Tous les *grands* écrivains du siècle qui vient de finir ne nous ont-ils pas assez ressassé le néant de la vie, l'illusion de toute joie, la seule certitude de l'enfer et du désespoir ? Qu'ils mangent donc ce pain de l'art et du rêve auquel ils trouvent tant de saveur».[72]

Il a commencé à le connaître plus intimement dans ces années de demi-délire qui ont suivi la mort horrible du frère qu'il chérissait. Spontanément, avec une ouverture de coeur qui lui a certainement coûté il s'est présenté à lui en médecin qui connaît le remède. C'était le thème dominant de la première période de leur correspondance, de 1904 à 1906.

Suarès s'est véritablement engouffré dans l'ouverture. Il a porté à un degré d'intensité un peu effrayant la reconnaissance envers ce coeur qui l'écoute. Avec soulagement il a étalé ses misères : crises nerveuses, périodes dépressives, angoisses d'impuissance littéraire. Et comme beaucoup de

70. 10/1/08.
71. à Gide, 29/4/07.
72. à Rivière, 19/12/08.

malades ou d'hommes malheureux envers ceux qui les soutiennent, il voudrait aussi trouver dans celui qu'il sent supérieur à lui, dans celui qui s'éloigne maintenant si rapidement du malheur qui les a rapprochés, une souffrance encore présente, une faille, la confidence de malheurs ou d'imperfections. Suarès rappelle avec nostalgie *ce jour de mai, où vous m'avez ouvert votre coeur et où j'en mesurai la souffrance. Or vous souffrez, j'en suis sûr. Je le sens, comme si vous me l'aviez dit*[73].

Il dit aussi *Votre tristesse et la mienne, toutes deux si grandes*. Il s'accroche au souvenir de *Partage de Midi* : *Quel sens de la passion dans votre drame : comme il est plongé dans les délices terribles du péché et de la mort. Je vous y vois tout vif, et je m'y retrouve : plus d'un trait nous est commun*[74]. Et quand il a compris que Claudel de toutes ses forces s'en détache, il a ce regret : *vous avez été guéri trop tôt pour moi*[75].

Claudel se récuse, se rétracte. On voit coïncider en lui, sur ce point comme sur beaucoup d'autres, la pente naturelle et l'intention spirituelle. Dieu sait s'il est convaincu que le salut ne peut venir qu'à travers un sacrifice, une mort intérieure. Mais jamais il n'a imaginé que la «mortification» pouvait être de se prendre dans les filets des conflits et des crises avec lesquels Suarès enserrait ses amis intimes.

La relation de Claudel avec Suarès est en cela exemplaire. Voici un cas limite qui présente deux niveaux de l'attitude que Claudel a en exécration, niveaux qui correspondent entre eux, bien entendu. Le premier niveau, c'est l'image d'un créateur littéraire qui semble puiser ses forces dans la maladie mentale et la déchéance sociale; le second niveau, c'est le comportement faussement religieux d'un homme qui s'obstine dans chaque lettre à attendre un Dieu qu'il ne trouvera jamais parce qu'il le cherche en lui exclusivement.

D'où le refus constant de Claudel de pousser trop loin l'amitié et les confidences. C'est une question de santé, pour Suarès comme il le lui écrit souvent (car ce n'est pas une solution de sortir de soi seulement pour s'enfermer dans une relation à deux), et pour lui aussi. La raison mystique, qui est de donner Dieu, et non soi-même, à travers soi, rencontre la pente du caractère. Le refus de pénétrer dans les angoisses et les blocages mentaux de Suarès est certainement pour Claudel une forme particulièrement aiguë, et particulièrement justifiable, de son refus général de l'affection facile. Ce sont des tendances et des expériences de ce genre qui produiront, à travers toutes les transpositions du prisme poétique, ces âmes de ses drames qui jamais ne se donnent sans réticence, âmes féminines pourtant, ouvertes à la compassion comme essayait de l'être Claudel dans sa tentative apostolique : Vio-

73. de Suarès, 3/1/07.

74. de Suarès, 7/1/07.

75. de Suarès, 3/5/07.

laine, Sygne, Prouhèze. S'il ne s'agissait que d'un refus hautain, d'un stoïcisme défensif, la correspondance avec Suarès aurait cessé tout de suite et les drames n'auraient pas été proprement *chrétiens*. Mais en même temps il faut aider Suarès, l'accompagner, l'aimer, et ce n'est pas un vain mot pour Claudel qui l'encourage dans sa création, l'aide à trouver un éditeur, lui fait connaître Gide, et lui prête de l'argent. Il faut aimer au nom de Dieu, faire aimer Dieu à travers soi en s'effaçant soi-même, opération paradoxale qui est au centre des tourments des plus grands mystiques.

A l'époque de ces lettres à Suarès, il existe déjà une transposition poétique de cette attitude, paradoxale et conflictuelle comme toujours. C'est elle qui donne son éclat tremblé, à la fois rude et pathétique, à certains versets de la deuxième *Ode* dont on peut imaginer qu'ils ont été écrits en pensant à Suarès :

> «Mon Dieu, dérobez-moi à la vue de tous les hommes, et que je ne sois plus connu d'aucun d'eux,
> et (...) qu'il ne reste plus rien de moi que la voix seule, le verbe intelligible et la parole exprimée».
> «Ecoute, mon enfant, et ne ferme point ton coeur, et accueille l'invasion de la voix raisonnable»
> «Ce n'est point la leçon d'un maître, ni le devoir qu'on donne à apprendre
> C'est un aliment invisible, c'est la mesure qui est au-dessus de toute parole»
> «O ami, *je ne suis point un homme ni une femme*, je suis l'amour qui est au-dessus de toute parole !
> Je vous salue, mon frère bien-aimé.
> Ne me touchez point ! *ne cherche pas à prendre ma main*»[76].

Dans le poème on ne sait plus si c'est Dieu qui parle au poète, ou le poète qui parle à un autre homme. Confusion voulue, confusion idéale. Dans la réalité des relations de prosélytisme avec un non-croyant, il faut éviter les fusions faciles, l'effacement complaisant des différences entre Dieu et l'homme, entre le croyant et l'incroyant : *ne me touchez point*. Ainsi Claudel pratique-t-il, avec Suarès, ce principe développé dans l'*Art poétique* selon lequel les êtres créés se définissent aussi, à l'égard de Dieu, par une différence et une opposition. Il y a une réconciliation sentimentale entre les hommes qui est une illusion perverse, un abandon de tout désir de l'*autre* absolu qui est Dieu. Lorsque Suarès prétend n'écouter que la vérité de son propre «coeur», et refuse définitivement de chercher cet *autre* divin parce que dès qu'il rencontre une différence, une distance, il ne perçoit que mort et néant, il demeure à l'exact opposé de l'attitude claudélienne qui est d'engager une relation conflictuelle avec l'autre pour enfin le rencontrer, la preuve de son existence étant dans sa résistance, et de son amour dans son agressivité.

76. *Oeuvre poétique*, p. 247. C'est nous qui soulignons.

En 1908 et 1909 Suarès émerge de ses plus graves tourments, de sa solitude, achève le *Bouclier du Zodiaque* et publie régulièrement des *Portraits* dans la *Revue de Paris*. Il semble moins anxieux de ses relations avec Claudel. Celui-ci de son côté lui demande le service de surveiller l'impression des *Odes*, ce qui inverse le rôle d'obligé. Bien qu'il rappelle périodiquement que, en principe, le but de leurs entretiens ne saurait être que d'avancer dans la voie du salut, il ne se presse pas de tirer les conséquences de son échec, continue d'offrir à Suarès son amitié attentive, en particulier son amitié d'écrivain en lui disant ce qu'il pense de ses productions littéraires.

Voici l'Homme, grand essai philosophique et poétique que Suarès ne parvient pas à faire éditer, trouve en Claudel l'un de ses premiers lecteurs. Il lui envoie un jugement modérément élogieux, relevant discrètement les preuves d'une démarche religieuse :

> «Depuis un mois, j'ai votre livre sur ma table et je l'ouvre à toute pause que je puis faire comme on ouvre un livre d'images : images en effet incisées d'un trait aussi sec et aussi noir que les planches de tarots. (...) Nulle part je ne vois le nihilisme et le désespoir qui ne va pas sans une espèce de luxure; mais plutôt la colère, et une espèce d'impatience terrible, vibrante, ailée. Toutes les clefs, et parmi elles la bonne, sans la patience de l'essayer»[77].

En novembre 1907 la lecture des *Bourdons sont en fleurs* dans la *Revue de Paris* rallume un accès de mauvaise humeur :

> «Après tout Saint François et le Christ ne sont pour vous que des thèmes pittoresques de littérature. (...) Toutes ces croyances de François qui sont les nôtres ne sont après tout à vos yeux que des rêvasseries»[78].

Et Suarès annonçait fièrement à Claudel que ce livre avait éveillé chez quelques lecteurs une inquiétude religieuse ! Cette lettre suit de quatre jours celle qui lui reprochait violemment son obstination dans le nihilisme. Elle y ajoute, avec la même énergie, le reproche d'esthétisme : *après tout vous n'êtes qu'un impie qui se joue et en somme qui se moque.*

Et pourtant le style méritait mieux, il est *d'une pureté et d'une homogénéité classiques, et l'on y sent cette vertu vitale des grandes oeuvres poétiques, la secrète mesure, partout cachée, dans le sens que le coeur la bat.* Ces lignes annoncent le grand éloge qui va être fait du *Bouclier du Zodiaque.* Ce livre ramène Suarès dans le sillage où Claudel l'avait placé naguère, celui des grands bardes antiques dressés contre le vent et produisant leurs grandes harmonies dans l'effort et la vibration :

> «Des morceaux comme ceux des pages 57 et 150 m'ont vraiment donné le frisson de la grande beauté que je ne connaissais plus depuis longtemps, et cependant des gens comme vous et moi ne sont pas faciles

77. 2/2/07.
78. 12/11/07.

à étonner. Votre style a la beauté d'une chose où chaque mot a repris sa fleur et son aloi intégraux et tinte comme de l'or et du grec. Et je suis assez musicien pour sentir pleinement ces indications d'une autre muse, que le silence même de la sévère parole rend plus émouvante, «le mi de la chanterelle», «la tierce», «la trompette tenue». Il me semble que dans ce livre le côté celtique de votre nature a repris le dessus. (...) C'est bien ce climat sans cesse changeant et nuancé de la France qui m'a étonné si fort à mon dernier retour, et cela fait comprendre les échanges continuels de votre style, ces ruissellements de correspondances comme une prairie remuée par le vent»[79].

Suarès sort de sa misère et remonte, en quelque sorte, à la hauteur d'écrivain de Claudel et de Gide (Claudel essaye d'ailleurs de faire s'estimer mutuellement Gide et Suarès, et y parvient peu à peu). C'est peut-être au détriment de l'espoir de le convertir, mais au profit d'une parenté spirituelle passant par des parentés poétiques.

Puis de nouveau surgit la différence : des *Portraits* d'Ibsen et d'Edgar Poe incitent Claudel à donner sa propre opinion sur ces auteurs. Il annonce le 21 décembre 1908 une longue discussion, et commence à reprendre une idée «protestante» de Suarès sur la préférence donnée au coeur sur les pratiques. En fait l'entretien tourne court, Suarès ne recevra que des réflexions au fil de la plume sur ces portraits de grands hommes[80]. Claudel lui apprend qu'il a déchiré un brouillon de lettre sur la décadence de l'art sacré[81]. C'est davantage maintenant par l'intermédiaire de ses jugements artistiques qu'il maintient une interpellation implicite de l'attitude religieuse de Suarès. Il s'est découragé d'insister :

> «J'aurais voulu vous parler encore de «plaidoyer pour mon âme» (...) dont l'accent m'avait saisi. Mais quelle réponse attendez-vous ? Qu'échanger contre une âme humaine et non pas contre cette beauté extérieure et fabriquée qui est idole et monnaie ? (...) Il y a des questions si profondes que Dieu seul peut y répondre, en se donnant lui-même. Qu'attendre des passants ?»[82]

Cette lettre est d'avril 1909. Trois mois après, Claudel revient en France, et restera en Europe. Suarès ne sera plus qu'une amitié littéraire épisodique, leurs lettres vont s'espacer, et ne serviront plus guère qu'à marquer quelques convergences et beaucoup de différences : Claudel se situera par rapport à Suarès, il ne cherchera plus à le bousculer.

---

79. 2/2/07.
80. 5/2/09 pour Ibsen, et 18/4/09 pour Poe.
81. 18/2/09. Il y a tout de même un paragraphe sur ce sujet qui lui tient à coeur. Sur l'art religieux, voir les quatre «Positions et propositions» regroupées dans *Oeuvres en prose*, pp. 111 à 142.
82. 18 avril 1909.

Gide si distingué

La correspondance avec Gide ne va pas prendre du tout le même cours qu'avec Suarès pendant ce séjour en Chine, malgré un point de départ relativement analogue, l'adieu de mars 1906 :

> «Trop tard, cher Gide, adieu ! Oui, j'ai le sentiment de bien des choses qui restent entre nous non dites»[1].

Un coup d'oeil sur l'ensemble de leurs lettres jusqu'en 1909 nous montre 20 lettres de Claudel, pour 11 seulement de Gide. La proportion est inversée par rapport à Suarès : c'est Claudel qui écrit le plus. Va-t-il pour autant reprendre, de loin, le siège de l'âme de Gide, en lui enjoignant de se convertir avec la même énergie qu'en décembre 1905 ? Pas du tout, et l'adieu de mars 1906 est bien un adieu aux *choses qui restent entre nous non dites*. La raison en est que Gide se garde bien de relancer ce sujet. Par ailleurs il est aussi équilibré, dans l'aspect de lui qu'il livre aux autres, que Suarès est tourmenté et orageux. Quelle que soit la séduction complexe qu'exerce sur lui Claudel, ce n'est qu'une parmi tant d'autres, et les développements de la fin de l'année 1905 lui conseilleraient plutôt de ne pas le montrer. Il garde pour son *Journal*, par exemple, son sentiment devant une colère de Claudel contre «Gourmont, Rousseau, Kant, Renan» :

> «Colère sainte sans doute, mais colère tout de même, et douloureuse à mon esprit autant que l'aboiement d'un chien à mon oreille. Je ne puis supporter cela et me bouche l'oreille aussitôt. Mais j'entends tout de même et j'ai peine ensuite à me remettre au travail».
>
> «La certitude religieuse donne à ce robuste esprit une infatuation déplorable.»[2]

Et Claudel sent bien qu'il n'a pas besoin de lui, même si Gide, après lui avoir dit son admiration pour *Partage du Midi*, et ses propres fatigues intellectuelles, ajoute :

1. à Gide, 14/3/06
2. Gide, *Journal*, 6 février 1907 et 16 mai 1907, p. 237 et p. 244.

> «Croyez qu'après les conversations que j'ai continué d'imaginer avec vous, une lettre comme celle-ci ne peut que bien mal me satisfaire.»[3]

Car sa réponse manifeste un «à quoi bon ?» à propos de ces «conversations», qui va être pour longtemps son dernier mot. Non que la conversion de Gide soit impossible, mais ce ne sera sans doute pas l'affaire de Claudel:

> «J'ai été souvent sur le point de vous écrire. Mais que vous dire ? Je n'ai que trop à me reprocher déjà d'avoir été avec vous indiscret et maladroit. Cependant chacun s'exprime comme il peut. Ce n'est pas la conviction et le désir de bien faire qui me manquaient. Mais aussi ce n'est pas avec des mots ronflants et des idées entortillées que l'on gagne les âmes. Vous êtes un homme droit et vous rencontrerez un jour ou l'autre celui qu'il vous faut.»[4]

C'est toujours le même leit-motiv : *que vous dire*, si notre conversation n'a pas pour but de «gagner» une âme ? La gêne d'avoir été ridicule avec ses éclats obstinés et stériles n'empêche pas de réaffirmer la position de principe, surtout en une journée de Noël, marquée de tant de significations. Persuasif ou maladroit, il faut encore une fois *opposer* à la cordialité facile de l'ami la cordialité insatisfaite du prosélyte.

Mais soit. Gide ne sera l'objet que d'un prosélytisme indirect, comme dans la lettre qui l'a tant agacé, sur le «triste temps» de la littérature contemporaine opposé à la douceur chrétienne. Ce *devoir de contradiction* une fois rempli, Claudel pourra entretenir avec Gide une conversation pour d'autres raisons qui, pour être moins élevées, moins reliées à une situation métaphysique, n'en sont pas moins importantes.

La première, c'est la grande confiance que met Claudel dans l'idéal littéraire de Gide. *Quel excellent écrivain vous êtes*, écrit-il à propos d'*Amyntas*, *l'esprit prend les grâces du corps le plus souple...*[5]; tout en prenant la défense de Suarès, dont Gide n'aimait pas le désordre et l'excès, il précise «je suis tout à fait de votre avis sur la question de *mesure*»et entame une très belle métaphysique de la mesure, de la veine de *l'Art Poétique*. La lecture du *Retour de L'Enfant prodigue*, en mars 1908, vaut à l'auteur un éloge d'une grande profondeur, qui montre que Claudel sait fort bien épouser une psychologie quand il est saisi par l'enthousiasme :

> «Je n'ai aucun renseignement sur votre vie passée, mais il est facile de voir que vous avez eu une enfance souffrante et réprimée, un bon coeur plein d'affections qui n'ont pas été comprises ni satisfaites. De là vient ce qui me paraît être la caractéristique principale de votre talent qui est ce que j'appellerai la sauvagerie, en prenant tout ce que ce mot com-

---

3. de Gide, 7/11/08.
4. Noël 1906.
5. 14/3/06. André Gide, *Amyntas*, recueil d'essais publié au Mercure de France au début de 1906.

porte d'idées d'élégance presque exagérée, de pudeur, d'incompatibilité sociale, de curiosité et de réserve foncières, quand nous pensons au cerf ou au chevreuil.»[6]

Enfin *La Porte Etroite.* La lettre du 10 mai 1909 est l'une des plus intéressantes de cette période. On ne peut tout citer. Le jugement sur le style déjà s'enfonce jusque dans les régions intérieures où naît la relation de l'homme et du monde. Véritablement Claudel y correspond à Gide :

> «...le prestige d'un style admirable qui s'insinue en vous comme une liqueur enivrante et chaleureuse. On se sent partout enveloppé de cette solennelle atmosphère de fin d'été, de cette "extase dorée" dont vous parlez dans vos dernières pages. C'est un discours suave et mûr, une suavité pleine d'angoisse. Une douceur dantesque, mais avec, au-dessous, quelque chose de terriblement amer, je n'ose dire de désespéré.»[7]

Puis, de même que le jugement sur l'Enfant prodigue nous valait une apologie de l'«aventure» chrétienne, de même le personnage d'Alissa nous vaut une apologie du refus de la facilité amoureuse entre l'homme et la femme : encore le refus de la facilité de sentiment, qui est décidément une clé de la pensée claudélienne. Que ces pages écrites à Gide tiennent une place importante dans ce que nous allons dire plus loin de l'âme claudélienne pendant cette période, est une preuve de l'aisance avec il pense devant lui, et s'exprime avec plaisir et abondance. Sans doute perce de temps à autre le vague espoir de retourner l'esprit de Gide, et l'intention de maintenir un contact dans ce but : *un jour viendra où vous aurez faim et soif de pain et de vin fermentés*[8]. Mais ce qui apparaît surtout avec évidence, c'est que Claudel a besoin de Gide, de l'amitié, de l'intimité d'un autre écrivain en qui il a entièrement confiance. Cela va des pensées les plus profondes aux besoins les plus matériels. Une partie de leur correspondance est occupée par la demande faite par Claudel à Gide de corriger ses manuscrits et de veiller à ce que les éditeurs ne les oublient pas. Gide est tenu au courant, lettre après lettre, de la composition des dernières *Odes*, des recherches de poésie liturgique pour les *Hymnes*. Gide est témoin des colères sur la mauvaise littérature, d'un emportement rageur contre Ruyters, et reçoit pour la toute nouvelle *N.R.F.* un article emporté sur la médiocrité des imprimeurs. L'accueil de Claudel à la *N.R.F.* est certainement l'un des résultats de cette correspondance confiante et amicale. Claudel s'y est livré de telle sorte que son interlocuteur a pu percevoir sa vie intellectuelle, son évolution poétique, bien mieux que dans les monologues enflammés et impulsifs de leurs rencontres. C'est grâce aux nécessités de la distance, et aux avantages de la distance (au sens où l'on peut «prendre ses distances», comme il le dit à

6. 3/3/08. *Le Retour de l'Enfant prodigue*, poème paru dans la revue *Vers et Prose*, mai 1907.
7. 10/5/09. André Gide, *La Porte Etroite*, Mercure de France, 1909.
8. 8/11/08.

Suarès) pour qui a l'énergie de Claudel (il répond aussitôt aux lettres, et sans ratures), que Gide devient, dans tout les sens du terme, *l'homme de confiance* de Claudel. Nous nous arrêterons encore un instant sur une autre lettre : le 8 novembre 1908, seul un moment chez lui, Claudel vient de lire une lettre de Gide, et y répond, dans une tonalité détendue, humoristique, avec, si l'on peut dire, un bon rire, puis en donnant longuement des nouvelles de son travail poétique, de ses lectures, demandant l'avis de Gide sur toutes sortes de sujets, dans un aimable désordre. Voici le début de cette longue conversation qui est exactement le contraire des récitations enflammées de 1905 :

> «Cher ami, je viens de recevoir votre lettre, je suis seul à la maison, ma femme vient de sortir avec ma petite fille tout emmitouflée comme un gros ours pour profiter de ce bon soleil d'hiver exhilarant et froid comme du champagne frappé. Je vais donc vous répondre tout de suite et profiter de cette paix dominicale, encore tout plein de la messe à laquelle j'ai assisté dans mon fauteuil consulaire qui est placé dans le choeur à la droite de l'évangile. En face d'un bien affreux tableau où l'on voit un blême Saint Louis ensevelir des macchabées qui ressemblent aux «gollywogs» des enfants, dans la vue d'un château qui a l'air d'une citerne à pétrole».

Une phrase de cette lettre nous permet de compléter et mesurer l'image que l'on peut avoir de leur amitié :

> «Vous êtes gentil de me conserver un souvenir. Avouerai-je que vous m'avez toujours impressionné de cette qualité de "distinction" à laquelle les enfants sont si sensibles et qui a une action spéciale sur une nature assez lourde et plébéienne comme la mienne ?».

Dans le désir que ressent Claudel de rester en relation avec Gide, il y a la considération d'un petit bourgeois pour un produit raffiné de la grande bourgeoisie fin de siècle, et sans doute plus encore d'un écrivain fougueux, maladroit dans toute conduite mesurée, que ce soit d'un récit ou d'une démonstration (il l'a toujours reconnu), pour ce néo-classique si «distingué» jusque dans l'expression de ses fièvres. Les jugements que porte Claudel sur l'écriture de Gide reviennent toujours à la distinction, conçue en même temps comme une jouissance supérieure et comme une pudeur pathétique : *une page avec deux imparfaits du subjonctif qui ont fait mon admiration*»[9], *ce noble style si flexible et si distingué*[10], *c'est un discours suave et mûr, d'une suavité pleine d'angoisse*[11]. Et l'homme est à la mesure de l'écrivain : l'amabilité, l'honnêteté, la délicatesse de Gide dans son rôle d'agent littéraire le remplissent d'admiration, en face du laisser-aller, de la désinvolture, de la sotte suffisance de tant d'éditeurs et d'auteurs dont il se plaint en bloc et sans nuance et à Gide justement, comme si celui-ci était le dernier rempart contre le

9. 14/3/06. Sur *Amyntas*.
10. 3/3/08. Sur *l'Enfant prodigue*.
11. 10/5/09. Sur *la Porte étroite*.

relâchement général. Il essaye patiemment de lui faire rencontrer Suarès, à qui il écrit que *Gide est une des natures les plus délicates, une des âmes les meilleures et les plus honnêtes que je connaisse*[12], et encore :

> «Non seulement un des esprits les plus fins et les plus cultivés que je connaisse, mais une des coeurs les plus nobles et les plus généreux, (...) un homme droit et bon que vous aimerez comme moi.»[13]

Claudel a connu Gide auprès de Mallarmé. Il reste pour lui du côté de Mallarmé. Et comme Mallarmé il reste intimidant. Claudel a l'habitude de s'excuser de ses «coups de sang» épistolaires, et quelquefois non sans une certaine désinvolture paradoxale: mais avec Gide il se risque avec beaucoup plus de précautions. Il a réellement peur qu'il ne cesse de lui écrire, sentant que beaucoup de choses précieuses (et pas seulement la commodité de cette relation littéraire) seraient alors détruites. Il exprime souvent la crainte de l'importuner (avec Suarès ce serait le contraire : la peur que Suarès voie qu'il le trouve importun) : «pardon de cette longue lettre, écrit-il le 6 février 1908, j'abuse pour vous raser». Il s'explique même longuement sur ce sujet, sur un ton mi-plaisant mi-inquiet le 4 août 1908, et sans qu'il y ait eu précédemment de raison particulière à sa gêne; c'est bien là l'état sincère de ce qu'il pense de lui comme correspondant, et de ce que Gide en pense :

> «Je vous réponds comme j'en ai l'habitude sitôt votre lettre reçue dont je ne vois jamais l'écriture, comme celle de Jammes ou de Frizeau, sans un petit serrement de coeur. J'ai toujours peur que vous n'interrompiez votre correspondance. Quant à moi, ma psychologie épistolaire pourrait faire l'objet d'un roman à la Dostoïewsky. Je ne puis mettre la main à du papier à lettre sans être victime d'une espèce d'intoxication lyrique qui me fait honte dès que j'ai collé le timbre-poste, et si mes lettres n'étaient pas si longues, je les recommencerais certainement. Enfin, supportez avec philosophie mes côtés de détraqué que je dois avoir comme tout *spéculateur*, et répondez-moi de temps en temps...»

Telles sont les relations avec Gide, non les plus abondantes à cette époque mais les plus attachantes parce qu'on y découvre un Claudel délivré de sa solitude, attiré quoi qu'il en dise par l'activité littéraire, espérant trouver sa place parmi des écrivains attachés avec sérieux, comme lui, aux aspects spirituels de l'homme (telle lui apparaîtra, par Gide, la *N.R.F.*), acceptant d'être reçu comme ami chez un esprit ouvert et sincère, même si les différences subsistent.

Car la différence demeure, et le souvenir d'une déception, et la secrète agressivité contre le protestant et le littérateur, et le devoir de parler de Dieu sur le ton de la brusquerie. Tout cela circule sourdement, surgissant soudain, et étouffé avec des excuses. C'est un équilibre instable qui fait la richesse, l'éclat des lettres à Gide.

12. à Suarès, 21/12/08.
13. à Suarès, 5/8/12.

La passion de Jacques Rivière

La rencontre entre Jacques Rivière et Paul Claudel est certainement l'un des événements les plus connus de l'histoire des lettres françaises du début du siècle, du moins dans cette partie qui relève à la fois de l'histoire spirituelle et de l'évolution de l'attitude critique. De plus, le cinquantième anniversaire de la mort de Jacques Rivière a été l'occasion d'un renouveau d'intérêt pour la pensée du critique mort en 1925 à trente-huit ans[1]. La correspondance qui nous occupe ici a été publiée dès 1926 par les soins d'Isabelle Rivière, son épouse[2], avec une intention de piété à la fois conjugale et religieuse qu'elle exprime avec ferveur dans l'introduction de la publication[3].

Nous prenons ici le point de vue de Claudel. Mais il a suivi de tellement près, dans cette rencontre épistolaire exemplaire, la «crise de la vingtième année» dont Rivière lui a livré la confidence, qu'on ne peut les séparer. Il faut même, pour comprendre leur correspondance, partir de Rivière. C'est lui qui est allé chercher Claudel, à l'autre bout du monde, avec une impétuosité que n'avaient aucun des autres correspondants dans leur premier geste vers le poète.

Il se produit en 1906 un véritable événement dans la vie intérieure de Jacques Rivière. Cet événement, facile à suivre dans sa correspondance avec Alain-Fournier[4], est l'explosion soudaine d'un enthousiasme à la lecture des

---

1. Voir la *Nouvelle Revue Française*, « Jacques Rivière et la *N.R.F.*», février 1975; *Cahiers du 20ème siècle, «Cinq rencontres de Jacques Rivière»*, 1975, n° 3 (Paris, Klincksieck), en particulier p. 15, «Rivière et Claudel», par Jacques Petit. Ce numéro comprend une bibliographie complète des oeuvres de et sur Rivière. Mais il faut toujours renvoyer d'abord au numéro spécial de la *N.R.F.* du 1er avril 1925, «Hommage à Jacques Rivière».
2. Et soeur d'Alain-Fournier, son meilleur ami.
3. Cette introduction se trouve dans l'édition de 1926 (Plon, éd.). La correspondance intégrale entre Claudel et Rivière est publiée dans le *Cahier Paul Claudel* 12 (Gallimard, 1984).
4. Jacques Rivière et Alain-Fournier, Correspondance, nouvelle édition revue et augmentée, N.R.F., Gallimard, 1948; 2 volumes. Cette correspondance reste le document capital sur la jeunesse de Jacques Rivière, et sur l'influence qu'ont pu avoir les Symbolistes, Barrès, puis Claudel et Gide, sur quelques étudiants du début du siècle. Nous empruntons une

drames du premier recueil, *l'Arbre*, publié au Mercure de France depuis 1901. C'est Alain-Fournier qui a, le premier, lu *Tête d'Or*, *L'Echange* et *La Jeune fille Violaine* avec un mélange d'émotion et de perplexité. Mais dès que Rivière se décide à lire le recueil[5], il est pris d'un «bouleversement», d'*états qui confinent à l'extase et d'un langage qui tourne parfois au dithyrambe*, selon les mots de Marcel Raymond. Il a vingt ans, fait à Bordeaux des études de philosophie, et se livre avec délices et angoisse à l'analyse de lui-même et à la recherche d'idées qui satisfassent ses désirs et ses doutes. Né dans une famille bourgeoise bordelaise fidèlement catholique, doué d'une sensibilité avivée par la mort de sa mère alors qu'il avait dix ans, l'esprit émancipé par ses études littéraires et philosophiques, il est un exemple particulièrement pur des jeunes gens à la Mauriac[6]. Très typique était aussi sa passion pour Maurice Barrès, le Barrès d'*Un homme libre*, passion qui s'éteint au moment où il s'apprête à lire Claudel. La pensée de ce Rivière de vingt ans est compliquée, pleine de contradiction, «un labyrinthe»[7], appuyée cependant sur une formation idéaliste, qu'il assume avec plus de ferveur que le catholicisme proprement dit, et un autre grand axe qui est un goût du risque intellectuel : pousser des attitudes contradictoires, sensualité et idéal, jusqu'à ce qu'elles s'effondrent dans une conscience aiguë du néant. Il s'exalte à ce jeu : «j'ai senti nettement», écrit-il à Alain-Fournier le 26 novembre 1905, «que ma pensée atteignait toutes choses, qu'elle allait au-delà de toute connaissance, que rien n'était possible qui la pût un jour étonner. Comble d'orgueil, mais quel joie de puissance !»

Rien d'étonnant qu'un tel esprit ait pu s'identifier d'emblée à Tête d'Or, dont le désir démesuré, la joie charnelle de puissance et d'audace, s'écroule dans le cataclysme final. Mais en même temps, nourrissant et orchestrant ce symbolisme un peu facile, il y a pour Rivière dans *Tête d'Or*, et dans *La Ville*, *L'Echange*, *La jeune fille Violaine* qu'il lit ensuite avec avidité, une intensité d'émotions secrètes, un entrecroisement de vibrations sensibles, qui

---

partie de nos premières analyses à Marcel Raymond, *Etudes sur Jacques Rivière*, Paris, José Corti, 1972.

5. «Je laisse s'exaspérer en moi le désir de lire Claudel», écrit Rivière à Alain-Fournier le 13 janvier 1906. La première mention de Claudel dans une lettre de Rivière, Claudel «feuilleté» et attirant, est du 5 novembre 1905.

6. Mauriac a un an de plus que lui. Jacques Rivière renseigne Claudel sur sa formation et ses études à la fin de la lettre du 5-7 avril 1907 : «destiné dès l'enfance par mon père à l'étude et à l'enseignement du grec», il a échoué à l'entrée à l'Ecole Normale Supérieure, s'est tourné vers la philosophie contre la volonté de son père (professeur à la faculté de Médecine de Bordeaux), termine son service militaire et «déteste l'Université». Il rêve vaguement de partir au loin comme Claudel - auprès de lui ? Il a le sentiment d'être le seul incrédule de sa famille très chrétienne, et encore ne l'a-t-il pas affirmé clairement dans ce milieu, ne désirant pas peiner les siens.

7. Selon le mot de Merleau-Ponty cité par Marcel Raymond.

l'atteignent comme un pouvoir magique. «Je suis épuisé d'identité», écrit-il à Alain-Fournier[8].

Commence alors ce désir de *comprendre l'émotion* qui fera de Rivière le critique que l'on sait. Il lui faut écrire sur les drames de Claudel, non en poète mais en étudiant rompu à l'analyse, il lui faut explorer l'univers immense et confus de ces premiers drames. Il fait part à Alain-Fournier de plans qu'il essaye de construire rigoureusement. On s'aperçoit alors[9] que non seulement Rivière ignore que Claudel est catholique, mais qu'il se méprend sur la signification de son théâtre. Il faut dire que *La Jeune fille Violaine*, qui devient l'oeuvre chérie entre toutes, est encore mal «christianisée», et que Rivière ne pouvait la lire, au contraire de nous qui le faisons presque nécessairement, en référence à l'*Annonce faite à Marie*. Il estime que Violaine est coupable, dans l'ordre du sacrifice, de la même démesure que Simon Agnel dans l'ordre de la conquête, et que les héros positifs sont ceux qui, à la fin, ont conquis un équilibre supérieur : Pierre de Craon, Anne Vercors : *Les seuls coupables sont ceux qui veulent plus de bonheur qu'ils doivent en avoir, sont ceux qui se renoncent eux-mêmes et se défont dans l'universel*[10]. Rivière a vu Violaine à la lumière de sa propre philosophie du désir, de l'accomplissement passionné du destin naturel, héritée de Nietzsche et de Barrès. Son sacrifice démesuré et sa mort désignent l'excès de la «soif insatiable de l'inépuisable», c'est à dire cette attitude passionnée tournée en autodestruction.

Or, tandis que Rivière se perd en interprétations, bouleversé non par le *sens* clair mais par la *présence* des personnages de Claudel, Alain-Fournier lui annonce en novembre qu'il a appris à Paris que Claudel est catholique et le proclame avec intransigeance, qu'il a failli se faire moine. En décembre, Rivière rencontre à Bordeaux Gabriel Frizeau qui lui apprend le reste : la crise de Fou-Tchéou et *Partage de Midi*, l'étude de Saint Thomas et *Connaissance du temps*, le mariage et l'entreprise délibérée d'évangélisation auprès de ceux qui s'adressent à lui à la suite de la lecture de sa poésie. Il voit chez Frizeau Alexis Léger, le futur Saint John Perse, que Claudel a une fois «invectivé» et «brisé» pour tenter de le convertir[11].

Le désarroi s'empare de Rivière, comme d'Alain-Fournier. Que les drames de Claudel soient remplis de symboles chrétiens, qu'ils tournent tous autour de la signification du sacrifice, c'était évident; mais qu'ils conduisent à une orthodoxie exacte et militante, c'est incroyable. Mûrit alors, jusqu'en février 1907, l'idée d'écrire à Claudel, avec l'encouragement de Frizeau. Plusieurs motifs le poussent, d'après ses lettres à Alain-Fournier : le désir intellectuel d'en avoir le coeur net, l'émotion à l'idée d'établir une relation

8. Lettre du 5 avril 1906.
9. Marcel Raymond, *op. cit.*, pp. 34-44.
10. Lettre à Alain-Fournier, 5 avril 1906.
11. Lettre à Alain-Fournier, 1er janvier 1906.

privilégiée avec le plus grand génie poétique qu'il ait rencontré, et la fascination angoissante d'une solution chrétienne à ses débats intérieurs, non solution mièvre et mesquine comme autour de lui, mais solution absolue qui le *saisirait*, aidée par l'impérieuse séduction du verbe poétique.

C'est dans l'été de 1906 que Jacques Rivière, au plus fort de son enthousiasme pour Claudel, a découvert *Les Nourritures Terrestres* de Gide. Il s'était promené avec un plaisir assez nonchalant dans les petits traités ironiques, *Prométhée mal enchaîné, Philoctète, Paludes,* lus ou feuilletés au hasard des rayons de librairies[12]. Mais ce sont les *Nourritures* qui le font entrer dans Gide avec passion : «des désirs perpétuels, naissant au contact de toute chose, et perpétuellement satisfaits. Des faims, des soifs de tout. Des satisfactions, des rassasiements par tout[13]». C'est un encouragement raffiné et fervent à ses propres ferveurs sensuelles; c'est aussi une pensée, une réponse consciente et construite aux problèmes de vie d'un «égotiste», et l'on sait combien Rivière s'analyse et cherche à se construire. Est-ce un antidote spontanément trouvé à l'influence de Claudel, comme on l'a dit souvent ? Ce ne sera vrai que par la suite. Pour le moment Gide et Claudel se font écho dans la pensée et la sensibilité de Rivière : Gide ne serait qu'un Claudel moins impérieux et destructeur dans ses désirs, tout aussi sensuel dans son style poétique mais moins saisissant, plus insinuant. Son Dieu reste à la surface des désirs successifs, alors que Rivière pressent que celui de Claudel est «une présence secrète, unique et profonde»[14]. Mais ils vont dans le même sens dans leur prise en compte du corps et de la volupté jusque dans la préparation du sacrifice, si bien qu'on ne sait trop si celui-ci est fait pour détruire les sensations et les désirs, ou pour les exalter. Rivière va jusqu'à écrire : *le geste de Ménalque n'est-il pas le même que celui de Violaine, se dépouillant de tout pour accueillir Dieu ?* Il se défera bientôt de ce genre de rapprochement hasardeux, et Gide et Claudel tireront chacun dans un sens. Mais en 1906 et au début de 1907 l'enthousiasme pour le second, la curiosité angoissée de le connaître, occulte tout débat sur la différence entre les deux. Dans sa première lettre à Claudel il parle de l'influence de Gide comme d'un événement passé. «Quoiqu'il en soit, Claudel est plus haut», conclut Marcel Raymond. Rivière pense, *grosso modo*, que Gide ne fait que le préparer.

Nous n'entrerons pas, page après page, dans les détails des appels exaltés, des expressions assez emphatiques de vénération que Rivière accumule dans ses premières lettres à Claudel, des analyses de soi indéfiniment reprises, des passages de l'extrême à l'extrême, des argumentations qu'il oppose fébrilement ou obstinément à son interlocuteur. Cependant il faut

12. Le témoignage est encore ici celui des lettres à Alain-Fournier. La première mention de Gide est du 18 août 1905.

13. A Alain-Fournier, 7 août 1908.

14. Alain-Fournier, 20 septembre 1906.

donner une idée assez précise des attitudes et des idées auxquelles répond Claudel. En ce qui concerne les lettres de celui-ci, beaucoup d'éléments dépassent leur simple dialogue et trouvent place dans d'autres analyses de notre étude. Fidèle à notre méthode, nous ne suivons ici que ce que leur dialogue a de particulier. Mais il faut le faire avec un soin tout spécial, parce que leur correspondance a pendant deux ans un objet très défini, un cours continu dans la succession des demandes et des réponses, des propositions et des réfutations. S'ils ne répondent pas aussitôt à la lettre reçue, ce n'est pas par manque de temps ou désintérêt, c'est pour signifier quelque chose par leur retard. C'est la seule correspondance qui constitue une *histoire* aussi claire, dont l'enjeu est la conséquence qu'aura pour Rivière l'extraordinaire émotion que lui a causée la lecture de Claudel. Pour celui-ci aussi l'enjeu est d'importance : devant un correspondant aussi exigeant, aussi réceptif, posant d'emblée devant son oeuvre les questions essentielles qu'il attend, devant cet étudiant de vingt ans qui lui demande de l'aider à parfaire sa formation, il remplit longuement et patiemment, dans ses lettres, ce devoir d'apostolat qu'il s'est fixé.

La période de Tien-Tsin correspond à l'essentiel de leur correspondance. Pour être plus précis, et pour mieux délimiter l'histoire de ce *roman de formation*, nous pouvons l'encadrer par la première lettre de Rivière, en février 1907, et à l'autre bout par la première rencontre de Jacques Rivière et de sa femme avec Claudel le 6 octobre 1909. Ils pourront désormais se rencontrer[15], et surtout leurs relations seront en quelque sorte stabilisées. Les lettres qui suivent, jusqu'en 1914, sont beaucoup plus courtes et, ensemble, ne forment même pas le tiers du volume. L'époque qui nous occupe est celle de la dernière crise de formation de Rivière : de la fin de son service militaire (début 1907) à son mariage (août 1909), il vient à Paris pour terminer ses études de philosophie, ne parvient pas à réussir le concours d'agrégation, et commence à prendre comme critique littéraire et artistique la place qui lui vaudra bientôt le secrétariat de la *N.R.F.*, et le poussera à renoncer à l'enseignement. C'est à cette charnière de sa vie que Claudel a essayé d'intervenir dans ses choix spirituels décisifs.

On peut distinguer trois périodes dans ces deux années et demie de correspondance. Nous les appellerons la période pathétique, la période philosophique, et la période des «petites lettres», selon leur propre expression. La première comprend 5 lettres très longues de Rivière et 5 de Claudel. Il se marque alors un arrêt : à la lettre de Claudel du 4 août 1907, Rivière répond le 3 octobre seulement. Le dialogue qui reprend nous conduit jusqu'à la lettre de Rivière du 27 juin 1908; il y a encore 5 lettres de chaque côté, dont le contenu est dominé par l'étude de Rivière sur Claudel, publiée par *l'Occident*, que Claudel reçoit en deux fois, en janvier et en mars. Puis il

15. Voir dans BSPC 61, p. 1, des notes de Rivière sur ses visites à Claudel.

s'étend un nouvel espace vide : Claudel ne répond pas à la lettre du 27 juin, et il faut attendre le 29 novembre pour que Rivière relance le dialogue. Claudel s'explique assez rudement sur les raisons de son silence, mais accepte pourtant de continuer à correspondre; du 29 novembre 1908 au 14 septembre 1909 il y a cinq lettres assez courtes de Claudel, et trois pas tellement plus longues de Rivière. Le changement est net; à cela s'ajoute l'interruption due au retour définitif de Chine.

Il faut que je crie

Le ton pathétique de la première partie est donné par Jacques Rivière. Cette «âme secrète et repliée», selon le mot de son ami André Lacaze[16], était capable des plus grands débordements de paroles passionnées envers ceux qui avaient une emprise intellectuelle ou artistique sur lui. Il s'ouvrait alors, il demandait davantage, dans l'émotion *d'une âme qui éprouvait, jusqu'à l'angoisse, la crainte de n'être jamais ravitaillée.*

Sans entrer dans le détail des premiers échanges, quelque peu perturbés par l'irrégularité des longs délais d'acheminement (de un à deux mois!), nous pouvons considérer les cinq premiers envois de Rivière comme les chapitres d'une même longue confession. Il supporte d'ailleurs difficilement les délais, et commence ainsi son second envoi : *je ne peux pas attendre votre réponse, il faut que je crie. J'étouffe tant, mon frère.* Beaucoup de phrases en effet sont des cris d'affection, lancés avec une grandiloquence juvénile qui est surtout une preuve d'immense confiance. Cette impatience de se confier, cette vénération passionnée pour un homme qu'il n'a jamais vu, sont un exemple assez remarquable du pouvoir du verbe poétique — et dramatique — sur un esprit. Rivière s'identifie à Cébès mourant dans les bras de Simon Agnel, il se livre à la transposition symbolique, elle lui est sans doute nécessaire en même temps que cet éloignement un peu mystérieux de Claudel pour oser. Il lui faut ces longues pages un peu délirantes — il a tout à fait conscience qu'elles le sont — pour communiquer avec celui qui s'est révélé dans le délire de son théâtre : lui dire la perte de sa foi d'enfance, ses retours de ferveur dont il ne sait s'ils sont mystiques ou sensuels, et ses éclats de nihilisme dont il ne sait s'ils sont péché absolu ou la plus certaine des voluptés. Dans les intervalles prennent place des questions précises, et commence la controverse serrée qui se développera ensuite : pourquoi le christianisme est-il vrai ? Peut-on conclure philosophiquement à l'être plutôt qu'au néant ? Comment retrouver un foi sensible au coeur ? Pourquoi Dieu demande-t-il le sacrifice des sens ? Mais ce qu'il demande surtout c'est un contact, un

16. Parmi les souvenirs de la jeunesse de Jacques Rivière réunis au début du numéro d'hommage de la *N.R.F.* (1er avril 1925), ceux d'André Lacaze (pp. 417-427) nous paraissent les plus approfondis et les plus justes.

accompagnement, des paroles à lui adressées : *Oh ! mon frère, comme j'aurais besoin de vous près de moi, à tous les instants, pour me secourir et me guider. Je vous en prie, ne vous découragez pas, écrivez-moi longuement, et parlez-moi de vous et comment vous vivez, et comment vous vous fortifiez. Je voudrais tant me rapprocher de vous, qui êtes depuis un an et demi le seul objet de mes méditations*[17]. Claudel est pour lui l'être total, qui donnera satisfaction à la pensée abstraite, à l'émotion, à l'âme mystique, et peut-être même aux questions pratiques puisqu'il envisage d'aller travailler avec lui à Tien-Tsin[18].

Jusqu'à présent, Claudel a essayé d'entraîner vers la foi catholique des hommes de sa génération, des adultes qu'il pouvait se permettre de bousculer, sachant bien d'ailleurs que sa rudesse ne lui donnait pas nécessairement de l'autorité morale sur eux, qu'elle était même un peu ridicule, voire burlesque, et que c'était plutôt un signe d'humilité. Il était nécessaire de parler de Dieu d'une façon paradoxale.

Devant Jacques Rivière il se sent pour la première fois investi d'une responsabilité de pédagogue. Ce jeune homme est, vis-à-vis de lui, enthousiaste d'une façon presque gênante, et lui formule des demandes qui sont des supplications. Si brusquement il attend tout de lui, c'est qu'il n'est pas sûr :

> «Je suis si flottant et si fugitif (...). Il y a quelque chose en moi de flétri, une lassitude, une incapacité de contention, une impuissance foncière (...). Je me suis habitué à regarder ma vie, au lieu de la vivre, à jouir du hasard de mes émotions sans vouloir les commander».

Les premières réponses de Claudel, à ceux qui lui demandent de passer de la poésie à la foi, marquent toujours une *résistance*. Cette résistance a pour but d'obliger l'interlocuteur à regarder sans complaisance le passage de l'émotion poétique à la volonté réelle. Il y une rupture à opérer pour entrer dans la voie du salut. Dans le cas de Rivière, Claudel est trop ému, et se sent trop responsable, pour le déconcerter brusquement. Sa lettre commence par un geste de tendresse :

> «Je me tourne simplement vers vous et je vous ouvre les bras et je vous dis : oui, je le veux. Soyez mon frère, soyez avec moi !».

Cependant il est bien évident qu'il veut faire oublier à son admirateur, pour un moment, les rêveries poétiques et les enthousiasmes artistiques. Sa lettre ne dit pas un mot de l'univers des drames que Rivière admire tant, pas un mot de l'identification à Cébès, et par deux fois au contraire l'invite à s'éloigner des livres, et des «minces figures grotesques» des écrivains. Claudel signifie à Rivière qu'il ne le considère que comme un jeune homme

---

17. De Rivière, 7/4/07.
18. André Lacaze écrit de lui : «l'outrance de ses admirations m'effrayait presque. Toutes les fois qu'il me parlait de Claudel, on eût dit qu'il se mettait en devoir d'égorger quelqu'un». Entendons : un contradicteur éventuel. Il s'agit de ces années 1906-1908.

indécis au cas somme toute assez banal, et lui propose avec la plus grande évidence, sans aucune circonlocution, un retour à la foi catholique, aux pratiques de l'Eglise, qui lui demandera beaucoup de courage, quelques humiliations, la maîtrise de soi et le sens de la responsabilité. Il n'est même pas encore temps d'exposer intellectuellement le dogme, en réponse aux questions philosophiques que commençait à poser Rivière :

> «J'avais commencé à vous écrire une grande lettre théologique, et puis j'ai eu mépris de faire ainsi le maître et le pédant avec vous».

La voie catholique qui s'ouvre est simple et sévère. Claudel ne fait rien d'autre qu'y pousser Rivière, par une suite serrée d'exhortations fermes. La seule harmonie secrète est, au début, une évocation de Beethoven pour introduire le thème de la volonté :

> «Je le sais, c'est un moment de terrible angoisse, *mais il le faut*. C'est la question qui fait le thème d'un des derniers quatuors de Beethoven. *Muss es sein ?* Et cette grande âme répond sur des notes altérées : *Es muss sein ! Es muss sein !*»

Ailleurs éclate seulement l'éloquence de la persuasion, ce style de prédication déjà rencontré dans la grande lettre à Gide, mais beaucoup moins déployé, plus resserré autour des deux personnes en cause :

> «La chasteté vous rendra vigoureux, prompt, alerte, pénétrant, clair comme un coup de trompette et tout splendide comme le soleil du matin».
>
> «Vous avez le loisir, vous avez l'intelligence, vous avez l'instruction, vous êtes le délégué à la lumière de tous ces abîmés».
>
> «Ce sera le plus grand ferment qui fait éclater tous les vases, ce sera la lutte, la lutte contre les passions, la lutte contre les ténèbres de l'esprit, non point celle où l'on est vaincu, mais celle-là où l'on est vainqueur».
>
> «Loin de vous, presque aussi loin que les étoiles, et tout près de votre coeur, il y a un homme que votre lettre a rempli de joie. Je l'ai lue près du berceau de mon enfant nouveau-né, avec quel trouble, avec quel amer retour sur soi-même, avec quelle terreur presque de se sentir l'instrument par lequel Dieu a adressé à l'un des siens convocation. Quelle est alors la joie, et quelle est aussi l'humiliation du serviteur qui lève les mains vers le maître et s'écrie sans oser le regarder dans un profond sentiment de son intimité : *Unde hoc mihi* ?».

Cette déclaration éloquente vient à la fin de la lettre. A part l'allusion rapide au «trouble» ressenti devant les tourments de Rivière, elle ne renvoie qu'au chrétien chargé de convertir. Cette lettre est, en gros, une incitation sans détour au courage de la conversion, introduite et terminée par des marques d'affection qui, malgré la déclaration initiale *c'est entre nous une affaire d'homme à homme*, expriment l'accueil d'un père spirituel.

Claudel répondait ainsi à l'émotion de Rivière, à l'expression de son trouble, de sa faiblesse. Ayant reçu le deuxième envoi de Rivière, et percevant mieux dans l'ensemble de ces deux premières lettres (vingt pages) la solidité des résistances philosophiques et la capacité de discussion de cet étudiant, il se met en devoir dans sa deuxième réponse d'argumenter «point par point» à l'aide de la métaphysique scolastique : réfutation des philosophies du néant, persistance de l'Etre dans sa substance, forme éternelle et matière passagère, ordre et parachèvement du monde créé, d'où l'on déduit qu'il y a un chemin entre l'homme et Dieu, un espoir, justification des faiblesses de l'Eglise et de l'humiliation du croyant. Chemin faisant, il met les choses au point sur le sens de son oeuvre :

> «S'il y a autre chose» (que le principal commandement de Dieu) «dans mes misérables livres, je les renie, je les désavoue avec exécration. Amour de Dieu, soumission totale à l'Eglise, je n'ai jamais rien enseigné d'autre»[19]

La lettre suivante, la troisième de Claudel, veut répondre au «tumulte affreux» de Rivière après la première, et à un retour en force des obstacles intellectuels opposés à la foi. Elle renchérit sur le mode d'action spirituelle de la première, en ce sens que Claudel veut frapper un coup décisif, et non négocier des arguments. Une page d'abord énonce et répète la profession de foi originelle, qui est le point de départ et non l'aboutisssement de la philosophie scolastique : Dieu seul existe, il est le commencement et la fin, en lui sont l'être et la vérité manifestés par la Révélation. Puis, abrutement, les conseils pratiques : lectures des grands mystiques, et de Bossuet et Newman, fréquentation de la liturgie, prière, chapelet, scapulaire, méditation de l'Evangile, et pour finir *obéissez strictement à votre confesseur, entrez le plus tôt possible dans la Société de Saint Vincent de Paul*. Suit le conseil de continuer à préparer une carrière universitaire, assorti d'un avertissement que tout cela sera difficile, que Dieu demande toujours des sacrifices avant de donner la joie. Après la lecture proprement dite, Claudel recopie diverses citations latines de l'Ecriture tirées de son «cahier de citations», son futur *Journal*. Le plus complètement, le plus ouvertement possible il parle en *prêtre*, en directeur de vie chrétienne. Il n'a retenu de toutes les demandes de Rivière que celles qui demandaient, sans tellement insister, des conseils pratiques, et il le pousse sans hésiter vers une existence raisonnable et dévote. Deux jours plus tard, le 27 mai, il envoie la traduction d'une méditation de Newman sur la messe.

Rivière ne peut pas suivre. Ses lettres du 4 et du 5 juillet sont l'aveu qu'il ne pourra jamais répondre à de telles exigences, qu'il y a décidément *une incompatibilité entre* moi *et Dieu*.. Il tient trop à son orgueil et à son amour-propre et préfère, honnêtement, rompre avec Claudel s'il faut aller jusque là pour sauver quelque chose de son premier amour. Peut-il rester lié à lui de l'extérieur, lui demander de l'aide à l'occasion et surtout rester un lecteur

19. à Rivière, 23/5/07.

attentif et enthousiaste de sa poésie ? Il lui parle de son essai sur «Paul Claudel, poète chrétien». On sent qu'il commence à voir ce qu'au fond il désire : se nourrir de l'émotion poétique de Claudel, de la compréhension de son oeuvre, inaugurer avec lui l'entreprise de critique passionné qu'il envisage de plus en plus, et peut-être se laisser ainsi entraîner à la vérité et à la paix chrétiennes, mais comme de soi, sans s'en apercevoir ; se donner au Dieu catholique par un acte de volonté contre nature, c'est impossible.

A cette dérobade explicite Claudel répond aussitôt, le 4 août, en reprenant les exhortations fermes et les arguments simples de la première lettre : nécessité de se soumettre à un ordre, responsabilité vis-à-vis de lui-même et des autres, bienfait d'une guérison de ses tourments moraux. C'est une nouvelle charge : plus que jamais la seule solution réside dans une stricte pratique catholique. Il concède seulement que la démarche puisse être lente et progressive. La *dureté* de la conversion n'est plus suggérée, comme dans la première lettre, par l'idée d'une grande humilité héroïque, mais par la répétition peu flatteuse de pratiques mal acceptées et peu convaincantes : *toute la machine qui marchait dans un sens, il faut lui apprendre un autre sens. Il faut apprivoiser peu à peu votre inconscient. Il faut vous créer une atmosphère catholique.* C'est la tradition de l'*abêtissez-vous* de Pascal.

Il n'est toujours pas question de poésie ni d'art. Au *pathétique* de Rivière, Claudel a opposé le *dramatique,* non celui du théâtre mais celui de l'effort réel, du combat contre soi, en accentuant à dessein le côté modeste, sans gloire, de ce qu'il demande. Le catholicisme est là, à portée, il n'exige que le courage de renoncer à soi, mais rien n'est plus dur aux penseurs et aux écrivains.

Ainsi se termine la dernière étape. Claudel écrit quelque part que le courant d'un fleuve, il ne faut pas le suivre, il faut le traverser. Au désir de Jacques Rivière d'établir entre eux une sorte de courant ininterrompu d'émotion et de pensée, il oppose une présentation sans concession du processus de conversion, une affirmation des grands principes de l'apologétique scolastique, et une affection plutôt paternelle qu'amicale. Ayant compris le sens d'une telle attitude, Rivière marque un temps d'arrêt.

Claudel avait déjà été informé de cette résistance par quelques mots d'une lettre de Frizeau, du 21 août :

> «M. Rivière hésite. Il ne sent pas le besoin assez impérieusement. Il est sollicité par trop de choses».

Claudel amplifie assez durement, le 25 septembre :

> «Toute cette histoire de votre ami Rivière m'a causé une grande déception et un vrai chagrin. L'esprit des jeunes gens les meilleurs est amolli et dévirilisé par cet ignoble poison de la littérature et de l'attention à soi-même. «Qui veut sauver sa vie la perdra». Qui veille avec idolâtrie sur son petit jardin personnel et sur tout ce qui y pousse, blé ou poison, recueillera une triste moisson. L'oeuvre d'un artiste consiste autant à supprimer qu'à produire, et il en est de même de la vie d'un juste».

La leçon d'apologétique

Il s'attendait lui aussi à un arrêt. C'est Rivière qui décide finalement de continuer, au moins de s'expliquer. Tel est le motif de sa lettre du 3 octobre; quelque chose est maintenant terminé :

> «Si j'ai attendu un mois avant d'entreprendre cette réponse, c'est que je me suis longtemps demandé si j'avais quelque chose à vous répondre. Il me semblait avoir tout dit et que vous aviez eu définitivement raison de tout ce que j'avais dit. J'avais presque des remords en songeant aux plaintes incohérentes, aux exigences contradictoires, aux questions tumultueuses dont je vous avais accablé. Je regrettais d'autant plus tout cela que je sentais avec quelle netteté et quelle plénitude vous y aviez répondu, sans cependant me satisfaire et me convaincre. J'avais honte d'avoir eu l'air de vouloir «étaler complaisamment mes petits travers, comme une dévote à son confesseur», et de vous avoir forcé à des explications qui ne me décidaient pas».
>
> A Frizeau il résume son sentiment actuel :
>
> «Je serais navré de lui causer du chagrin. Et pourtant que puis-je faire ? J'ai fait un grand effort, et loyal. Il n'a pas abouti. Je n'y peux rien. D'ailleurs je ne me suis jamais senti si loin de tout christianisme, de tout espoir, de toute foi et de toute charité que depuis cette crise»[20].

D'une part, Rivière a pris beaucoup de recul par rapport à la période précédente, à ces appels enthousiastes et angoissés. Il parle lui-même de *la froideur qui succède maintenant à cette crise*, et analyse effectivement avec une grande maîtrise ce besoin de certitude qui l'entraînait sans jamais détruire la lucidité sceptique qui l'empêchait d'adhérer. Il a même un peu honte de ses épanchements du début de l'année. Et l'on voit bien que par la suite jamais il ne retrouvera la première attitude : il gardera avec Claudel une discrète distance, celle qui lui sera nécessaire à la fois pour élever ses objections devant le croyant, et pour analyser son admiration pour l'écrivain. Ainsi refuse-t-il la relation de fils à père que Claudel lui proposait vis-à-vis de Dieu, et la même relation, quoique moins clairement définie, qui tendait à s'instaurer entre Claudel et lui. Il annonce, dans cette lettre, son départ pour Paris. Tout cela ressortit aussi à l'adieu à l'enfance (plus exactement : à l'adolescence spirituelle). D'autre part, il reprend le débat philosophique sur une base plus précise :

> «Depuis il m'a semblé que j'avais mieux à vous dire, une question plus essentielle à vous poser. Cessant de vous énumérer un peu ridiculement les raisons subjectives de mon incroyance, je voudrais vous demander pourquoi il *faut* être chrétien (...). J'accorde que le monde est un chaos, (...) j'accorde que le catholicisme est la *seule* explication possible de ce chaos (...). Mais pourquoi y aurait-il une explication ?»

---

20. De Rivière à Frizeau, 19/11/07, correspondance Claudel - Jammes - Frizeau, p. 116.

Toute la lettre est une dissertation rigoureuse sur l'impossibilité de passer de l'idée d'une valeur à la réalité d'une valeur. Rivière s'est ressaisi, et discute fermement le «es muss sein» des premières lignes reçues en avril.

Claudel répond aussitôt. Tout en faisant comprendre sa déception, il accepte d'entrer dans un long processus de débat apologétique sur le mode amical : «peut-être un jour où je serai mort depuis longtemps vous souviendrez-vous de quelqu'une de ces paroles que je vous adresse, guidé par la plus sincère affection»[21]. Cette lettre est l'un des principaux documents où nous puisons pour établir la métaphysique claudélienne. Aidé de Saint Thomas, de Pascal, de Newman, il s'attache à détruire la distinction de l'objectif et du subjectif, afin de s'appuyer sur le désir de Dieu comme sur un fait indubitable, sur la marque objective de la nature humaine. Tout dépend de là, en particulier la situation de l'homme entre l'ordre et le désordre, que nous analysons par ailleurs. Mais rien ne permettra de convaincre indubitablement la raison, «quoi que je fasse, je ne pourrai jamais rendre la vérité catholique évidente, parce que Dieu ne veut pas qu'elle le soit et exige de vous un effort de volonté généreux et libre pour l'embrasser». La lettre se termine donc par de nouveaux encouragements moraux, et la suivante, abandonnant toute philosophie, se contente d'une invitation à la prière[22]. Entre temps — les lettres sont maintenant plus espacées — Rivière a fait montre d'une sorte de sérénité, plus positive : la foi ne viendra pas d'une argumentation, mais peut-être un jour d'un événement intérieur ou extérieur; il serait prêt à l'accueillir, continuant entre temps des lectures religieuses et quelques essais de prière.

Ce début de 1908 est une période d'équilibre entre eux. D'un côté l'article de Rivière sur Claudel leur procure le plaisir calme d'une compréhension mutuelle; chacun apporte et reçoit l'estime, et Claudel accepte de jouer le jeu de ce rapport d'auteur à critique qui n'était pas du tout le leur jusque-là. Cet article est une sorte de relais intermédiaire dans leur débat, un fait objectif auquel on peut se tenir sans compromettre l'attitude actuelle des personnes. D'un autre côté chaque lettre contient quelques références à la prière et aux dispositions religieuses proprement dites, sans emphase ni insistance, comme pour rappeler que cette chose importante existe bien toujours.

L'article «Paul Claudel, poète chrétien» est une grande joie pour l'intéressé parce qu'il est écrit par un esprit philosophe. Rien ne pouvait plus le satisfaire que la troisième partie intitulée «la doctrine», qui reprend en plus clair les données de *l'Art poétique* et en montre la relation avec les grandes figures du théâtre :

21. à Rivière, 24/10/07.
22. à Rivière, 11/1/08.

«C'est la première fois qu'une étude méthodique est consacrée à mon oeuvre, et pour l'auteur même c'est une chose pleine de renseignements que de la voir ainsi objectivée, et de se regarder dans une paire de prunelles attentives»[23].

«Je suis très fier et très content de votre étude qui est le premier travail raisonné que l'on ait fait sur mon compte. Que de choses vous avez dégagées de ce qui paraît à bien des gens (peut-être à moi-même) un fouillis inextricable !»[24].

Cette étude vient à point dans la période de Tien-Tsin, qui est la période de la mise au point du système de pensée, et son explication à l'extérieur. Pendant un temps, les réponses aux objections personnelles de Rivière et les compléments à apporter à son article vont se confondre. Celui-ci est beaucoup moins une âme à convertir, étant devenu à la fois un lecteur amical et attentif et un explicateur, un clarificateur auprès du public. Le débat entre eux va en quelque sorte faire demi-tour, regarder Claudel et non plus Rivière.

Parmi les points que Claudel voudrait rectifier ou compléter, le plus important porte sur une question théologique essentielle : la différence entre l'homme et Dieu, et sa conséquence, la nature du péché. Il relève l'erreur d'interprétation que signalait Marcel Raymond sur *La Jeune fille Violaine* : non, le péché n'est pas de violenter sa destinée, ce qui supposerait soit que l'homme n'a qu'à suivre sa pente pour s'accomplir (en termes de rapport à Dieu, quiétisme), soit que tout est bon indistinctement (panthéisme). En termes d'école, affirmer que l'homme trouve en lui les ressorts du bien, c'est affirmer qu'il est de même substance que Dieu; *or entre Dieu et l'homme il y a un rapport de convenance et non pas de nécessité*, rappelle Claudel, *autrement nous tomberions dans le panthéisme*. Rivière aurait pu se contenter de s'excuser d'un glissement erroné dans son interprétation, comme il le fait d'abord. Mais il est en train de rédiger son diplôme d'études supérieures sur le quiétisme dans la Théodicée de Fénelon, la question l'intéresse, et il n'est pas fâché de démontrer devant Claudel la contradiction philosophique essentielle du christianisme, selon laquelle l'homme est tour à tour néant et participant à la nature divine. Il se livre alors à une réfutation précise, brillante, assurée, de l'idée d'une distinction entre la perfection des créatures et l'être divin. Exercice de haute école, auquel il ne croit même pas :

«Je m'arrête ici, parce que je voulais simplement m'amuser à vous proposer ces réflexions. Je crois qu'on pourrait les continuer indéfiniment, sans arriver à aucun résultat positif. Mais je crois en avoir assez dit pour prouver ce que je voulais, à savoir que la vérité chrétienne se met en danger quand elle prétend s'appuyer sur la philosophie»[25].

---

23. à Rivière, 28/1/08. Rappelons que l'article de Rivière est paru en 3 fois, dans *L'Occident* d'octobre, novembre et décembre 1907. Il a été repris dans *Etudes*.
24. à Rivière, 12/3/08.
25. à Rivière, 19/4/08.

Il ébauche alors la théologie d'un Dieu sensible dans la réalité historique et perçu par les intuitions naïves, appuyé sur son scepticisme plus éclatant que jamais.

Sans doute croyait-il aller dans le sens de Claudel, à la fois des forces d'instinct de son théâtre et des ses appels épistolaires à la simplicité de coeur. Bien mal lui en prit, car celui-ci, après s'être appliqué à lui rappeler la distinction classique entre la puissance parfaite du créateur et l'imperfection de ses actes partiels, le rappelle fermement à l'ordre :

> «Je n'aime pas le ton dégagé avec lequel vous parlez des plus hautes facultés de notre esprit, comme si elles ne servaient qu'à notre amusement et à notre récréation. L'ignoble Renan a écrit une quantité de drôleries à ce sujet, et à la suite une bande de farceurs méprisables»[26].

Quelque chose s'aigrit entre eux : Claudel voit attaquer sa rigoureuse scolastique, tandis que Rivière refuse, dans sa réponse d'être pris pour un «farceur» parce qu'il a mis en doute l'intérêt de la construction des systèmes. Il l'a fait au nom de son expérience d'étudiant, et plus profondément de sa lassitude de penser au lieu de vivre; «la raison la plus profonde est dans cette espèce de doute, de clairvoyance secrète qui m'empêche de prendre au sérieux ce que je pense, et qui est le fonds même de mon esprit, sa constitution essentielle»[27].

La philosophie n'est qu'un «art», ce qui est tout de même un bel éloge, et un «jeu», au sens de l'épanouissement gratuit mais délectable de toutes nos facultés. Rivière rejoint ici Gide, dont la pensée de plus en plus lui fait signe: l'art est la plus positive des activités humaines, il englobe la pensée abstraite dans un «jeu» qui peut être passionné. Les lettres à Alain-Fournier montrent l'influence grandissante de Gide en 1908, ou plus exactement la découverte par Rivière de leur parenté. Gide porte à une qualité supérieure, artistique, une manière de penser et de vivre qui correspond exactement à ce qu'il est, sans la honte de l'être : *combien je suis infiniment plus près de Gide que de tout autre*, écrit-il à Alain-Fournier le 11 juin 1908, exactement en même temps que la lettre à Claudel dans laquelle il fait l'éloge du jeu artistique. Six mois plus tard, ayant rencontré Gide à la fin de 1908, il parlera de «l'émotion de sentir que les mêmes pensées que les siennes naissent à mesure de ses paroles dans quelqu'un de si près de soi»[28]. Gide cautionne tant de choses en lui !

Quant à Claudel, n'a-t-il pas pu prendre pour un mépris des humbles pratiques chrétiennes cette comparaison qui sert de repoussoir à l'éloge du jeu : *C'est là seulement que l'homme fait quelque chose qui compte, et non quand il*

---

26. à Rivière, 11/5/08.
27. de Rivière, 27/6/08.
28. de Rivière à Alain-Fournier, 26/1/09. Rivière devient à partir de ce moment un familier de Gide, qui l'entraîne dans l'aventure de la *Nouvelle Revue Française*.

travaille à des besognes misérables, obscures et vaines, aussi inutiles que les balayages interminablement recommencés de la cour du quartier. Il ne peut en tout cas oublier que le but de leur correspondance était de proposer un salut.

Or il est inacceptable, de sa part, de paraître encourager Rivière dans cette attitude où l'entraînent son tempérament,ses études de philosophie et, ce qui est pire, leurs discussions actuelles sur la philosophie de ses drames. *Le salut de tout homme est un peu obtenu comme le salut de tous, par une passion,* écrit-il à Frizeau[29]; passion de sacrifice, bien entendu. Rivière prend le chemin inverse. Il n'y a plus d'autre moyen de le lui faire entendre qu'un geste de rupture. Il s'en ouvre d'abord à Frizeau :

> «Je reçois encore de temps en temps des lettres de Jacques Rivière. Sa crise d'idéalisme était à fleur de peau, comme chez la plupart des jeunes gens. Le voilà maintenant engagé dans la grand'route de tout le monde. Il m'avoue maintenant d'un ton dégagé qu'il est un kantien, un dilettante, etc. Triste résidu de doctrines faciles qui suffisent à la paresse de la plupart des esprits. Je crois que le mieux pour lui est que je cesse de lui écrire»[30].

Il cesse effectivement, rompant délibérément cette allure plus équilibrée et sereine qu'avait commencé à prendre leur correspondance, chacun prenant plaisir à nourrir l'autre de sa sincérité dans un débat d'idées exigeant mais amical, sans urgence angoissée ni intention de victoire. La coupure va durer quatre mois. Rivière n'a pas non plus un besoin urgent de reprendre la correspondance, mais il souffre tout de même de la rupture de ce qui devenait une amitié véritable avec un écrivain pour lui capital.

L'utilité de notre correspondance ne m'apparaissait plus

L'explication qui se fait entre eux à la fin de l'année inaugure et domine ce que nous appelons la période des «petites lettres»[31] : lettres beaucoup plus courtes et plus décousues, s'excusant du tracas quotidien, montrant bien que le désir des longues effusions et des patientes explications est passé. On sait bien que dans ces cas le manque de temps est un manque d'envie.

C'est donc seulement le 29 novembre 1908 que Jacques Rivière se décide à écrire. Le début de sa lettre dit clairement où il en est, son désir de conserver l'amitié de Claudel dans sa vie d'adulte qui commence, en cessant définitivement d'apparaître comme un ardent demandeur de foi, et en considérant l'époque de cette demande comme une crise un peu ridicule.

29. à Frizeau, 1/5/08.
30. à Frizeau, 18/7/08.
31. «Je viens de recevoir votre petite lettre», de Claudel, 19/12/08; «vous allez trouver que cette lettre est encore une "petite lettre"», de Rivière 17/1/09.

La réponse de Claudel est immédiate. Il faut considérer ensemble ses deux réponses, envoyées un jour après l'autre : la première est une explication courte et ferme de son refus d'écrire, la seconde un repentir dans lequel il s'excuse de sa brusquerie, mais ne retire rien de sa position. Il garde pour Rivière une amitié chaleureuse et même l'espoir de progrès spirituels; simplement, ce n'est plus à lui de les assurer :

«Je suis heureux de l'amitié que vous témoignez, croyez que je vous conserve la mienne. Si j'ai laissé votre dernière lettre sans réponse, c'est que l'utilité de notre correspondance ne m'apparaissait plus. Si je vous écrivais, c'était dans l'espérance fraternelle de vous faire du bien et non pour m'engager dans de stériles controverses philosophiques pour lesquelles je n'ai ni goût, ni compétence. Je vois que vous êtes sorti de cette période de crise morale par laquelle passent les meilleurs de chaque génération qui arrive, à la manière dont on s'en sort d'habitude. Ne regrettez pas les confidences que vous m'avez faites et que je suis honoré d'avoir reçues. Aujourd'hui vous me semblez aller plutôt du côté de Renan et de Gourmont que du mien. Ce n'est pas à moi qu'il faut faire l'apologie du «jeu». Je ne suis pas un bel esprit, je suis un homme simple et sérieux; comme artiste je méprise les virtuoses et je ne comprends pas les plaisants. Le ricanement, depuis Voltaire jusqu'à Anatole France, m'a toujours paru le signe des réprouvés. Dès qu'un homme est possédé de la haine de Dieu, il ne peut plus s'empêcher de rire (...). Adieu, mon cher ami (...)[32].

«A peine avait-je mis ma lettre à la poste que je me reprochais d'avoir laissé s'y exagérer une partie des sentiments que je ressens à votre égard. (...) Dieu saura se passer de moi (...). Mais je fondais de grands espoirs sur vous. Un peu de tristesse est excusable»[33].

Cette violence atténuée ensuite par des excuses, Claudel l'a manifestée à Jammes, à Gide, à Suarès. C'est ce qu'il appelle sa «tournure d'esprit cléricale», sa «jalousie», et il va ajouter dans sa prochaine lettre «ne vous inquiétez pas de mes coups de boutoir. Si je vous malmène, c'est que je vous aime beaucoup». Le drame n'est pas seulement sur le théâtre, il est dans la vie. Il existe, pour servir la vérité, un devoir de violence, *la vérité chrétienne place la sagesse non pas dans une certaine neutralité médiocre, mais dans des sentiments d'apparence contradictoire poussés à leur degré extrême d'intensité*[34]. Cette idée que l'Anglais Chesterton l'a aidé à élucider, Claudel la met en scène dans ses drames, et en pratique dans les relations de la vie réelle lorsque la religion est en jeu. S'irriter et s'excuser ensuite, refuser d'écrire plus longtemps et proposer, devant la réaction de l'interlocuteur, de continuer à volonté, ce n'est pas la même chose que de se contraindre à une amabilité médiocre.

32. à Rivière, 19/12/08.
33. à Rivière, 20/12/08.
34. à Rivière, 28/4/09.

Justement, Rivière réagit : il est injuste de l'accuser de scepticisme dilettante, lui le passionné, lui qui rejette les systèmes par désir d'une certitude plus vitale : *vous comprendrez*, dit-il à Claudel en lui demandant de continuer à correspondre, *comment s'allient en moi un si violent effort de croyance, de passion, de spontanéité, et ce que j'appelle une clairvoyance désespérée*[35]. Et pour montrer qu'il reste *tout à fait près du christianisme et cependant en dehors, et tâchant de s'en passer*, il annonce son intention d'écrire un livre sur la foi[36]. De plus, pour signifier ses points d'accord, il explique assez longuement son horreur du stoïcisme, vu comme une doctrine d'avarice et de médiocrité. La vie d'ailleurs, ses travaux parisiens, l'amour qui va le conduire au mariage, lui font aimer au contraire, dit-il, *cette morale de l'accomplissement, de la destruction, qui m'a tant séduit dans vos drames, surtout dans* «Partage de Midi»[37].

Claudel donc, après avoir manifesté par un geste concret de résistance que la foi chrétienne exigeait davantage, veut bien continuer à écrire : «ce sera une joie pour moi de vous répondre tant que je croirai que mes lettres pourront vous être agréables ou utiles». De plus ils ont pris l'habitude de s'écrire à bâtons rompus diverses nouvelles de leur vie littéraire, de parler de leurs connaissances communes. On remarquera cependant que le nom de Gide n'apparaît jamais. Claudel accepte volontiers que Rivière soit l'un des principaux propagandistes de son oeuvre à Paris, et un critique qui ne pourra jamais être comme les autres. Mais il reste à celui-ci d'affronter une épreuve qu'il désire et redoute : la rencontre de Claudel en personne, dès son retour en France.

Peut-être avons-nous exagéré la rudesse des «coups de boutoir». Claudel garde et gardera vis-à-vis de Rivière une secrète tendresse paternelle, muée peu à peu en amitié profonde. L'émotion qu'il ressent devant sa confiance absolue et sa sincérité scrupuleuse, se double d'une fierté d'auteur : Rivière a été pris dans les filets de sa poésie dramatique. Il est la preuve vivante du pouvoir de la poésie, mais aussi de son ambiguïté. Comme tout art, la poésie est une jeu d'émotions et d'idées, qu'on risque de substituer à toute autre valeur; risque dramatique si l'on raisonne en termes de *salut* réel, «simple et sérieux». C'est pourquoi, à l'exaltation lyrique de Rivière il faut opposer le «simple» de la vie catholique banale, et à ses jeux philosophiques le «sérieux» de la doctrine scolastique. Cette résistance à la poésie imposée par le poète qu'il aimait le plus est certainement l'une des données importantes de la formation de Jacques Rivière.

---

35. de Rivière, 17/1/09.
36. Ce sera son article «De la Foi», *N.R.F.*, 1er novembre et 1er décembre 1912.
37. de Rivière, 7/4/09. Entendons : le risque de se détruire dans une activité passionnée.

A ces parcours dont on peut jalonner les étapes, il conviendrait d'ajouter d'autres relations épistolaires qui sont restées à l'état de tentatives, ou dont le centre de gravité se situe dans d'autres périodes. Nous avons déjà dit que Massignon, qui est un correspondant capital, n'a pas reçu assez de lettres, de 1908 à 1909, pour qu'on les étudie à part. Il appartient à la période suivante. Les trois lettres envoyées à Sylvain Pitt ont au contraire été rattachées à la période précédente. Son ami Arthur Fontaine a reçu une lettre le 6 juin 1906; les quelques suivantes seront envoyées de Prague.

Enfin nous aurions pu avoir une correspondance à comparer aux lettres que recevait Jacques Rivière : en effet quinze lettres d'Alexis Léger, le futur Saint-John Perse, sont publiées dans les *Oeuvres Complètes* de cet écrivain[38] Mais les lettres de Claudel ont disparu. Léger était un familier de Frizeau, de Jammes, il a correspondu avec Rivière, Gide, Larbaud (voir ses lettres à cinq correspondants dans l'édition de la *Pléiade*). Il appartenait donc au cercle qui nous occupe. Dès 1906 Claudel a essayé de le conseiller et de l'aider pour des études qui devaient le conduire aux Affaires Etrangères. En 1907 et 1908 il lui a envoyé trois ou quatre lettres qui semblent avoir suivi le modèle habituel de ses exhortations apostoliques pour jeunes écrivains : quitter le terrain de l'art, écouter Dieu qui appelle à la joie dans la vie réelle, le chercher par une attitude active et la fixation dans un ordre. Léger, dans des lettres assez elliptiques qui sont le contraire des longs discours exploratoires de Rivière, lui fait comprendre que ce n'est pas sur le christianisme, trop lié à son enfance, qu'il veut construire sa vie. Il reste très déférent, reconnaissant, et admirateur de l'oeuvre, qui aura une profonde influence sur son écriture poétique. Mais, ne tenant pas à s'ouvrir plus longtemps à une parole impérativement catholique, il ne multiplie pas les occasions de correspondance. *Je ne puis plus écrire à Claudel*, écrit-il à Frizeau le 1er janvier 1909, *Je n'avais de droits que sur le catholique*. C'est une façon à la fois courtoise et fière de refuser sans ambiguïté.

38. Bibliothèque de la Pléiade, 1972, pp. 711 à 727.

Le prêtre et le père

Quel rôle ont joué les correspondants de Claudel, dans cette conquête d'un équilibre définitif qui caractérise le dernier séjour en Chine ? On remarquera d'abord qu'il a besoin d'eux : de son propre aveu les lettres qu'il leur envoie sont la seule occasion de dire bien des choses en paroles non poétiques et avec la garantie d'une communication réelle : sa foi qui s'affirme encore davantage dans les catégories des explications claires, des raisons et des modalités de sa poésie, et cette force qui le pousse à prêcher comme un prêtre. Mais outre la parole, il tient maintenant à sentir autour de lui, «loin de vous, preque aussi loin que les étoiles, et près de votre coeur», comme il l'écrit à Rivière, des *répondants* vivants : Frizeau et Jammes répondent de la réalité d'une communauté de croyants, Rivière répond de sa capacité à convaincre les lecteurs passionnés de ses poèmes, Gide répond de la possibilité de faire une littérature de qualité — et plus simplement de la possibilité de faire lire sa poésie. Tous répondent de, et à, son pouvoir, qu'il voudrait être le pouvoir de Dieu, de *faire irruption. Le salut de tout homme est obtenu par une passion*; or cette passion, il faut l'éveiller et l'entretenir par une attitude qui, dans l'espace épistolaire, se manifeste tantôt par l'insistance des injonctions, tantôt par la brusquerie des réactions, ou le refus de répondre aux avances de pure amitié, ou enfin l'apologie paradoxale des défauts les plus voyants du catholicisme. Mais une telle violence a pour but d'inviter les hommes à se rassembler dans l'univers complet et harmonieux des adorateurs de Dieu : telle est, dans le domaine des rapports avec autrui, la forme que prend la théorie des *vérité perpendiculaires,* forme moins éclatante, moins brûlante, que dans la poésie proprement dite la rencontre de la contemplation lyrique et de la violence dramatique, mais c'est la même matrice. Au couple poétique défini par le conflit et le triomphe, correspond un couple épistolaire fait de brusquerie pour attaquer les attitudes et les idées faciles, et d'assurance heureuse pour affirmer l'universelle bonté de Dieu.

Une certitude métaphysique s'épanouit dans le sentiment d'avoir trouvé enfin l'apaisement personnel, la sérénité spirituelle, affective, sociale (dans le cercle de son foyer et de ses correspondants amis); on établira facilement un lien entre ces pages des lettres et bien des versets des *Odes*.

L'impression générale de cette période se retrouve par exemple dans le passage de l'arrivée dans la Terre Promise, *cette terre de mon après-midi*, à la fin de la *Troisième Ode*[1]. A la satisfaction de commencer à descendre, sur le second versant du col, vers Chanaan, s'ajoute la fierté d'être responsable du peuple de Dieu :

> «Et ses femmes sont avec lui en arrière sur les chevaux et les ânes, et les enfants dans les bâts et le matériel de la guerre et du campement, et les Tables de la Loi sont par derrière,
> Et il entend derrière lui dans le brouillard le bruit de tout un peuple qui marche».

A la scène biblique et à la vérité de cette scène se superpose l'expérience personnelle :

> «La joie de cette quarantième année où nous sommes tous deux est précisément ce que j'appellerai le *bonheur de la responsabilité*, la profonde satisfaction de tous ces coeurs qui reposent sur le nôtre, de ces mains qui s'attachent à lui, de toutes parts, le sens en même temps qu'on ne leur fera pas défaut, que l'on possède la vérité et que l'on participe à la solidarité de l'univers»[2]
> «Vous avez raison de dire que la bonté de Dieu envers moi est grande et ne me laisse vraiment aucune chose à désirer»[3]

De son propre aveu Claudel a mis des années à évangéliser toutes les parties de sa personnalité. *L'Art Poétique*, qui est de ces oeuvres qu'un écrivain compose beaucoup plus pour lui que pour les autres, est le fruit d'un très dur effort intellectuel pour achever cette évangélisation par une formulation cohérente, à peu près explicite. Texte difficile, refermé sur le combat d'une pensée et d'une expression. C'est la crise passionnelle de Fou-Tchéou, puis la recherche de sa résolution en 1905 et 1906, qui a enfin donné à la foi de Claudel une dimension de socialité, d'ouverture à la réalité de la vie et de la pensée des autres. Sa certitude chrétienne, il ne veut plus seulement l'exprimer, mais la donner. Or le moyen normal de transmettre la révélation chrétienne, c'est l'Eglise et ses clercs investis. Il ne suffit pas de développer poétiquement le témoignage de sa propre conversion, démarche individuelle et unique, inimitable. A la demande précise *que croyez-vous, et comment puis-je croire* ? faite par des hommes réels qui s'appellent Frizeau, Suarès, Rivière, Claudel est vite conduit à répondre : voyez l'Eglise.

A moins de devenir soi-même prêtre. Prêtre, non pas moine, car il faut ici établir une différence. La tentative de Ligugé en 1900 a été une tentative de vie monastique. On trouve dans une lettre à Massignon, à un moment où celui-ci envisageait de créer une sorte de Tiers Ordre pour intellectuels et

1. *Oeuvre poétique*, p. 260.
2. à Gide, 3/3/08.
3. à Suarès, 28/1/08.

artistes catholiques comme Huysmans l'avait désiré dans l'*Oblat*, une définition de la vocation monastique et un rappel de son propre refus :

> «Le principal reproche que je lui fais (à Huysmans) est celui-ci : on ne se fait pas moine à moitié. Qui se fait moine entre dans une voie de perfection dont la fin unique est l'union aux volontés de Dieu et dont la première condition est un parfait renoncement à soi-même. (...) Le rêve de Huysmans (...) n'est pas une retraite pour un homme travaillé par l'idée dévorante du devoir ou attaqué dans ses profondeurs par cette chose qu'on appelle si justement la «passion».
> (...) Je vous parle de ces questions y ayant profondément réfléchi. Aucun converti qui ne se soit demandé avec une profonde angoisse si Dieu qui lui a commandé une premier pas ne lui en demande pas un second. Cette angoisse a été si forte chez moi qu'à un moment donné j'avais demandé d'entrer comme novice à Ligugé, ayant fait le sacrifice complet d'une poésie que je croyais inutile au service de Dieu. C'était en 1900 et mes supérieurs m'ordonnèrent en raison des événements d'attendre et de repartir pour la Chine. (...) Il est probable que si j'avais demandé d'une manière vraiment ferme de rester à Logugé, j'y serais resté, mais le coeur me manquait, et ce sacrifice du don principal qui constituait sans doute ma vocation personnelle était trop grand pour mes forces».[4]

La clôture et l'ordination sont ici une démarche de mystique personnelle qui ne concerne que la relation entre le chrétien et Dieu. Le témoignage donné à l'extérieur serait plutôt un témoignage de prophète : un geste excessif et absolu qui va à contre-courant, qui dérange les certitudes naturelles, qui atteste et proteste. A première vue cette clôture dans le plus étroit des «cercles» est stérile, le moine comme le prophète s'en remet entièrement à Dieu pour l'efficacité de son geste violent. Claudel de son propre aveu n'a pas pu accepter cette stérilité prophétique que signifiait le sacrifice de son art. Mais un tel geste allait dans le sens de son expérience mystique, qui était restée individuelle et solitaire, et ne se manifestait à l'extérieur que par le prophétisme éruptif, explosif de ses drames qui étonnent, dérangent, mais n'expliquent pas.

Tout autre est la prêtrise entendue comme l'action de l'apôtre et du pasteur, ordonné pour enseigner et conseiller. Celui-ci fait partie de l'organisation militante de l'Eglise, ne parle et n'agit qu'à bon escient, investi d'une responsabilité qui le rend prudent. Claudel n'est pas prêtre et le sait bien : il se hâte de renvoyer ses interlocuteurs à des prêtres véritables. Mais il fait tout de même l'expérience de certaines attitudes du prêtre-pasteur : l'enseignement explicite de la doctrine, les conseils de pratique morale, et bientôt l'organisation de la «coopérative de prières», sorte d'Action Catholique avant la lettre. L'image du prêtre est entre lui et ses correspon-

4. à Massignon, 19/11/08.

dants, soit qu'il regrette de ne pas l'être, soit qu'il se sente parfois le devenir:

> «Si j'étais prêtre au lieu de laïc indigne que je suis resté, aurais-je pu faire plus pour vous ?»[5]
> «J'ai une espèce d'idée, si burlesque que cela puisse paraître, que je ne finirai pas autrement que prêtre».[6]

Toutes les fois qu'il parle de ses «clients» il se sent à la fois investi d'une responsabilité immédiate et concrète, et indigne de cette charge. Il est assuré de connaître la vérité dont ils ont besoin, cela ne fait aucun doute; elle n'est pas inventée par lui, elle existe en soi, parfaite et indestructible, visible dans ses effets salutaires pour tout homme sincère. Claudel certes n'a pas reçu d'investiture officielle, mais lorsqu'on fait appel à lui à cause de ce qu'il a déjà dit dans ses poèmes, il se sent un devoir de la dire, cette vérité, le plus clairement possible. C'est envers Rivière qu'il s'estime le plus investi de ce devoir d'enseignement, mais il le remplit aussi avec les autres quand il estime plus ou moins intuitivement qu'il le faut, parfois sous la simple poussée d'un désir de faire partager sa conviction. Et si nous insistons sur ce rôle demi-conscient de prêtre qu'il assume, c'est que nous y voyons un grand changement dans la manière de dire sa foi. Revenons à la différence entre le prophète et le prêtre : en tant que prêtre, il ne cherche plus à étonner et à bousculer. Il pratique, surtout avec Rivière, la mansuétude et la patience :

> «Je passe toute ma vie au milieu de gens et de livres chez qui Dieu tient peu de place, et croyez qu'à cet âge de trente-neuf ans que je vais atteindre dans peu de jours je ne suis pas prompt à m'indigner et à me scandaliser. (...) Dieu aura son heure avec vous, que ce soit la première ou l'onzième : j'ai eu le tort d'être plus pressé que lui».[7]
> «Paris n'a pas été construit en un jour, ni ce mystérieux temple de Jérusalem...»[8]

Faisant en mars 1908 le bilan d'un an de correspondance, il reconnaît qu'il a beaucoup appris lui-même, en particulier de prendre son parti de ne plus attendre de conversion spectaculaire et rapide[9]. A la douceur et à la patience s'ajoute l'humilité : la vérité chrétienne doit être prêchée par un homme dont la vie en est digne et dont le tempérament est approprié : *si cet appel n'a pas été efficace, c'est qu'obscurément j'ai été trouvé manquant envers vous*[10]. *Qui suis-je pour obtenir des conversions* ? : nous avons déjà cité cette phrase écrite à Frizeau. Il dit la même chose à Jammes, à Suarès. Il apprend à accompagner discrètement ceux qui semblent avoir besoin de lui.

---

5. à Suarès, 3/3/07.
6. à Suarès, 5/8/07.
7. à Rivière, 4/8/07.
8. à Rivière, 11/1/08.
9. à Rivière, 12/3/08.
10. à Rivière, 4/8/07.

Ainsi se compose en filigrane ce que nous pourrions appeler la figure du pauvre prêtre, ou du vieux prêtre, conseiller de tous les jours, attentif à la «parole juste du coeur». Jamais Claudel dans ses déclarations explicites ne se dira investi d'une fonction sacerdotale :

> «Vous me sommez de trouver la parole qui ressuscite et qui guérit, c'est Dieu seul et ses ministres qui la possèdent, je ne puis que vous donner quelques avis fraternels».[11]

Mais, comme à l'accoutumée, c'est la poésie qui exprime ces attitudes secrètes :

> «Mais que je trouve seulement la parole juste, que j'exhale seulement
> Cette parole de mon coeur, l'ayant trouvée, et que je meure ensuite, l'ayant dite, et que je penche ensuite
> La tête sur ma poitrine, l'ayant dite, comme le vieux prêtre qui meurt en consacrant ! ».[12]

Et ce prêtre humble, qui sera représenté par l'image du Curé Badilon, c'est aussi le *sacerdos*, le grand-prêtre solennel qu'on voit apparaître à la fin de *La Ville*, qui revêt l'insigne de sa charge. Certaines lettres de Claudel ne sont pas loin d'être revêtues de cette solennité, qui n'est explicite elle aussi que dans les *Odes* :

> «Et me voici comme un prêtre couvert de l'ample manteau d'or...»[13]
> «Et maintenant que selon le rite j'ai salué le Ciel et la Terre et les vivants
> Comme l'Officiant qui fait une pause dans l'invocation...»[14]

Théologien assidu, prédicateur assuré mais devenant modeste et patient, regrettant de ne pouvoir pleinement *consacrer* sa parole : l'entreprise de correspondance donne cette consistance réelle et quotidienne au rêve plus éclatant du poète.

Cependant l'image du prêtre ne suffit pas pour rendre compte de cette attitude nouvelle. Elle se fond dans une autre, plus naturelle, qui est celle du père. On dit dans l'Eglise un «père» en désignant un prêtre, désignant par là l'autorité éducative dont ont été peu à peu investis les clercs, et la bonté vigilante dont ils doivent faire preuve envers les fidèles. Et mystiquement ils sont les «donneurs de vie» spirituelle en distribuant les sacrements, même sans le recours à l'enseignement. On établira alors, dans cette subdivision que nous faisons en matière de transmission de la foi, une différence encore plus nette entre le père et le prophète, qu'entre le prêtre et le prophète. Le «père», image imparfaite de Dieu le Père, possède une autorité sacrée sur ceux qu'il a engendrés, venue du mystère même de l'acte générateur;

11. à Rivière, 23/5/07.
12. *Troisième Ode, Oeuvre poétique*, p. 251.
13. *Troisième Ode, Oeuvre poétique*, p. 262.
14. *Cinquième Ode*, id., p. 279.

incontestable quoique inexplicable, son autorité est rassurante, attentive, pleine d'indulgence et de bonté. Il est le maître de la maison, le garant de l'ordre intérieur. Il y a de toute évidence dans le christianisme, et surtout le catholicisme latin, une tendance qu'on peut qualifier de paternelle : l'Eglise engendre et garantit l'ordre dans les esprits et les cités, et éduque ses enfants avec une affectueuse bonté. Cette tendance se fractionne en autant de désirs de paternité spirituelle qu'il y a de clercs enseignants ou «directeurs».

Or, ce n'est absolument pas cette tendance qui a conduit, ou reconduit, Claudel à la foi catholique. En cela Claudel est bien un *converti*; la conversion est à l'opposé de la paternité, elle exige une rupture avec les protections et les idées de l'enfance, données et garanties par le père. C'est, au sens freudien, un meurtre du père. La critique biographique a amplement montré quels rapports de sourde hostilité existait entre Claudel et ses parents au moment de sa conversion, et combien celle-ci les a aggravés. Jusqu'en 1906 il n'y a aucune figure de père, ni de fils aimant, dans l'oeuvre dramatique et poétique de Claudel, sauf celles de l'Empereur de *Tête d'Or*, qui précisément est tué par le conquérant, et du père de Violaine, qui s'exile au début de l'action.

Mais Claudel connaît en 1907, 1909, les joies de la paternité : expression banale qui a représenté pour lui, à quarante ans et après tant de difficultés pour trouver un sens à sa vie, l'expérience bouleversante d'une participation à l'ordre naturel et social, acceptée et même consacrée par Dieu. A tous ses correspondants il parle de la joie d'être père, et la profondeur de cette joie est attestée par les deux pages d'hymne à la paternité qui figurent dans la *Troisième Ode* :

> «Voici que je ne tiens pas une pierre entre mes bras, mais ce petit homme criant qui agite les bras et les jambes».
> «Me voici rejoint à l'ignorance et aux générations de la nature».[15]
> «Maintenant entre moi et les hommes il y a ceci de changé que je suis père de l'un d'entre eux».[16]

C'est l'expérience de la réconciliation par l'union à Dieu et aux hommes dans l'acte créateur. Et au même moment il reçoit de Jacques Rivière un appel où résonne encore la naïveté et la confiance éperdue de l'enfance, en même temps que l'angoisse du vide soudain entrevu en arrivant à l'âge d'homme. On ne peut s'empêcher de rapprocher l'expérience de la paternité charnelle et sociale de l'attitude de paternité spirituelle que prend spontanément Claudel avec Jacques Rivière. Ils ont vingt ans de différence d'âge, ce qui est bien suffisant pour une paternité spirituelle, et qui pourrait presque faire une génération d'écart au sens habituel. *Mon cher enfant,* lui répondit-il la première fois. Comme avec un enfant il prend le temps d'écouter puis d'expliquer, d'attendre que l'enseignement porte un fruit; il encourage au

15. *Oeuvre poétique*, id., p. 258.
16. ibid., p. 259.

lieu de décontenancer, il excuse patiemment, comme nous l'avons vu, les réticences de Rivière. C'est là la paternité spirituelle proprement dite. Avec l'aide de Frizeau il essaye de l'élargir à plusieurs jeunes gens familiers de l'ami de Bordeaux[17]. Le voici plus ou moins «père spirituel», comme on disait autrefois dans les collèges :

> «Naturellement, si vos amis veulent m'écrire ils me feront un très grand plaisir. Vous savez combien j'aime les jeunes gens, et combien il m'est agréable de les aider en ce que je puis».[18]
> «C'est pour moi le premier et le plus agréable des devoirs de tâcher de faire un peu de bien aux jeunes gens qui se débattent dans la crise que j'ai moi-même traversée, jadis».[19]
> «Beaucoup de jeunes gens m'écrivent, qui cherchent un peu d'air et de jour».[20]

Peu de ces tentatives aboutiront, d'autres se transformeront en paternité poétique et en amitié profane, comme avec Alexis Léger. Mais Claudel reprendra plus tard, surtout en arrivant à la retraite, de ces correspondances qui essayent d'être des directions spirituelles de jeunes gens[21]. Quoique conscient des limites de l'entreprise, il gardera toujours le désir de transmettre directement la foi catholique et de conseiller des débutants, tout prestige littéraire mis de côté.

On peut saisir, assez intuitivement il est vrai, l'évolution de Claudel vers une attitude que nous appelons *de père*, plus sereine, plus accessible, lorsqu'il s'adresse à Rivière. On peut comparer un fragment de la première lettre envoyée à celui-ci à un passage analogue de la grande lettre à Gide du 7 décembre 1905. Dans les deux cas Claudel introduit son exhortation à la conversion par un rappel du devoir de charité propre à l'écrivain ou au philosophe, accompagné de la référence au récit du Jugement Dernier de l'Evangile. Gide est un homme de son âge, distant de lui, et Claudel, comme nous l'avons vu, lui parle du haut de la chaire. Rivière est un jeune homme qui est venu se confier. L'exhortation qu'il reçoit est plus encourageante, plus sereine, et bien plus simple et proche, sans apparat d'éloquence dramatique:

> «Et puis vous n'êtes pas seul, songez à l'immense foule des pauvres, des misérables, dont des livres terribles comme le *Bubu* de Philippe ou *la Maternelle* de Frapié vous décrivent l'enfer, et qui vivent et meurent dans les ténèbres de l'infection. Vous avez le loisir, vous avez l'intelligence, vous avez l'instruction, vous êtes le délégué à la lumière

---

17. En particulier «le jeune Léger que vous avez trouvé chez Jammes et qui fait son droit à Bordeaux». de Frizeau, 18/12/06.
18. à Frizeau, 6/2/07.
19. à Rivière, 25/5/07.
20. à Massignon, 12/10/08.
21. cf. Isabelle Bouchard, *L'expérience apostolique de Paul Claudel*, Fides, Ottawa, 1969, pp. 172-181, «Lettres à Odile R., à Joël».

de tous ces abîmés. Que leur répondrez-vous devant Dieu quand ils vous accuseront et vous demanderont : «Qu'avez-vous fait de tous ces dons ?» Malheur à vous si vous n'en avez usé que pour épaissir encore ce Tartare par un accroissement de la nuit et de la corruption. Non, Jacques, ne croyez pas les livres. Croyez-en la droiture naturelle de votre conscience et l'élan de votre virilité. La lumière n'est pas refusée à celui qui la cherche avec un coeur sincère. C'est la Sagesse qui attend à votre porte. Bienheureux celui qui la fera entrer dans sa maison ainsi qu'une mère honorée».[22]

Il y a dans l'idée que Claudel se fait de Jacques Rivière un autre aspect du sentiment paternel : c'est l'émotion qu'il ressent à considérer sa ressemblance avec lui. Rivière vit en 1907 ce qu'il vivait, lui, en 1886 : le scepticisme, le découragement devant l'équivalence des idées, l'angoisse du néant; et le bouleversement qu'il a ressenti en lisant la poésie de Claudel ne ressemble-t-il pas aux prémisses bouleversants de sa conversion à lui ?

«J'ai lu cette lettre avec le même intérêt et la même émotion que la précédente. Cela m'a reporté aux jours de mon propre combat spirituel».[23]

«... Enfin, puissé-je être pour vous ce que Rimbaud a été pour moi».[24]

La référence explicite à Rimbaud est importante, et sans doute est-il significatif, pour un psychologue attentif, qu'immédiatement après cette phrase sur Rimbaud vienne la pensée de sa paternité réelle : *ma petite fille est délicieuse, mais vous êtes encore trop jeune pour comprendre les joie d'un père.* Rimbaud est le «père» de Claudel dans un sens mystérieux et intime : une force secrète est passée de l'un à l'autre, non pas par l'intermédiaire conscient et raisonné d'un enseignement d'idées, mais par les «semences» obscures de son énergie poétique. La représentation se rapproche ici de la réalité vécue de la génération, «enfouissement» obscur et tumultueux, qui transmettra à l'enfant les traits les plus intimes de la personnalité. Pour Claudel la réalité spirituelle peut lui ressembler. Nous relevons ceci dans le passage très connu de la lettre à Rivière sur l'influence de Rimbaud :

«Mais Rimbaud seul a eu une action que j'appellerai paternelle et séminale et qui me fait réellement croire qu'il y a une génération dans l'ordre des esprits comme dans celle des corps».[25]

Il y a un mystère de paternité entre Rivière et lui, dont une autre preuve est, après l'adhésion enthousiaste de Rivière à son oeuvre, la compréhension qu'il en a dans son article de *l'Occident* [26] :

22. à Rivière, 3/3/07.
23. à Rivière, 23/5/07.
24. à Rivière,11/1/08.
25. à Rivière, 12/3/08.
26. *L'Occident*, octobre, novembre et décembre 1907. Article repris dans Jacques Rivière, *Etudes*, 1911.

«J'ai enfin reçu votre grand article et je n'ai aucune fausse honte à vous avouer qu'il m'a fait plaisir. Pour quelqu'un si peu habitué que moi à la gloire, c'est un bonheur profond de se sentir aimé et surtout compris».[27]

Paternité spirituelle, paternité «séminale» : les deux se fondent dans cette image du prêtre-père, qui à la ressemblance du Dieu biblique peut aussi tenir de sa nature de père une tendance à accaparer son fils, une «jalousie». Claudel se reconnaît ce défaut, qu'il appelle «clérical», mais que nous comprenons en l'élargissant dans le sens indiqué ci-dessus :

«C'est un mauvais aspect de ma tournure d'esprit cléricale que cette espèce de jalousie à l'égard des gens auxquels je crois pouvoir faire du bien».[28]

Nous reviendrons pour finir à la très belle fin de la première lettre de Claudel à Rivière. La relation entre la paternité réelle du premier, et le lien nouveau qu'il voit s'ébaucher avec son jeune correspondant, est évidente : joie mêlée d'anxiété devant sa responsabilité. Il s'y ajoute une sorte d'humilité solennelle devant le signe de Dieu, qui est bien du «pauvre prêtre»:

«Loin de vous, presque aussi loin que les étoiles, et tout près de votre coeur, il y a un homme que votre lettre a rempli de joie. Je l'ai lue près du berceau de mon enfant nouveau-né, avec quel trouble, avec quel amer retour sur moi-même, avec quelle terreur presque de se sentir l'instrument par lequel Dieu a adressé à l'un des siens convocation. Quelle est alors la joie, et quelle est aussi l'humiliation du serviteur qui lève les mains vers le maître et s'écrie sans oser le regarder dans un profond sentiment de son indignité : *Unde hoc mihi* ?»[29]

Tel est sans doute le secret de «l'impitoyable douceur» de Claudel dont Rivière lui parle à la suite de cette lettre[30], et de l'émotion répandue partout dans les *Odes* :

«Ecoute, mon enfant, et incline vers moi la tête, et je te donnerai mon âme (...).

Ecoute, mon enfant, et ne ferme point ton coeur, et accueille

L'invasion de la voix raisonnable...»[31]

Claudel peut maintenant, d'expérience, confirmer l'idée que le mariage et l'ordination sont deux «ordres» sacrés qui ont même dignité et certains pouvoirs interchangeables. *Un homme non marié ou non consacré n'a pas reçu*

27. à Rivière, 28/1/08.
28. à Rivière, 20/12/08.
29. à Rivière, 3/3/07.
30. de Rivière, 5/4/07.
31. *Deuxième Ode*, *Oeuvre poétique*, p. 247.

d'ordre, il reste ouvert et imparfait.[32] *Il y a trois phases dans la vie chrétienne : la conversion, l'ordination (ordre ou mariage), la paternité.*[33]

Telle a été cette période, que l'on peut appeler celle de la contemplation, mais aussi celle de la prédication du dogme. La certitude que l'univers est «indéchirable», «indivisible», «inépuisable et fermé», comme il est dit à chaque page de la *Cinquième Ode*, «La Maison fermée», a été à la fois renforcée et mise au grand jour par l'ensemble des circonstances de la vie.

Mais ces correspondances conduites depuis la Chine ont-elles suffi à assurer à sa pensée religieuse ou poétique l'obstacle d'une réaction, d'une résistance ou d'un ébranlement, sans lequel il n'y a pas de vérification de la réalité de l'action ? Relégué au bout du monde, dans un milieu auquel il était hostile ou indifférent, Claudel a installé l'équilibre de son âge mûr, après la crise qu'il a traversée, dans ce domaine relativement abstrait de la communication des «âmes» que lui proposaient en quelques pages de lettres les correspondances qu'il recevait. Il est question dans ces lettres de livres, de poésie, de philosophie, de conversion religieuse de la pensée, mais rien n'est fermement rattaché aux activités quotidiennes, à l'urgence d'une histoire publique ou personnelle. C'est dans une sorte de clôture spirituelle qu'il fait vivre cette foi chrétienne qu'il conçoit, dans ses drames, tellement engagée dans le réel. Le retour en Europe va au contraire multiplier les occasions de rencontre et de travail commun, les projets, les sollicitations de l'actualité. Les lettres vont jouer un rôle assez différent.

---

32. à Massignon, 19/11/08.
33. à Massignon, 25/4/09. La correspondance avec Massignon est à peine commencée en 1909. Elle sera étudiée dans un prochain volume.

BIBLIOGRAPHIE

Lorsque le lieu de l'édition n'est pas indiqué, il est à Paris.

OEUVRES DE PAUL CLAUDEL

CLAUDEL, P.,

Oeuvre poétique, Introduction par Stanislas Fumet, Bibliothèque de la Pléiade, Gallimard, 1957, 993 p., Nouvelle édition, annotée par Jacques Petit, 1977.

Théâtre, tomes I et II, introduction, note bibliographique et textes établis par Jacques Madaule. Bibliothèque de la Pléiade, Gallimard, 1956, 1172 p. et 1388 p.

Théâtre, Tomes I et II, édition revue et augmentée, textes et notices établis par Jacques Madaule et Jacques Petit, Bibliothèque de la Pléiade, Gallimard 1980 et 1983, 1371 p. et 1555 p.

(N.B. Même pagination dans les deux tomes I, sauf pour les suppléments de la 2è éd.).

Oeuvres en prose, préface par Gaëtan Picon, Textes établis et annotés par Jacques Petit et Charles Galpérine, Bibliothèque de la Pléiade, Gallimard 1965, 1627 p.

Journal, tomes I (1904-1932) et II (1933-1955), introduction par François Varillon. Texte établi et annoté par François Varillon et Jacques Petit, Bibliothèque de la Pléiade, Gallimard 1968 et 1969, 1499 p. et 1360 p.

Mémoires improvisés, recueillis par Jean Armouche, Gallimard 1954, 347 p.

Mémoires improvisés, quarante et un entretiens avec Jean Amrouche, texte établi par Louis Fournier, «Idées - N.R.F.» n° 190, Gallimard 1969, 380 p.

(N.B. : entretiens radiodiffusés du 21 mai au 12 juillet 1951 et du 1er octobre 1951 au 14 février 1952. La seconde édition est plus fidèle à l'enregistrement oral).

Oeuvres citées de Paul CLAUDEL qui ne se trouvent pas dans les recueils ci-dessus :

- *Introduction à l'Apocalypse*, dans *Oeuvres Complètes*, tome XXI, Gallimard 1963.
- *Paul Claudel interroge l'Apocalypse*, Gallimard 1951, 384 p.
- *Au milieu des vitraux de l'Apocalypse*, édition établie par Pierre Claudel et Jacques Petit, Gallimard 1966, 427 p.
- «Abrégé de toute la doctrine chrétienne» : *Correspondances* Suarès-Claudel p. 204, Gide-Claudel p. 64.
- «Paul Claudel par lui-même» (notice rédigée par l'auteur) : *Cahier Paul Claudel 9*, p. 219.
- «La Jolie foi de mon enfance», *Positions et Propositions II*, Gallimard 1934, p. 141.
- «Les Paradoxes du Christianisme» (traduction du chap. XIII d'*Orthodoxy* de G.-K. Chesterton) : *Correspondance* Claudel-Gide, p. 107.
- «La Physique de l'Eucharistie», *Positions et Propositions II*, p. 49.
- Préface à *A la Trace de Dieu* de J. Rivière, rééd. dans *Positions et Propositions II*, p. 67.
- «Propositions sur les Anges» : *Correspondance* Claudel-Jammes-Frizeau, p. 142.
- «Propositions sur la Justice» : *Positions et Propositions II*, p. 37.

Pour les autres éditions des mêmes ouvrages et articles, voir :

Bibliographie des Oeuvres de Paul Claudel. Annales Littéraires de l'Université de Besançon, Centre de Recherche de Littérature Française (XIXe et XXe siècles), vol. 10. Les Belles-Lettres, Paris, 1973.

CORRESPONDANCES DE PAUL CLAUDEL AVEC DES PERSONNES CITEES DANS CET OUVRAGE

(par ordre alphabétique des correspondants)

Lorsque l'ensemble de la correspondance n'est pas publiée en volume, cette liste indique la référence des publications éparses ainsi que le lieu de dépôt des inédits quand il est possible de le faire. «Arch.» signale les archives de la Société Paul Claudel, maintenant déposées à la Bibliothèque Nationale, et «fonds Doucet» les lettres déposées à la Bibliothèque Littéraire Jacques Doucet (10, place du Panthéon, 75005 Paris). Les corrections certaines de dates à opérer dans les publications, ainsi que les lettres retrouvées depuis, sont aussi indiquées. Les lettres inédites ne peuvent être consultées qu'avec l'autorisation des propriétaires.

Un répertoire chronologique des lettres publiées est donné par l'*Etat des lettres publiées de Paul Claudel*, Annales littéraires de l'Université de Besançon, Les Belles Lettres, Paris, 1975. Le «Centre de recherche de Littérature Française» de l'Université de Besançon tient à jour cet *Etat des lettres*. Voir aussi l'index alphabétique de la *Bibliographie des Oeuvres de Paul Claudel* (même éditeur, 1973) à «lettre à ...».

Maurice BARRES (1862-1923)

- 3 lettres inédites de B., arch.; 2 lettres inédites de Cl., dont un fgt. (12/9/08) dans Catalogue Exposition «Paul Claudel», Bibliothèque Nationale, 1968, p. 65, n° 251. L'autre (Bibl. J. Doucet) est une longue notice sur son système poétique, qui semble calligraphiée d'une autre main, s.l.n.d. (1910 ?); fgts dans Michel Lioure, *L'Esthétique dramatique de Paul Claudel*.

Alfred BAUDRILLART (abbé, puis monseigneur) (1858-1942)

- 5 lettres de B., 1906-1912 (et 6, 1918-1935), arch. Les papiers de Mgr. Baudrillart, à l'Institut Catholique de Paris (encore inaccessible), contiennent probablement des lettres de Claudel. 1 lettre de Claudel, 1/3/15, sur la destruction de Reims, arch.

Christian BECK (1879-1916)

- 6 lettres de B. à Claudel, et 1 de Claudel, dans «Paul Claudel et Christian Beck», documents présentés par Victor Martin-Schmets, Société Claudel en Belgique, Bulletin régional n° 15, 1970.

Hélène BERTHELOT

- De Cl. à Hélène B., 18/12/13, *Cahiers P.C., 5*, p. 258. D'Hélène B. à Cl., 8/12/(1907), *B S P C 28*, pp. 21-22.

Philippe BERTHELOT (1866-1934)

- De Cl. à B., 17/1/08, Archives Affaires Etrangères, Tientsin, t. IV, f. 44; 20/11/08, Catalogue de l'exposition P.C., Biblioth. Nation., 1968; 5/6/16, (correspondance diplomatique) *B S P C 28*, p. 60. De B. à Cl., 4 lettres (1907-1911) dans *B S P C 28*, pp. 19-26. Fragm. de Cl. à B. 17/1/08, *Cahier P.C. 8*, p. 130.

Elemir BOURGES (1852-1925)

- «P.C. et E.B., lettres inédites, 1903-1910», présentées par Jacques Petit, *Cahiers Paul Claudel, I*, p. 171.

Georg BRANDES (1842-1927)

- De Cl. à B., 24/8/03, *Oeuvres en Prose*, p. 1407. De Br. à Cl., Copenhague, 17/11/03, archives.

Albert CHAPON

- Les lettres à Mithouard et à Chapon sont toutes publiées dans *B S P C*

36, «Claudel et l'*Occident*», sauf fin 05, 5/2/06, 21/3/06, 3/4/06, 28/11/06, concernant *Partage de Midi*, dans *B S P C* 24, et 3/5/12 et 16/4/12, inédites (Fonds Doucet).

Charles Albert CINGRIA (Environ 30 ans en 1914)

- 5 lettres de Cl. à Cingria, et 2 lettres de Cingria, inédites, archives, 1914-1916.

Une correspondance plus tardive a eu lieu avec Alexandre Cingria, peintre genevois, frère aîné du précédent, en particulier la «lettre à Alexandre Cingria sur les causes de la décadence de l'art sacré», *Oeuvres en prose*, Pléiade, p. 118.

Arthur FONTAINE (1860-1931)

- De Cl. à F., 6/6/06 et 25/12/09 dans *Figaro Littéraire*, 6 septembre 1952; 9/12/06 et 30/5/10 dans *Positions et Propositions II*, pp. 131 et 135; «février 1910» (fragment) dans *Corresp. Gide-Claudel*, p. 297; 25/2/10, *id*°., p. 303.

Gabriel FRIZEAU (1870-1938)

- Paul Claudel, Francis Jammes, Gabriel Frizeau, *Correspondance 1897-1938 avec des lettres de Jacques Rivière, préface et notes par André Blanchet.* N.R.F., Gallimard, 1952, 465 p.

André GIDE (1869-1951)

- Paul Claudel et André Gide, Correspondance 1899-1926, préface et notes par Robert Mallet, Gallimard, 1949, 399 p. Il convient de corriger ou ajouter :

Lettre n° 5 - dater 28/12/05

9 - dater 7/12/05

10 - lettre écrite après l'entrevue relatée dans le fragment du *Journal* de Gide qui suit.

11 - dater 7/12/05; lettre écrite avant la lettre 9.

14 - dater début janvier 06.

15 - dater 5/1/06.

16 - dater 6/1/06.

17 - dater 25/1/06.

P. 67 - *Journal* de Gide, 15/3/06.

Entre 63 et 64 : insérer lettre Claudel-Gide, 21/2/10 à propos du *Mystère de la Charité de Jeanne d'Arc* de Péguy, publ. dans *Feuillets de l'Amitié Charles Péguy*, n° 165, janvier 1971.

71 - sans doute 21/3/10.

Entre 70 et 71, lettre inédite Claudel-Gide, 19/3/10. Fonds Doucet.

71 - dater 21 ou 28/3/10.

80 - dater 20 ou 21/6/10.

82 - dater 27/6/11.
83 - dater 21/7/11.
101 - dater 29 ou 30/5/11.
110 - dater mai 1911.

P. 192, *Journal* d'André Gide : 24/1/12.

Avant 135, insérer lettre Claudel-Gide, 5/6/12, inédites, Archives Rivière-Fournier.

Entre 147 et 147, insérer Gide-Claudel, vers 20/3/13, publiée dans les *Cahiers Renaud-Barrault* n° 27, 1959 (Gide et Copeau essayent de détacher Claudel de Lugné-Poe).

P. 236, *Journal* d'André Gide, «février» est inexact.

171 - dater 18/4/19.
175 - dater 13/5/25.

Michel GRAILLET

- De Cl. à G., 20/2/01 et 27/2/01, *B S P C 9*, pp. 8-11; 24/12/05, inédit, archives. Il y a aux archives plusieurs lettres de G. à sa famille, parlant de Claudel (1897-1900).

Francis JAMMES (1868-1938)

- Paul Claudel - Francis Jammes - Gabriel Frizeau, *Correspondance (1897-1938)*, avec des lettres de Jacques Rivière, préface et notes par André Blanchet, Gallimard, 1952. Ajouter 4 lettres inédites de Cl. à J. (6/8/05, 27/3/06, 2/4/09, 27/6/09), arch. - Fragm. de 27/6/09 dans M. Lioure, *L'Esthétique dramatique ...*, p. 24.

Alexis LEGER (SAINT-JOHN PERSE 1887-1975)

- 15 lettres de L. dans Saint-John Perse, *Oeuvres Complètes, Bibl. de la Pléiade*, Gallimard, 1972, pp. 711-727 (1906-1914). Il ne reste aucune lettre de Claudel.

Maurice MAETERLINCK (1862-1949)

- 1 lettre de M. à Cl. (21/12/09) dans *Cahiers Paul Claudel, 1*, «Autour de la publication de Tête d'Or», par J. Petit, p. 137; et dans Henri Davignon, «Maeterlinck et Claudel», Académie Royale de Langue et de Littérature française, Palais des Académies, Bruxelles, 1961.

Stéphane MALLARME (1842-1898)

- 3 lettres de M. et 7 de Cl., avec une introduction d'Henri Mondor, dans *Cahiers Paul Claudel, 1*, pp. 15-59.

Filippo-Tommaso MARINETTI (1876-1944)

- De M. à Cl., 1 lettre inédite, archives.
- De Cl. à M., 27/9/05, *Corresp. Cl. - Gide*, p. 283.

Eugène MARSAN (1882-1936)

- De Cl., 31/8/07, *B S P C 24*, p. 21.

Louis MASSIGNON (1883-1962)

- *Claudel-Massignon, 1908-1914, présenté par Michel Malicet,* Desclée de Brouwer, «Les Grandes correspondances», 1973. Il y a quelques coupures; Claudel et Massignon sont restés en relations jusqu'en 1955.

Adrien MITHOUARD (1864-1919)

- De Cl., 24/11/06, *B S P C 24*, p. 6, 7/2/10, *B S P C 66*, p. 1, et les autres dans *B S P C 36*. 1 lettre de M., 2/2/14, dans *B S P C 36*, p. 41.

Albert MOCKEL (1866-1945)

- De Cl., janvier 1891, *Cahiers P.C., 1*, p. 140. 2e lettre, entre juin et août 1891, dans M. Otten et P. de Gaulmyn, «Albert Mockel et Paul Claudel au temps de *Chantefable un peu naïve*», *Bulletin de l'Académie royale de Langue et de Littérature françaises*, tome XLIV, n° 3-4, pp. 153-171, Bruxelles, Palais des Académies, 1966. De M., janvier 1891, fgts dans *Cahiers P.C. 1*, p. 139; brouillon de réponse, 25/8/91, M. Otten et P. de Gaulmyn ..., p. 157, ainsi que 2/11/03 (p. 155). Les lettres de Cl. et de M. de janvier 1891 ont été publiées dans P. Cl., *Oeuvres Complètes*, tome VI, N.R.F., Gallimard, 1953, pp. 406-410; et dans *Le Livre et l'Estampe*, Bruxelles, 1er mars 1955, pp. 11-18.

Marguerite MORENO (1871-1948)

- De Cl. à M., 20/4/00, *Théâtre, I*, (éd. J. Petit) p. 1296; P. Champion, *Marcel Schwob et son temps*, p. 27 (voir à Schwob).

Charles PEGUY (1873-1914)

- De Claudel à P. : 10/8/10, 4/11/11, 23/5/12, dans «Péguy et Claudel, deux itinéraires poétiques et mystiques», par G. Antoine, *Feuillets de l'Amitié Charles Péguy*, n° 165, janvier 1971; les mêmes, plus 11/4/13, dans Henri de Lubac et Jean Bastaire, *Claudel et Péguy*, Aubier-Montaigne, 1974, 183 p.

  De Péguy à Cl., 15/12/11, mêmes publications.

Charles-Louis PHILIPPE (1874-1909)

- De Cl. à Ph., 7/12/05, et de Ph. à Cl., 8/12/05, *Les Amis de Charles-Louis Philippe*, Moulins, n° 25, décembre 1967.

Sylvain PITT (1980 - 1919)

- 30 lettres de Cl. à P., et 25 lettres de P. à Cl. archives. Deux lettres de Cl., 4/7/10 et 24/3/11, sont publiées dans *Positions et Propositions*, II. D'autres fragments, de l'un et de l'autre, se trouvent dans l'ouvrage de D. Jakubec, *Sylvain Pitt ou les avatars de la liberté*, Editions universitaires, Fribourg (Suisse) 1979.

Maurice POTTECHER (1867-1960)

- 26 lettres de Cl., aucune lettre de P., dans *Cahiers Paul Claudel, I*, pp. 60-111, «Lettres inédites à Maurice Pottecher», présentées par Pierre Moreau.

Jacques RIVIERE (1886-1925)

- Jacques Rivière et Paul Claudel, *Correspondance, 1907-1914*, introduction d'I. Rivière, Plon 1926, 264 p. (édit. originale, «Le Roseau d'Or», Plon, même année, rééd. 1944, 1949). Cette édition est partielle, complétée seulement par trois lettres de Cl. à Riv., 2/3/14, 27/3/14, 20/4/14, dans *Corresp. Claudel-Gide*.
  Edition complète (137 lettres au lieu de 61) : *Cahiers Paul Claudel, 12, Correspondance Paul Claudel / Jacques Rivière, 1907-1924*, avec une introduction d'Auguste Anglès, explications et notes de Pierre de Gaulmyn. Gallimard, 1984.

André RUYTERS (1876 - 1952)

- De Cl. à R., 3/11/07 dans *Corresp. Cl. - Gide*, p. 271; 29/5/09, inédite, arch. De R. à Cl., 10 lettres inédites, arch.

Marcel SCHWOB (1867-1905)

- 9 lettres de Cl. à Schwob (1892-1900) dans Pierre Champion, *Marcel Schwob et son temps*, Grasset, 1927, pp. 261-271; 17/3/1900 aussi dans les *Oeuvres Complètes* de Cl., tome 18, et dans *Oeuvres en prose*, p. 1455. Ajouter 12/7/94, dans *Cahier P.C. I*, pp. 166-169. De Schwob à Cl., 2 lettres, probablement 1891, dans le même *Cahier P.C. I*, p. 145.

André SUARES (1868-1948)

- André Suarès et Paul Claudel, *Correspondance, 1904-1938*, préface et notes par Robert Mallet, Gallimard, 1951, 270 p.

Alfred VALLETTE (1858-1935)

- Cl. à V., 11 lettres (1896-1914), toutes inédites, fonds Doucet ou archives. V. à Cl., 20 lettres (1906-1913), inédites, archives.

COLLECTIONS DE DOCUMENTS ET ETUDES CRITIQUES SUR PAUL CLAUDEL

- *Bulletin de la Société Paul Claudel*, revue trimestrielle (n° 1, 1959; n° 103, 3e trim. 1986). 13, rue du Pont Louis-Philippe, 75004 Paris. Répertoire des articles : n° 38-39, n° 45, n° 68, n° 98.
- *Bulletin de la Société Paul Claudel en Belgique*, 1, rue de Crehen, Hannut. En particulier:
  - Paul Claudel et Christian Beck, n° 15, 1970.
  - Paul Claudel vu par Francis de Miomandre, documents présentés par Victor Martin-Schmets, n° 17, 1972.
- *Cahiers Paul Claudel*, Gallimard
  1 - *«Tête d'Or»* et les débuts littéraires, 1959, 263 p.
  2 - *Le rire de Paul Claudel*. 1960, 292 p.
  3 - *Correspondance Paul Claudel-Darius Milhaud*, 1961, 368 p.
  4 - *Claudel diplomate*, 1962, 362 p.

5 - *Claudel homme de théâtre*. Correspondance avec Lugné-Poe. 1964, 316 p.
6 - *Claudel homme de théâtre*. Correspondances avec Copeau, Dullin, Jouvet. 1966, 323 p.
7 - *La figure d'Israël*. 1968, 423 p.
8 - *Claudel et l'univers chinois*. 1968, 396 p.
9 - *Prague*. 1971, 408 p.
10 - *Correspondance Paul Claudel-Jean-Louis Barrault*. 1975, 440 p.
11 - *Claudel aux Etats-Unis*, 1982, 317 p.
12 - Correspondance Paul Claudel-Jacques Rivière (Voir à *Rivière*)

- *Cahiers Canadiens Claudel*. Editions de l'Université d'Ottawa, Canada.
  1 - Eugène Roberto, «*L'Endormie*» *de Paul Claudel*. 1963, 203 p.
  2 - *Claudel et l'Amérique*. 1964, 265 p. En particulier «New-York-Boston (1893-1895), pp. 21-121.
  3 - Margret Andersen, *Claudel et l'Allemagne*, 1965, 349 p. En part. «Premières rencontres» p. 37, «Helleraut» p. 59, «Claudel et la jeunesse allemande» p. 181.
  4 - *Géographie poétique de Claudel*. 1966, 232 p.
  5 - *Formes et figures*. 1967, 204 p.
  6 - Eugène Roberto, *Claudel et l'Amérique II*. 1969.
  7 - *Le Repos du Septième jour*. 1973.
  8 - Pierre Brunel, *Claudel et le satanisme anglo-saxon*. 1975.
- *Claudel Studies* (Volume I, n° 1, 1972; volume V n° 1, 1978). Edit. Moses M. Nagy, Department of French, University of Dallas, Irving, Texas 75060, USA.
- *Revue des Lettres Modernes*, série «Paul Claudel», Editions Lettres Modernes, Minard (n° 1, 1964; n° 13, 1977), en particulier :
  1 - *Quelques influences formatrices*, Eschyle, Virgile, Dante, Poe, Homère, Pindare. 1964, 160 p.
  3 - *Thèmes et images*. 1966, 136 p.
  4 - *Claudel et l'histoire*. 1967, 120 p.
  5 - *Schémas dramatiques*. 1968, 144 p.
  10 - *L'Enfer selon Claudel : «Le Repos du septième jour»*. 1974, 192 p.

NUMEROS SPECIAUX DE REVUES SUR PAUL CLAUDEL ayant servi au présent ouvrage

- LA NOUVELLE REVUE FRANCAISE.
- Grandeur de Paul Claudel. 1er décembre 1936, n° 279, pp. 933 à 997.
- Hommage à Paul Claudel. 1er septembre 1955, numéro spécial, pp. 387-638.
- RECHERCHES ET DEBATS.
  - *La pensée religieuse de Claudel*. Colloque du Centre Catholique des

Intellectuels Français. n° 65, Desclée de Brouwer, 1969 : H. de Lubac, «Claudel théologien», p. 25; X. Tillette, «Claudel au «Principe des Routes»», p. 113; M. de Gandillac, «Philosophie et Théologie chez Paul Claudel», p. 119; J. Madaule, «Claudel et l'histoire», p. 169; Ch. Galpérine, «Aperçus sur la théologie et l'histoire chez Claudel», p. 181; etc...

- LA TABLE RONDE.
- *Paul Claudel*, n° 88, avril 1955, numéro spécial.
- *Actualité de Paul Claudel*, n° 194, mars 1964, 188 p.

OUVRAGES ET ARTICLES SUR PAUL CLAUDEL

André ALTER. *Claudel.* «Théâtre de tous les temps», Seghers 1968, 189 p.

Gérald ANTOINE. *Les cinq Grandes Odes de Claudel ou la poésie de la répétition.* «Lettres Modernes», Minard, 1959, 94 p.

Ernest BEAUMONT. *L'Ode Claudélienne* «Archives des Lettres Modernes», n° 8, Minard 1958, 40 p.

Albert BEGUIN. «Notes sur Mallarmé et Claudel», *Les Lettres*, n° 9 - 11, 1948, pp. 205-216.

André BLANC. *Claudel, le point de vue de Dieu.* Editions du Centurion 1965, 220 p.

André BLANC. *Les critiques de notre temps et Claudel.* Garnier 1970, 189 p. Claudel. «Présence littéraire» n° 814, Bordas, 255 p.

Isabelle BOUCHARD. *L'expérience apostolique de Paul Claudel d'après sa correspondance.* «Etudes Littéraires», Fides, Montréal 1969, 203 p.

Yvette BOZON-SCALZITTI. *Le Verset claudélien.* «Archives des Lettres Modernes» n° 63, Minard 1965, 70 p.

Pierre BRUNEL. *Claudel et Shakespeare.* Armand Colin, 1971, 261 p.

Georges CATTAUI. *Claudel, le cycle des Coûfontaine et le mystère d'Israël.* Desclée De Brouwer 1968, 252 p.

Louis CHAIGNE. *Vie de Paul Claudel et genèse de son oeuvre.* Mame 1961, 285 p.

Pierre CLAUDEL. *Paul Claudel.* «Témoins de la foi», Bloud et Gay 1965, 212 p.

André ESPIAU de la MAESTRE. *Humanisme classique et syncrétisme mythique chez Paul Claudel (1880-1892).* Thèse, Université de Paris IV. Librairie Honoré Champion 1977, Tome I 525 p. tome II notes et appendices.

Ernest FRICHE. *Etudes Claudéliennes.* Editions des Portes de France, Porrentruy 1943, 240 p.

Stanislas FUMET. *Claudel*. «La Bibliothèque idéale», Gallimard 1958, 313 p.

Denize GAMZON. «Claudel rencontre Israël (1905-1920)». *Cahier Paul Claudel 7*, pp. 71-102.

Pierre GANNE. *Claudel, humour, joie et liberté*. Editions de l'Epi 1966, 142 p.

Pierre de GAULMYN. «Une lecture des lettres de Claudel à Mallarmé», *BSPC 40* octobre-décembre 1970, pp. 13-16. «Une lettre mal datée. A propos de la première lettre «apostolique» de Paul Claudel à André Gide», *BSPC 51* 3ème trimestre 1973, pp. 29-33.

Henri GUILLEMIN. *Claudel et son art d'écrire*. Gallimard 1955, 195 p. *Le «converti" Paul Claudel*. Gallimard 1968, 242 p.

Marius-François GUYARD. *Recherches claudéliennes. Autour des «Cinq grandes Odes»*. Klincksieck 1963, 112 p.

J.-P. INDA. «Le Père Michel et Paul Claudel». *Corde Magno* (Abbaye N.-D. de Belloc, 64 Urt), décembre 1970, pp. 1349-1362.

Paul-André LESORT. *Paul Claudel par lui-même*. «Ecrivains de toujours», Seuil 1963, 192 p.

Michel LIOURE. *L'Esthétique dramatique de Paul Claudel*, A. Colin 1971, 675 p.

Jacques MADAULE. «Claudel et Teilhard», *Revue de Paris* février 1963, pp. 85-95. *Le Drame de Paul Claudel*, édition entièrement mise à jour, Desclée De Brouwer 1964, 425 p. (éditions précédentes : 1935, 1947). «Paul Claudel et l'effondrement des empires», *Les Lettres Françaises*, août 1968, pp. 9-10. *Claudel et le langage*, Desclée De Brouwer 1968, 316 p.

Victor MARTIN-SCHMETS. «Paul Claudel vu par Francis de Miomandre». *Bulletin de la Société Claudel en Belgique*, n° 17, 1972.

Marianne MERCIER-CAMPICHE. *Le Théâtre de Claudel, ou la puissance du grief et de la passion*. J.-J. Pauvert 1968, 277 p.

Francis de MIOMANDRE. Voir Victor MARTIN-SCHMETS.

Henri MONDOR. *Claudel plus intime*. Gallimard 1960, 330 p.

Pierre MOREAU. *L'Offrande lyrique de Paul Claudel. L'Epoque des «Grandes Odes» et du «Processionnal»*, «Archives des Lettres Modernes», n° 100, Minard 1969, 46 p. «*Tête d'Or* ou les aventures de la volonté», *Revue des Lettres Modernes*, n° 44-45, Vol. VI, 1959, pp. 117-196.

Jacques PETIT. «Autour de la publication de Tête d'Or», *Cahier Paul Claudel 1*, pp. 135-170. «Claudel anarchiste», *La Table Ronde*, n°194, mars 1964, pp. 63-73. *Claudel et l'Usurpateur*, Desclée De Brouwer 1971, 211 p.

Jacques PETIT et Jean-Pierre KEMPF. Etudes sur la «Trilogie», «Archives Les Lettres Modernes», Minard. 1 - *L'Otage*, n° 69, 1966, 67 p. 2 - *Le Pain dur*, n° 77, 1967, 47 p. 3 - *Le Père humilié*, n° 87, 1968, 55 p.

Jacques RIVIERE. «Paul Claudel, poète chrétien», *L'Occident*, octobre-novembre-décembre 1907, repris dans *Etudes*. «Les oeuvres lyriques de Claudel», *L'Art libre*, Lyon, juillet-août-septembre 1910, repris dans *Etudes*. «*Théâtre* par Paul Claudel : I - *Tête d'Or* (1e et 2e versions), II - *La Ville* (1e et 2e versions)», *N.R.F.*, 1er octobre 1911, repris dans *Nouvelles Etudes*.

André TISSIER. *«Tête d'Or» de Paul Claudel*. Société d'Edition d'Enseignement Supérieur, 1968. 332 p.

André VACHON. *Le temps et l'espace dans l'oeuvre de Paul Claudel*. Seuil 1965, 455 p.

François VARILLON. *Claudel*. «Les écrivains devant Dieu», Desclée De Brouwer 1967, 143 p.

OUVRAGES ET ARTICLES DIVERS ayant servi au présent ouvrage

Pour les ouvrages publiés entre 1890 et 1916, et ayant eu des rééditions, la première édition est indiquée soit ici, soit dans les pages du livre.

ALAIN-FOURNIER (Voir Jacques RIVIERE).

Maurice BARRES.

Un Homme libre. «Club de l'honnête homme» 1, 1965.

Jacques-Bénigne BOSSUET.

Elévations sur les Mystères. Vrin 1962, 480 p.

Méditations sur l'Evangile. Vrin 1966, 663 p.

Elémir BOURGES.

Le Crépuscule des Dieux, moeurs contemporaines, édition critique, dans André Lebois, *La Genèse du «Crépuscule des Dieux»*. Paris, L'Amitié par le livre et le Cercle du Livre, 1954 (pp. 1-246). 1e éd. Stock 1901, 343 p. *La Nef*. Stock 1904, 345p.

CAHIERS DU 20e SIECLE.

Cinq rencontres de Jacques Rivière, présentées par A. Anglès et suivies d'un essai d'une bibliographie de Jacques Rivière, n° 3, Klincksieck 1975, 109 p.

M.D. CHENU.

Saint Thomas d'Aquin et la théologie. «Maîtres spirituels», Seuil, 1959, 191 p.

Michel DECAUDIN.

La crise des valeurs symbolistes, vingt ans de poésie française (1895-1914). Toulouse, Privat 1960, 535 p.

Marcel DIETSCHY.

Le Cas André Suarès. La Baconnière, Neuchâtel 1967, 364 p.

Rambert GEORGE.

André Suarès lecteur de Pascal, thèse, Université Lyon, II 1973, 394 p. (dactylogr.)

Henri GHEON et André GIDE.

Correspondance, 1904-1944. Texte établi par Jean Tipy. Introd. et Notes d'Anne-Marie Moulènes et Jean Tipy. Gallimard 1976, 1034 p.. Tome I (1897-1903), tome 2 (1904-1944).

André GIDE.

Journal 1889-1939. Bibliothèque de la Pléiade, Gallimard 1948, 1372 p.

Paludes, Le Traité de Narcisse, Les Nourritures Terrestres, L'Immoraliste, El Hadj, Le Prométhée mal enchaîné, La Porte Etroite, Le Retour de l'Enfant Prodigue, dans : ROMANS, RECITS et SOTIES, OEUVRES LYRIQUES, Bibliothèque de la Pléiade, Gallimard 1958, 1614 p.

Philoctète, dans *Oeuvres Complètes*, 3, Gallimard «N.R.F.» 1933.

«Jacques Rivière». N.R.F., *Hommage à Jacques Rivière*, 1er avril 1925, pp. 497-502.

Voir Henri GHEON, Francis JAMMES.

André GIDE et André SUARES

Correspondance 1908-1920, préface et notes de Sidney D. Braun. Gallimard 1963, 116 p.

Rémy de GOURMONT.

«IVe lettre à l'Amazone». *Mercure de France*, 1er mars 1912. In : *Lettres à l'Amazone*, 10 e éd., Mercure de France 1919, 285 p.

J.-P. INDA.

Francis Jammes par delà les poses et les images d'Epinal. «Collection Béarn-Adour», éditions Marrimpouey jeune, Pau 1975, 219 p.

Francis JAMMES.

Almaïde d'Etremont. In : *Le Roman du Lièvre.*

De l'Angélus de l'aube à l'Angélus du soir, 1888-1897. 23e éd. Mercure de France 1936, 345 p.

Clairières dans le ciel, 1902-1906. Mercure de France 1947, 227 p.

Clara d'Ellébeuse. In : *Le Roman du Lièvre.*

Le Deuil des primevères, 1898-1900. Mercure de France 1940, 213 p. 1e éd. id° 1901.

L'Eglise habillée de feuilles. In : *Clairières dans le ciel.*

Les Géorgiques chrétiennes. Mercure de France 1935, 216 p. 1e éd. Chants I-VII, id° 1911-12, 3 vol.

Mémoires : De l'âge divin à l'âge ingrat; L'amour, les muses et la chasse; Les caprices du poète. Mercure de France 1971, 303 p.

La Naissance du poète. In *De l'Angélus de l'aube à l'Angélus du soir.*
Pensée des jardins. Mercure de France 1906, 198 p.
Le Poète et sa femme. In *Clairières dans le ciel.*
Le Roman du lièvre. 6e éd. Mercure de France 1912, 368 p.
Le Triomphe de la vie (1900-1901). 5e éd. Mercure de France 1914, 249 p.
Un Jour. In *De l'Angélus de l'aube à l'Angélus du soir.*
«Méditation sur la Foi». *Le Gaulois*, 9 octobre 1904.
«A Paul Claudel», poème. *B S P C 36*, p. 11.
«Lettre à Paul Claudel Consul», poème *N.R.F.*, 1er juillet 1909, et *Correspondance Claudel-Jammes-Frizeau*, pp. 367-369.
«Une conversion». *Revue de la Jeunesse*, 10 octobre 1913; *Correspondance Claudel-Jammes-Frizeau*, pp. 371-373.

Francis JAMMES et Thomas BRAUN.
Correspondance (1898-1937). Bruxelles, Académie Royale de Langue et de littérature française, 1972.

Francis JAMMES et Arthur FONTAINE.
Correspondance, 1898-1930. Introduction et notes par Jean Labbé. Gallimard 1959, 322 p.

Francis JAMMES et André GIDE.
Correspondance (1893-1938), introduction et notes par Robert Mallet. Gallimard 1948, 385 p.

Francis JAMMES et Francis VIELE-GRIFFIN.
Correspondance, présentée par Reinhard Kuhn. Droz 1960, 93 p.

Georgette JEANCLAUDE.
Un poète précurseur, Maurice Pottecher et le Théâtre du Peuple, Bussang, Vosges, 1960, 271 p.

André LACAZE.
«Souvenirs (1905-1908)». N.R.F., *Hommage à Jacques Rivière*, 1er avril 1925, pp. 417-427.

Georges LE CARDONNEL et Charles VELLAY.
La Littérature contemporaine (1905). Mercure de France 1905, 327 p. «M. Charles-Louis Philippe», pp. 166-170; «M. Paul Claudel», pp. 170-171.

Christian LIGER.
Les débuts d'André Suarès, thèse, Université de Montpellier 1969. Tome I, 628 p., tome II 464 p. (dactylogr.).

Maurice MAETERLINCK.
Pelléas et Mélisande, dans *Théâtre*, 3 vol., Fasquelle 1922-1925.

Stéphane MALLARME.
Oeuvres complètes. Bibliothèque de la Pléiade, Gallimard 1945, 1659 p.

Robert MALLET.
Francis Jammes, sa vie, son oeuvre. Mercure de France 1961, 326 p.
Le Jammisme. Mercure de France 1961, 238 p.
MARGINALES.
Hommage à Albert Mockel. Bruxelles, 21e année, n° 110-111, décembre 1966, pp. 1-73.
Claude MARTIN.
André Gide par lui-même, «Ecrivains de Toujours», Seuil, 1963, 191 p.
La maturité d'André Gide, de «Paludes» à «L'Immoraliste», 1895-1902, Klincksieck, 1977, 687 p.
Henri MONDOR.
Vie de Mallarmé. Galimard, vol. 1, 1941, 318 p.; vol. 2, 1942, pp. 319-829.
Mallarmé plus intime. Gallimard 1944, 250 p.
Jean-François MOUEIX
Un amateur d'art éclairé à Bordeaux : Gabriel Frizeau (1870-1938). Thèse, Université de Bordeaux, Institut d'Art et d'Archéologie, 1969, 3 volumes dactylogr.
LA NOUVELLE REVUE FRANCAISE.
Hommage à Jacques Rivière, 1886-1925, numéro spécial 1er avril 1925, pp. 399-832.
Jacques Rivière et la Nouvelle Revue Française. Hommage à Jacques Rivière pour le cinquantième anniversaire de sa mort. Février 1975, pp. 1-49.
Kevin O'NEILL.
«Jacques Rivière et André Gide : l'histoire de leurs relations». *Cahiers du 20è siècle,* n° 3, pp. 23-47.
Michel OTTEN, voir «Correspondances» à MOCKEL.
Jacques PETIT.
Quatre écrivains catholiques face à Israël. Calmann-Lévy 1972.
«Rivière et Claudel». *Cahiers du 20è siècle,* n° 3, 1975, pp. 15-22.
Charles-Louis PHILIPPE.
Bubu de Montparnasse, édition définitive. Charpentier-Fasquelle 1947, 226 p.
Maurice POTTECHER.
Le Théâtre du Peuple, renaissance et destinée du théâtre populaire. Ollendorf 1899, 281 p.
PUBLICATIONS DE LA SOCIETE D'HISTOIRE LITTERAIRE DE FRANCE.
Les Editions de Correspondances, Colloque, avril 1968. Armand Colin 1969, 76 p.

Marcel RAYMOND.

Etudes sur Jacques Rivière, Corti 1972, 215 p.

Voir à Berrichon.

Jules RENARD.

Journal 1887-1910. Bibliothèque de la Pléiade, Gallimard 1960, 1412 p.

Jacques RIVIERE.

A la trace de Dieu, avec une préface de Paul Claudel, Gallimard 1925, 348 p.

«De la Foi». Voir *De la Sincérité envers soi-même.*

De la Sincérité envers soi-même, introduction d'Isabelle Rivière. Gallimard 1943, 174 p. Contient : «De la sincérité envers soi-même» (1e publ. *N.R.F.* janvier 1912) pp. 19-36; «De la Foi» (1e publ. *N.R.F.* novembre et décembre 1912), pp. 37-100; «Chasse à l'orgueil», extraits du journal de captivité 1914-1917.

Etudes. Editions de la *N.R.F.*, 1911; Gallimard 1924, 1936, 254 p.

Nouvelles Etudes. 3e éd. Gallimard 1947, 328 p.

«La Théodicée de Fénelon : les éléments quiétistes». *Annales de philosophie chrétienne*, novembre-décembre 1908, janvier-février-mars 1909.

«Lettres à André Gide» (cinq lettres de mars 1909 à Janvier 1913). *N.R.F.* avril 1925, *Hommage à Jacques Rivière*, pp. 758-780.

Jacques RIVIERE et Alain FOURNIER.

Correspondance 1905-1914. Nouvelle édition revue et augmentée, 2 vol., Gallimard 1948. I, 441 p.; II, 459 p.

Romain ROLLAND.

Le Cloître de la rue d'Ulm, Journal de Romain Rolland à l'Ecole Normale (1886-1889). Avant-propos d'André George.

Cahiers Romain Rolland, IV, Albin Michel, 1952, 397 p.

Marcel SCHWOB.

Oeuvres Complètes, édition établie par Pierre Champion avec le concours de Marguerite Moréno. François Bernouard 1927-1928. (Voir p. 40, n° 1).

André SUARES.

Airs. Mercure de France 1900, 243 p.

Bouclier du Zodiaque. L'Occident 1907, 156 p. (Rééd. 1920).

Lais et Sônes. L'Occident 1909, 72 p.

Les Bourdons sont en fleur. Emile-Paul 1917, 70 p.

«Carnets». *Les Lettres Nouvelles*, février 1975, 5è année, n° 46, pp. 161-171.

«François d'Assise». Voir *Les Bourdons sont en fleur*.

Portraits, Chronique de Caërdal. N.R.F. 1914, 308 p. (Rééd. 1923).

Sur la mort de mon frère. Frédéric Hébert 1904, 182 p.

Voici l'Homme. L'Occident 1906, 444 p. (Rééd. 1922, 1948).

Cette âme ardente, choix de lettres d'André Suarès à Romain Rolland (1887-1891). Préface de Maurice Pottecher, avant propos et notes de Pierre Sipriot. *Cahiers Romain Rolland V*, Albin Michel 1954, 401 p.

Charles VELLAY, voir LE CARDONNEL.

INDEX DES TITRES

INDEX DES NOMS

N.B. — Les noms de Frizeau, Jammes, Gide, Suarès, constamment cités, ne sont pas indexés. Voir la table des matières.

TABLE DES MATIERES